선생님이 **강**력**추**천하는

수학

개념 PLUS +
단원평가

3-1

개념+단원평가 와
내 교과서 비교하기

단원 찾는 방법

• 내 교과서 출판사명을 확인하고 공부할 범위의 페이지를 확인하세요.
• 다음 표에서 내 교과서의 공부할 페이지와 개념+단원평가 수학 페이지를 비교하면 됩니다.
  예를 들어 아이스크림 미디어 55~74쪽이면 개념+단원평가 52~71쪽을 공부하시면 됩니다.

Search

단원찾기

단원	개념+단원평가	아이스크림 미디어	천재교과서 (박만구)	미래엔	천재교과서 (한대희)	비상교육	동아출판 (안병곤)	동아출판 (박교식)	금성출판사	대교	와이비엠
1. 덧셈과 뺄셈	8~29	9~30	10~29	9~32	8~31	8~27	8~31	8~33	8~33	6~29	8~29
2. 평면도형	30~51	31~54	30~51	33~56	32~53	28~49	32~57	34~59	34~59	30~55	30~53
3. 나눗셈	52~71 ←	55~74	52~71	57~74	54~75	50~67	58~77	60~77	60~79	56~77	54~73
4. 곱셈	72~93	75~94	72~89	75~94	76~95	68~85	78~97	78~95	80~103	78~99	74~93
5. 길이와 시간	94~115	95~118	90~111	95~120	96~119	86~107	98~123	96~119	104~131	100~123	94~117
6. 분수와 소수	116~139	119~146	112~135	121~150	120~145	108~131	124~151	120~149	132~161	124~149	118~145

여러분의 꿈을 응원합니다!!!

민들레에게는
하얀 씨앗을 더 멀리 퍼뜨리고 싶은 꿈이 있고,

연어에게는
고향으로 돌아가 알알이 붉은 알을 낳고 싶은 꿈이 있습니다.

여러분도 가지각색의 아름다운 꿈을 가지고 있지요?
꿈을 향한 마음으로
좋은 결과를 얻기 위해 달려 보아요.

여러분의 아름답고 소중한 꿈을 응원합니다.

구성과 특징

1단계

교과서 핵심 잡기
교과서 핵심 정리와 핵심 문제로 개념을 확실히 잡을 수 있습니다.

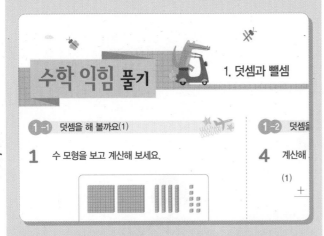

수학 익힘 풀기
차시마다 꼭 풀어야 할 익힘 문제로 기본 실력을 다질 수 있습니다.

2단계

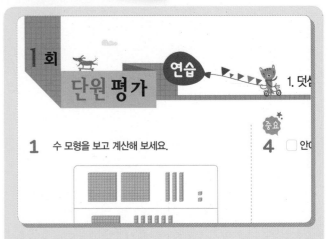

단원 평가
각 단원별로 4회씩 문제를 풀면서 단원 평가를 완벽하게 대비할 수 있습니다.

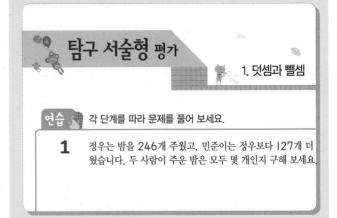

탐구 서술형 평가
각 단원의 대표적인 서술형 문제를 3단계에 걸쳐 단계별로 익힐 수 있습니다.

3단계

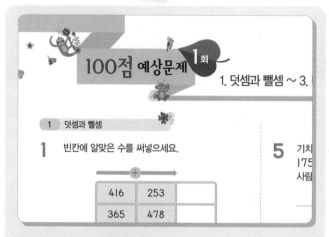

100점 예상문제

여러 단원을 묶은 문제 구성으로 여러 가지 학교 시험 형태에 완벽하게 대비할 수 있습니다.

특별 부록

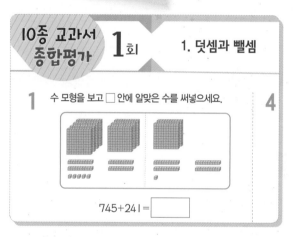

교과서 종합평가

수학 10종 검정 교과서를 완벽 분석한 종합평가를 2회씩 단원별로 풀어 볼 수 있습니다.

별책 부록

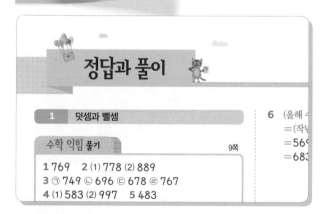

정답과 풀이

틀린 문제를 점검하고 왜 틀렸는지 확인할 수 있습니다.

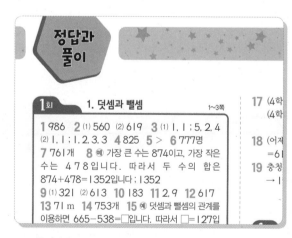

정답과 풀이

문제와 정답을 한 권에 수록하여 별책으로 활용할 수 있습니다.

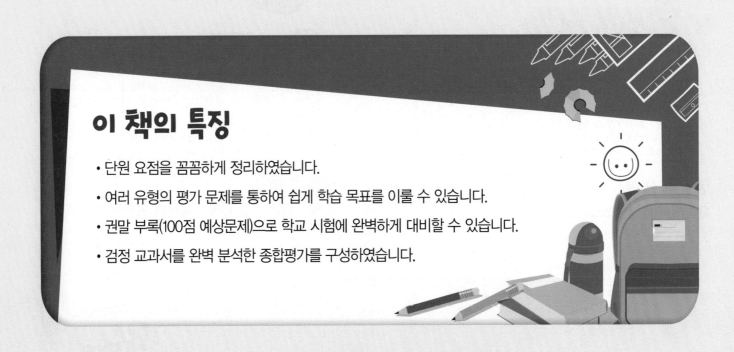

이 책의 특징

- 단원 요점을 꼼꼼하게 정리하였습니다.

- 여러 유형의 평가 문제를 통하여 쉽게 학습 목표를 이룰 수 있습니다.

- 권말 부록(100점 예상문제)으로 학교 시험에 완벽하게 대비할 수 있습니다.

- 검정 교과서를 완벽 분석한 종합평가를 구성하였습니다.

차례

3·1
3~4학년군

요점 정리
+ 단원 평가

수학 3-1

3~4 학년군

1-1 덧셈을 해 볼까요(1) → 받아올림이 없는 덧셈

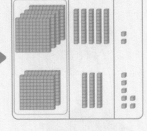

① 일의 자리: 2+7=9이므로 일의 자리에 9를 씁니다.
② 십의 자리: 5+3=8이므로 십의 자리에 8을 씁니다.
③ 백의 자리: 4+2=6이므로 백의 자리에 6을 씁니다.

```
    4 5 2
  + 2 3 7
        9
```
→
```
    4 5 2
  + 2 3 7
      8 9
```
→
```
    4 5 2
  + 2 3 7
    6 8 9
```
→ 같은 자리 수끼리 더합니다.

• 일의 자리 → 십의 자리 → 백의 자리의 순서로 계산합니다.

계산해 보세요.

```
    2 3 5
  + 3 6 4
```

풀이

① 일의 자리: 5+4=9이므로 일의 자리에 9를 씁니다.
② 십의 자리: 3+6=9이므로 십의 자리에 9를 씁니다.
③ 백의 자리: 2+3=5이므로 백의 자리에 5를 씁니다.

답 599

1-2 덧셈을 해 볼까요(2) → 받아올림이 한 번 있는 덧셈

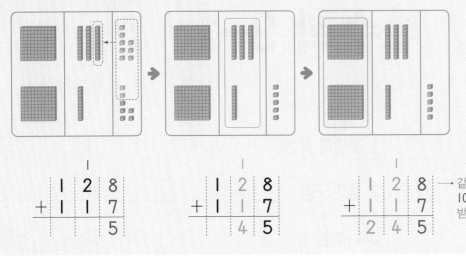

① 일의 자리: 8+7=15이므로 일의 자리에 5를 쓰고, 1은 십의 자리로 받아올림합니다.
② 십의 자리: 2+1=3이므로 3과 일의 자리에서 받아올림 한 1을 더하여 4를 씁니다.
③ 백의 자리: 1+1=2이므로 백의 자리에 2를 씁니다.

```
    1
    1 2 8
  + 1 1 7
        5
```
→
```
    1
    1 2 8
  + 1 1 7
      4 5
```
→
```
    1
    1 2 8
  + 1 1 7
    2 4 5
```
→ 같은 자리 수끼리의 합이 10이거나 10보다 크면 10을 바로 윗자리로 받아올림하고 남은 수를 씁니다.

계산해 보세요.

```
    4 3 5
  + 3 5 6
```

풀이

① 일의 자리: 5+6=11이므로 일의 자리에 1을 쓰고, 1은 십의 자리로 받아올림합니다.
② 십의 자리: 3+5=8이므로 8과 일의 자리에서 받아올림한 1을 더하여 9를 씁니다.
③ 백의 자리: 4+3=7이므로 백의 자리에 7을 씁니다.

답 791

수학 익힘 풀기

1
단원

1-1 덧셈을 해 볼까요(1)

1 수 모형을 보고 계산해 보세요.

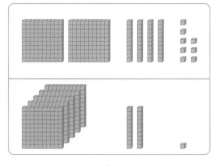

$$248+521=\boxed{}$$

2 계산해 보세요.

(1)
```
    5 4 2
  + 2 3 6
```

(2)
```
    2 5 2
  + 6 3 7
```

3 빈칸에 알맞은 수를 써넣으세요.

+		
236	513	㉠
442	254	㉡
㉢	㉣	

1-2 덧셈을 해 볼까요(2)

4 계산해 보세요.

(1)
```
    2 3 5
  + 3 4 8
```

(2)
```
    3 5 9
  + 6 3 8
```

5 진수가 말한 수를 구해 보세요.

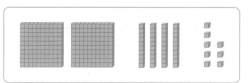

수 모형이
나타내는 수보다
235 더 큰 수.

(   )

6 농장에서 작년에 귤을 569개 수확했고 올해에는 작년보다 114개 더 많이 수확했습니다. 올해 수확한 귤은 모두 몇 개입니까?

식 _____

답 _____

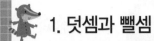
1-3 덧셈을 해 볼까요(3) ━ 받아올림이 두 번, 세 번 있는 덧셈

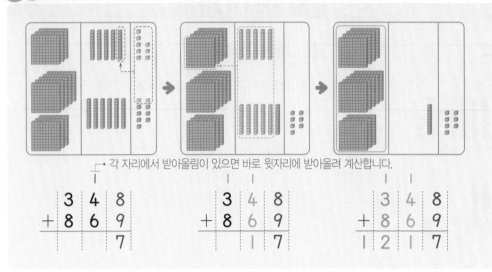

└ 각 자리에서 받아올림이 있으면 바로 윗자리에 받아올려 계산합니다.

① 일의 자리: $8+9=17$이므로 일의 자리에 7을 쓰고, 1은 십의 자리로 받아올림합니다.
② 십의 자리: $1+4+6=11$이므로 십의 자리에 1을 쓰고, 1은 백의 자리로 받아올림합니다.
③ 백의 자리: $1+3+8=12$이므로 백의 자리에 2를 쓰고, 1은 천의 자리에 씁니다.

🌰 **계산해 보세요.**

```
    4 7 5
  + 3 6 6
```

🌱 **풀이**

① 일의 자리: $5+6=11$이므로 일의 자리에 1을 쓰고, 1은 십의 자리로 받아올림합니다.
② 십의 자리: $1+7+6=14$이므로 십의 자리에 4를 쓰고, 1은 백의 자리로 받아올림합니다.
③ 백의 자리: $1+4+3=8$이므로 백의 자리에 8을 씁니다.

🌱 **답** 841

1-4 뺄셈을 해 볼까요(1) ━ 받아내림이 없는 뺄셈

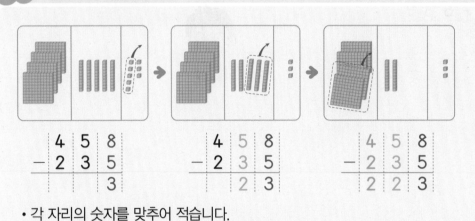

① 일의 자리: $8-5=3$이므로 일의 자리에 3을 씁니다.
② 십의 자리: $5-3=2$이므로 십의 자리에 2를 씁니다.
③ 백의 자리: $4-2=2$이므로 백의 자리에 2를 씁니다.

• 각 자리의 숫자를 맞추어 적습니다.
• 일의 자리부터 빼 준 값을 차례대로 적어 줍니다.

🌰 **계산해 보세요.**

```
    4 5 7
  - 3 3 6
```

🌱 **풀이**

① 일의 자리: $7-6=1$이므로 일의 자리에 1을 씁니다.
② 십의 자리: $5-3=2$이므로 십의 자리에 2를 씁니다.
③ 백의 자리: $4-3=1$이므로 백의 자리에 1을 씁니다.

🌱 **답** 121

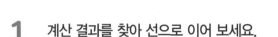

1단원

1-3 덧셈을 해 볼까요(3)

1 계산 결과를 찾아 선으로 이어 보세요.

(1) 326+198 ・   ・㉠ 901

(2) 198+387 ・   ・㉡ 585

(3) 657+244 ・   ・㉢ 524

2 ☐ 안에 알맞은 수를 써넣으세요.

(1)
```
    5  4  ☐
+   2  ☐  6
―――――――
    8  0  3
```

(2)
```
    9  ☐  8
+   6  8  ☐
―――――――
 1  6  4  5
```

3 빈칸에 두 수의 합을 써넣으세요.

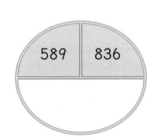
589   836

1-4 뺄셈을 해 볼까요(1)

4 계산해 보세요.

(1)
```
    5  8  8
-   3  4  3
```

(2)
```
    9  9  7
-   6  3  2
```

5 ☐ 안에 알맞은 수를 써넣으세요.

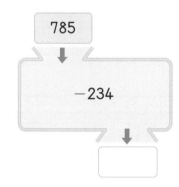
785

−234

6 재윤이가 읽고 있는 동화책은 전부 359쪽입니다. 지금까지 235쪽까지 읽었다면 몇 쪽을 더 읽어야 다 읽을 수 있습니까?

식 _____

답 _____

1-5 뺄셈을 해 볼까요(2) → 받아내림이 한 번 있는 뺄셈

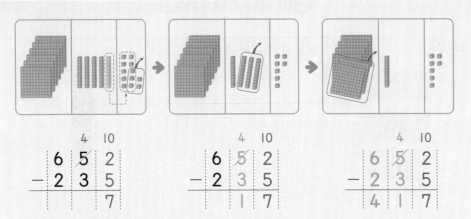

① 일의 자리: 십의 자리에서 받아내림하면 $12-5=7$ 이므로 일의 자리에 **7**을 쓰고, 십의 자리는 **4**임을 기억합니다.
② 십의 자리: $4-3=1$이므로 십의 자리에 **1**을 씁니다.
③ 백의 자리: $6-2=4$이므로 백의 자리에 **4**를 씁니다.

• 일의 자리 수끼리 뺄 수 없으면 십의 자리에서 받아내림하여 계산합니다.

🌰 계산해 보세요.

$$\begin{array}{ccc} 8 & 6 & 5 \\ - 3 & 2 & 7 \\ \hline & & \end{array}$$

풀이
① 일의 자리: 십의 자리에서 받아내림하면 $15-7=8$이므로 일의 자리에 8을 쓰고, 십의 자리는 5임을 기억합니다.
② 십의 자리: $5-2=3$이므로 십의 자리에 3을 씁니다.
③ 백의 자리: $8-3=5$이므로 백의 자리에 5를 씁니다.

답 538

1-6 뺄셈을 해 볼까요(3) → 받아내림이 두 번 있는 뺄셈

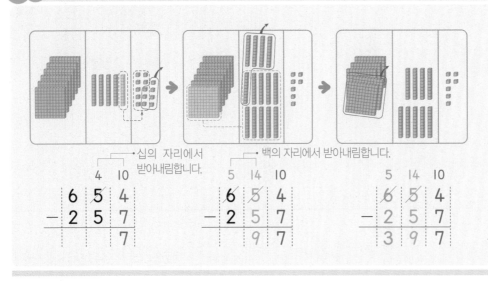

└→ 십의 자리에서 받아내림합니다.   └→ 백의 자리에서 받아내림합니다.

① 일의 자리: 십의 자리에서 받아내림하면 $14-7=7$이므로 일의 자리에 **7**을 쓰고, 십의 자리는 **4**임을 기억합니다.
② 십의 자리: 백의 자리에서 받아내림하면 $14-5=9$이므로 십의 자리에 **9**를 쓰고, 백의 자리는 **5**임을 기억합니다.
③ 백의 자리: $5-2=3$이므로 백의 자리에 **3**을 씁니다.

🌰 계산해 보세요.

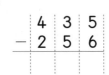

$$\begin{array}{ccc} 4 & 3 & 5 \\ - 2 & 5 & 6 \\ \hline & & \end{array}$$

풀이
① 일의 자리: 십의 자리에서 받아내림하면 $15-6=9$이므로 일의 자리에 9를 쓰고, 십의 자리는 2임을 기억합니다.
② 십의 자리: 백의 자리에서 받아내림하면 $12-5=7$이므로 십의 자리에 7을 쓰고, 백의 자리는 3임을 기억합니다.
③ 백의 자리: $3-2=1$이므로 백의 자리에 1을 씁니다.

답 179

1-5 뺄셈을 해 볼까요(2)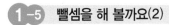

1 계산해 보세요.

(1)
```
  6 8 2
- 3 2 5
```

(2)
```
  8 9 5
- 3 2 8
```

2 빈칸에 알맞은 수를 써넣으세요.

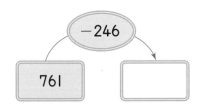

3 사각형 안에 있는 수의 차를 구해 보세요.

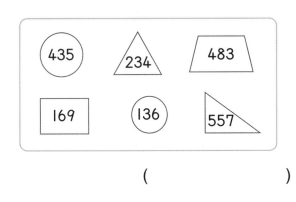

(   )

1-6 뺄셈을 해 볼까요(3)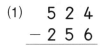

4 계산해 보세요.

(1)
```
  5 2 4
- 2 5 6
```

(2)
```
  6 3 1
- 2 6 6
```

5 빈칸에 알맞은 수를 써 넣으세요.

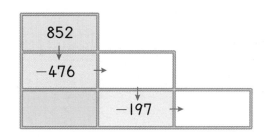

6 도서관에서 재경이네 집까지의 거리는 726 m이고, 애영이네 집까지의 거리는 267 m입니다. 도서관에서 누구네 집이 몇 m 더 가까운지 ⬚ 안에 알맞은 이름과 수를 써넣으세요.

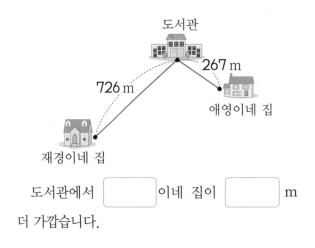

도서관에서 [   ]이네 집이 [   ] m 더 가깝습니다.

1 수 모형을 보고 계산해 보세요.

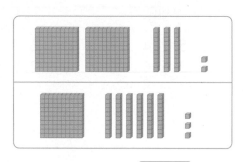

232+163= ☐

2 계산해 보세요.

(1) 523+354
(2) 462+135

3 빈칸에 알맞은 수를 써넣으세요.

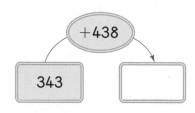

343 → +438 → ☐

4 ☐ 안에 알맞은 수를 써넣으세요.

☐ −267=454

5 ☐ 안에 알맞은 수를 써넣으세요.

```
    2  6  5
+  ☐  8  ☐
─────────
    6  ☐  9
```

6 오늘 동물원에 입장한 어른은 329명이고 어린 이는 578명입니다. 오늘 동물원에 입장한 사람은 모두 몇 명입니까?

(   )

7 ☐ 안에 알맞은 수를 써넣으세요.

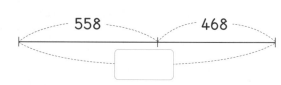

558   468

☐

8 승아가 학교에서 서점을 거쳐 공원에 가려고 합니다. 학교에서 공원까지의 거리는 모두 몇 m입니까?

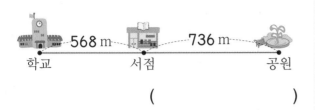

( )

9 ○ 안에 >, =, <를 알맞게 써넣으세요.

$$375+468 \bigcirc 584+263$$

10 계산해 보세요.

(1) $876-352$

(2) $594-363$

11 빈칸에 두 수의 차를 써넣으세요.

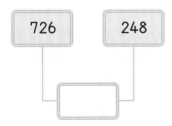

서술형

12 계산에서 잘못된 부분을 찾아 바르게 계산하고 그 이유를 써 보세요.

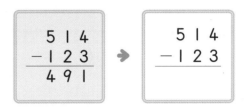

13 다음 뺄셈에서 $\boxed{12}$ 가 실제로 나타내는 수는 얼마입니까?

$$\begin{array}{r} {\scriptstyle 3\ \boxed{12}\ 10} \\ \cancel{4}\ \cancel{3}\ 6 \\ -\ 1\ 6\ 7 \\ \hline 2\ 6\ 9 \end{array}$$

( )

14 ☐ 안에 알맞은 수를 써넣으세요.

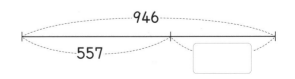

15 가장 큰 수와 가장 작은 수의 차를 구하세요.

| 624 | 256 | 547 | 159 |

(   )

16 수경이는 전체가 304쪽인 동화책을 처음부터 176쪽까지 읽었습니다. 동화책을 다 읽으려면 몇 쪽을 더 읽어야 합니까?

(   )

서술형

17 다음 중 계산 결과가 가장 작은 것은 어느 것인지 풀이 과정을 쓰고 답을 구하세요.

| ㉠ 435+786 | ㉡ 229+182 |
| ㉢ 900-593 | ㉣ 976-268 |

_____

_____

(   )

18 과일 가게에 사과가 658개 있습니다. 그중에서 269개를 팔고, 234개를 다시 사 왔습니다. 과일 가게에 있는 사과는 모두 몇 개입니까?

(   )

서술형

19 영빈이네 학교 3학년과 4학년의 남학생과 여학생 수를 조사한 표입니다. 몇 학년이 몇 명 더 많은지 풀이 과정을 쓰고 답을 구하세요.

	남학생 수	여학생 수
3학년	148명	144명
4학년	167명	159명

_____

_____

(   )

응용

20 어떤 수에 194를 더해야 할 것을 잘못하여 149를 더했더니 627이 되었습니다. 바르게 계산하면 얼마입니까?

(   )

1 단원

1 계산해 보세요.

(1)
```
   2 5 2
 + 3 4 6
```

(2)
```
   6 5 4
 + 4 6 8
```

2 빈칸에 알맞은 수를 써넣으세요.

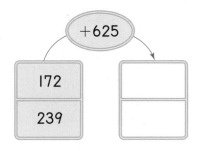

+625

172
239

3 가람이는 매일 줄넘기를 442번씩 넘었습니다. 가람이는 어제와 오늘 줄넘기를 모두 몇 번 넘었습니까?

(   )

4 계산이 틀린 사람의 이름을 써 보세요.

유진: 265+357=622
세희: 426+258=684
은형: 574+197=761

(   )

5 덧셈식에서 ☐ 안의 수가 실제로 나타내는 수는 얼마입니까?

```
  1 ①
  2 5 8
+ 3 6 6
  6 2 4
```

(   )

6 관계있는 것끼리 선으로 이어 보세요.

(1) 548+286 ·   · ㉠ 992

(2) 385+487 ·   · ㉡ 872

(3) 495+497 ·   · ㉢ 834

7 가장 큰 수와 가장 작은 수의 합을 구하세요.

| 547 | 449 | 368 | 574 |

(   )

8 다음 수보다 173 더 큰 수를 구하세요.

> 100이 7개, 10이 16개, 1이 8개인 수

(   )

서술형

9 수 카드를 한 번씩만 사용하여 세 자리 수를 만들 때, 만들 수 있는 가장 큰 수와 가장 작은 수의 합은 얼마인지 풀이 과정을 쓰고 답을 구하세요.

> 3   6   4   7

_____

_____

_____

(   )

응용

10 0부터 9까지의 수 중에서 ☐ 안에 알맞은 수를 모두 구하세요.

> 48☐+749<1235

(   )

11 계산해 보세요.

(1)
$$\begin{array}{r} 8\,6\,2 \\ -\,1\,4\,1 \\ \hline \end{array}$$

(2)
$$\begin{array}{r} 9\,1\,8 \\ -\,5\,2\,4 \\ \hline \end{array}$$

12 빈칸에 알맞은 수를 써넣으세요.

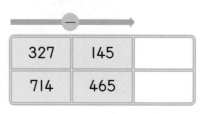

| 327 | 145 | |
| 714 | 465 | |

13 ☐ 안에 알맞은 수를 써넣으세요.

$$369 + \boxed{} = 835$$

중요

14 계산 결과를 비교하여 ◯ 안에 >, =, <를 알맞게 써넣으세요.

| 897−226 | ◯ | 738−145 |

15 빈칸에 알맞은 수를 써넣으세요.

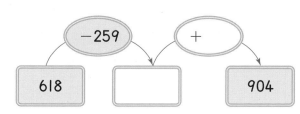

16 북한산의 높이는 836 m이고, 용마산의 높이는 348 m입니다. 두 산의 높이의 차는 몇 m입니까?

( )

17 태영이는 미술 시간에 9 m인 색 테이프를 341 cm 잘라서 사용했습니다. 남은 색 테이프의 길이는 몇 cm입니까?

( )

18 미영이는 700원을 가지고 있습니다. 가게에서 350원짜리 껌 한 통과 170원짜리 요구르트 한 병을 샀습니다. 남은 돈은 얼마인지 풀이 과정을 쓰고 답을 구하세요.

_____

_____

( )

19 혜정이네 학교의 전체 학생은 947명입니다. 남학생이 489명이라고 할 때, 여학생의 수는 몇 명입니까?

( )

20 예은이네 집에서 학교까지 가는 길은 병원을 지나는 길과 우체국을 지나는 길이 있습니다. 어느 길이 몇 m 더 가깝습니까?

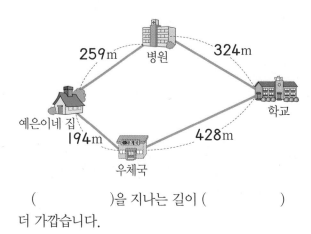

( )을 지나는 길이 ( ) 더 가깝습니다.

1 계산해 보세요.

(1)
```
   2 3 5
 + 4 5 2
```

(2)
```
   2 5 7
 + 3 6 8
```

2 빈칸에 알맞은 수를 써넣으세요.

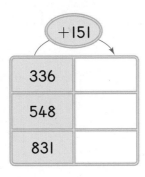

+151

336	
548	
831	

3 정희네 학교 학생은 남학생이 361명이고 여학생이 327명입니다. 정희네 학교 학생은 모두 몇 명입니까?

( )

4 다음 수를 구하세요.

457보다 264만큼 더 큰 수

( )

서술형

5 계산에서 잘못된 부분을 찾아 바르게 계산하고 이유를 써 보세요.

```
   5 3 7
 + 2 9 5
 ───────
   7 2 2
```
➡
```
   5 3 7
 + 2 9 5
```

_____

_____

6 다음 중 계산이 틀린 것은 어느 것입니까?

( )

① 545+476=1011
② 447+669=1116
③ 404+597=1001
④ 376+778=1154
⑤ 315+908=1223

7 박물관의 누리집 방문자가 어제는 764명, 오늘은 575명입니다. 어제와 오늘 이틀 동안의 누리집 방문자는 모두 몇 명입니까?

( )

8 혜준이네 집에서 우체국까지의 거리는 656 m 입니다. 혜준이가 우표를 사러 집에서 우체국까지 걸어서 갔다 왔습니다. 혜준이가 걸은 거리는 모두 몇 m입니까?

(   )

9 ☐ 안에 알맞은 수를 써넣으세요.

```
    □ 5 6
  +   2 6 □
  ─────────
  1 1 □ 3
```

서술형

10 민호는 450원을 가지고 있었습니다. 누나에게 서 280원을 받고 어머니에게서 390원을 받았다면 민호가 가지고 있는 돈은 모두 얼마인지 풀이 과정을 쓰고 답을 구하세요.

_____

_____

(   )

11 수 모형이 나타내는 수보다 214만큼 더 작은 수를 구해 보세요.

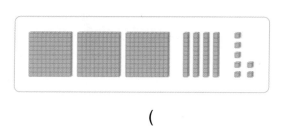

(   )

12 계산해 보세요.

(1)
```
    6 8 5
  - 2 4 3
```

(2)
```
    8 5 3
  - 3 8 7
```

서술형

13 과일 가게에 사과가 339개, 귤이 685개 있었습니다. 오늘 사과를 117개, 귤을 243개 팔았습니다. 귤은 사과보다 몇 개 더 많이 있는지 풀이 과정을 쓰고 답을 구하세요.

_____

_____

_____

(   )

14 ㉠과 ㉡ 중 더 큰 수를 찾아 기호를 써 보세요.

| ㉠ 806−235 | ㉡ 719−174 |

(   )

15 빈칸에 알맞은 수를 써넣으세요.

+		
814	907	
627	768	

16 계산 결과를 비교하여 ◯ 안에 >, =, <를 알맞게 써넣으세요.

(1) $400-327$ ◯ $225-187$

(2) $718-269$ ◯ $500-129$

17 재희와 은호 중 누가 학교에서 몇 m 더 먼 곳에 살고 있는지 풀이 과정을 쓰고 답을 구하세요.

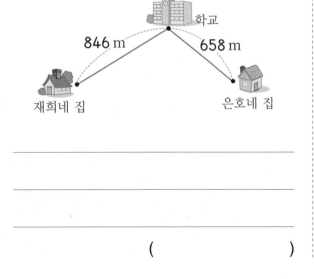

_____

_____

( )

18 계산한 값이 가장 큰 것은 어느 것입니까? ( )

① $147+379$ ② $257+258$

③ $711-359$ ④ $268+299$

⑤ $530-182$

19 다음 그림을 보고 ㉠에서 ㉣까지의 거리를 구하세요.

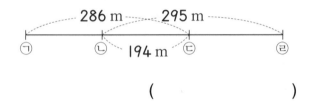

( )

20 수 카드를 한 번씩만 사용하여 세 자리 수를 만들 때, 만들 수 있는 가장 큰 수와 가장 작은 수의 차를 구하세요.

7	9	0	2

( )

1 두 수의 합을 구하세요.

> 345　　413

(　　　　　　　)

2 그림을 보고 ☐ 안에 알맞은 수를 써넣으세요.

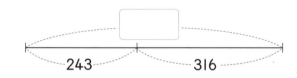

3 ○ 안에 >, =, <를 알맞게 써넣으세요.

542+351 ○ 427+452

4 관계있는 것끼리 선으로 이어 보세요.

(1) 149+836 ・　　・㉠ 908

(2) 366+542 ・　　・㉡ 985

(3) 226+544 ・　　・㉢ 770

5 윤지네 농장에서 작년에는 수박을 467개 수확했고 올해는 작년보다 175개 더 많이 수확했습니다. 윤지네 농장에서 올해 수확한 수박은 모두 몇 개입니까?

(　　　　　　　)

6 ☐ 안에 알맞은 수를 써넣으세요.

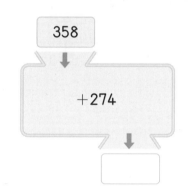

7 삼각형 안에 있는 수의 합을 구해 보세요.

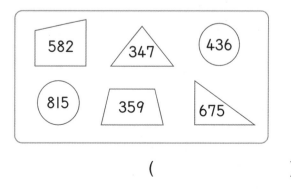

(　　　　　　　)

8 가장 큰 수와 가장 작은 수의 합을 구해 보세요.

| 358 | 573 | 549 |

( )

9 지영이는 우표를 모으고 있습니다. 지금까지 719장을 모았고, 삼촌에게서 298장을 받았습니다. 지영이의 우표는 모두 몇 장이 되었습니까?

( )

서술형

10 수 카드를 한 번씩만 사용하여 세 자리 수를 만들려고 합니다. 만들 수 있는 가장 큰 수와 두 번째로 작은 수의 합은 얼마인지 풀이 과정을 쓰고 답을 구하세요.

5 9 0 4

_____

_____

_____

( )

11 빈칸에 두 수의 차를 써넣으세요.

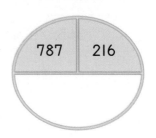

12 빈칸에 알맞은 수를 써넣으세요.

−197

312	
603	
824	

13 ☐ 안에 알맞은 수를 써넣으세요.

$$453 + \boxed{} = 547 + 384$$

서술형

14 어떤 수에서 239를 빼야 할 것을 잘못하여 더하였더니 893이 되었습니다. 바르게 계산하면 얼마인지 풀이 과정을 쓰고 답을 구하세요.

_____

_____

_____

( )

15 뺄셈식이 성립하도록 ☐ 안에 알맞은 수를 써넣으세요.

| 803 | 178 | 624 |

☐ − ☐ = 446

16 공원에서 342명이 운동을 하고 있었습니다. 그 중에서 164명이 집으로 돌아갔다면 지금 운동을 하고 있는 사람은 몇 명입니까?

( )

17 다음 삼각형의 각 선분 위의 세 수의 합은 서로 같습니다. ㉠과 ㉡에 들어갈 수를 각각 구하세요.

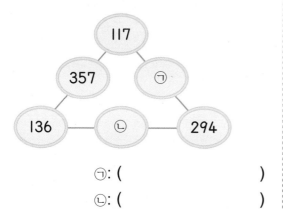

㉠: ( )

㉡: ( )

서술형

18 어느 꽃가게에 장미, 튤립, 백합이 모두 800송이 있습니다. 그중 장미와 튤립의 수를 더하면 481송이가 되고, 백합은 튤립보다 82송이 더 많습니다. 장미는 몇 송이인지 풀이 과정을 쓰고 답을 구하세요.

_____

_____

_____

( )

19 그림을 보고 ㉡에서 ㉢까지의 거리를 구하세요.

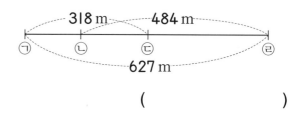

( )

서술형

20 다음은 영민이네 학교의 학생 수를 조사하여 나타낸 표입니다. 1학년과 6학년을 더한 학생 수와 2학년과 3학년을 더한 학생 수가 같다면 영민이네 학교 3학년 학생은 몇 명인지 풀이 과정을 쓰고 답을 구하세요.

학년	1	2	3	4	5	6
학생 수(명)	446	428		414	403	408

_____

_____

_____

( )

연습 각 단계를 따라 문제를 풀어 보세요.

1 정우는 밤을 246개 주웠고, 민준이는 정우보다 127개 더 많이 주 웠습니다. 두 사람이 주운 밤은 모두 몇 개인지 구해 보세요.

1단계 정우가 주운 밤은 몇 개입니까?

( )

2단계 민준이가 주운 밤은 몇 개입니까?

( )

3단계 두 사람이 주운 밤은 모두 몇 개입니까?

( )

도전 위에서 푼 방법을 생각하며 풀어 보세요.

1-1 혜성이는 줄넘기를 125번 넘었고, 유준이는 혜성이보다 143번 더 많이 넘었습니다. 두 사람이 넘은 줄넘기는 모두 몇 번인지 풀이 과정을 쓰고 답을 구하세요.

풀이

_____

_____

_____

답 _____

이렇게 술술 풀어요

① 혜성이가 넘은 줄넘기 수를 알 아봅니다.

② 유준이가 넘은 줄넘기 수를 구 합니다.

③ 두 사람이 넘은 줄넘기 수의 합 을 구합니다.

연습 각 단계를 따라 문제를 풀어 보세요.

2 수 카드를 한 번씩만 사용하여 만들 수 있는 세 자리 수 중에서 가장 큰 수와 가장 작은 수의 합을 구해 보세요.

$$\boxed{5} \quad \boxed{3} \quad \boxed{8}$$

1단계 만들 수 있는 가장 큰 수는 얼마입니까?

( )

2단계 만들 수 있는 가장 작은 수는 얼마입니까?

( )

3단계 가장 큰 수와 가장 작은 수의 합을 구해 보세요.

( )

도전 위에서 푼 방법을 생각하며 풀어 보세요.

2-1 수 카드를 한 번씩만 사용하여 만들 수 있는 세 자리 수 중에서 가장 큰 수와 가장 작은 수의 차는 얼마인지 풀이 과정을 쓰고 답을 구하세요.

$$\boxed{6} \quad \boxed{8} \quad \boxed{4}$$

 풀이

_____

_____

_____

답 _____

이렇게 술술풀어요

① 만들 수 있는 세 자리 수 중에서 가장 큰 수를 찾습니다.

② 만들 수 있는 세 자리 수 중에서 가장 작은 수를 찾습니다.

③ 가장 큰 수와 가장 작은 수의 차를 구합니다.

연습 각 단계를 따라 문제를 풀어 보세요.

3 정호네 학교 3학년과 4학년 학생 수를 나타낸 표입니다. 어느 학년의 학생이 몇 명 더 많은지 구해 보세요.

	남학생 수	여학생 수
3학년	267명	238명
4학년	276명	245명

1단계 3학년 전체 학생은 몇 명입니까?

(   )

2단계 4학년 전체 학생은 몇 명입니까?

(   )

3단계 어느 학년의 학생이 몇 명 더 많습니까?

(   )

도전 위에서 푼 방법을 생각하며 풀어 보세요.

3-1 축구장과 야구장에 입장한 사람 수를 나타낸 표입니다. 어느 경기장에 입장한 사람이 몇 명 더 많은지 풀이 과정을 쓰고 답을 구하세요.

	남자	여자
축구장	562명	354명
야구장	478명	465명

이렇게 술술 풀어요

① 축구장에 입장한 사람 수를 구합니다.

② 야구장에 입장한 사람 수를 구합니다.

③ 축구장과 야구장에 입장한 사람 수의 차를 구합니다.

풀이

_____

_____

_____

답 _____

실전 님 시험처럼 문제를 풀어 보세요.

4 집에서 공원까지의 거리는 938 m입니다. 서점에서 학교까지의 거리는 얼마인지 풀이 과정을 쓰고 답을 구하세요.

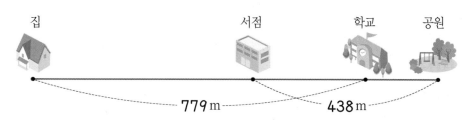

집   서점   학교   공원

779 m   438 m

풀이

답

실전 님 시험처럼 문제를 풀어 보세요.

5 정수는 올해 안에 900장의 우표를 모으려고 합니다. 5월까지 449장을 모았고, 그 후로 9월까지 274장을 더 모았습니다. 앞으로 몇 장을 더 모으면 900장이 되는지 풀이 과정을 쓰고, 답을 구하세요.

풀이

답

2-1 선의 종류에는 어떤 것이 있을까요

• 곧은 선과 굽은 선

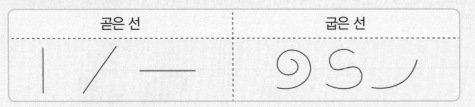

곧은 선	굽은 선

• 선분, 반직선, 직선

선분	반직선	직선
ㄱ——ㄴ	ㄱ——ㄴ	ㄱ——ㄴ
두 점을 곧게 이은 선	한 점에서 한쪽으로 끝없이 늘인 곧은 선	양쪽으로 끝없이 늘인 곧은 선
선분 ㄱㄴ 또는 선분 ㄴㄱ	반직선 ㄱㄴ	직선 ㄱㄴ 또는 직선 ㄴㄱ

• 반직선 ㄴㄱ

① 점 ㄴ에서 시작하여 점 ㄱ을 지나는 반직선을 반직선 ㄴㄱ이라고 합니다.

② 반직선 ㄱㄴ은 시작점이 점 ㄱ이고, 반직선 ㄴㄱ은 시작점이 점 ㄴ입니다. 따라서 반직선 ㄱㄴ과 반직선 ㄴㄱ은 서로 다릅니다.

└ 반직선은 시작점에 따라 읽는 방법이 다릅니다.

🌰 **직선을 찾아 읽어 보세요.**

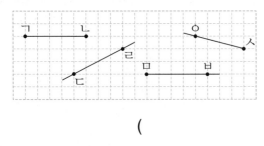

(   )

풀이

• 양쪽으로 끝없이 늘인 곧은 선을 찾아서 읽어 보면 직선 ㄷㄹ 또는 직선 ㄹㄷ입니다.

• 선분 ㄱㄴ 또는 선분 ㄴㄱ, 반직선 ㅁㅂ, 반직선 ㅅㅇ이라고 읽습니다.

답 직선 ㄷㄹ 또는 직선 ㄹㄷ

2-2 각을 알아볼까요

• 각: 한 점에서 그은 두 반직선으로 이루어진 도형을 각이라고 합니다.

• 오른쪽 그림에서

① **각:** 각 ㄱㄴㄷ 또는 각 ㄷㄴㄱ
   └→ 꼭짓점이 가운데 오도록 읽습니다.

② **꼭짓점:** 점 ㄴ

③ **변:** 변 ㄴㄱ, 변 ㄴㄷ

• 각 읽기

각은 시계 반대 방향으로 읽는 것이 일반적이지만 필요에 따라 시계 방향과 시계 반대 방향 모두 읽을 수 있습니다.

🌰 **☐ 안에 알맞은 말을 써넣으세요.**

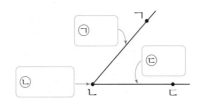

풀이

각에서 두 반직선을 변이라고 하고, 두 반직선이 만나는 한 점을 꼭짓점이라고 합니다.

답 ㉠ 변 ㉡ 꼭짓점 ㉢ 변

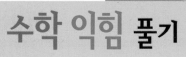

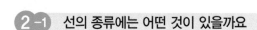

2-1 선의 종류에는 어떤 것이 있을까요

🍄 그림을 보고 물음에 답하세요. [1~3]

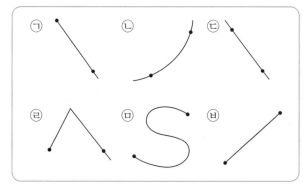

1 선분을 찾아 기호를 써 보세요.

( )

2 반직선을 찾아 기호를 써 보세요.

( )

3 직선을 찾아 기호를 써 보세요.

( )

4 각 도형의 이름을 써 보세요.

(1)  ( )

(2) ( )

(3)  ( )

2-2 각을 알아볼까요

5 각은 어느 것입니까? ( )

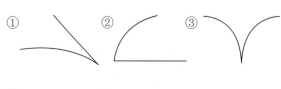

6 각 ㄷㄴㄱ을 그려 보세요.

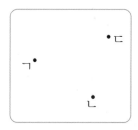

7 각이 가장 많은 도형은 어느 것인지 기호를 써 보세요.

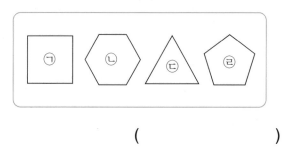

( )

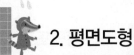
2-3 직각을 알아볼까요

- **직각**: 그림과 같이 종이로 반듯하게 두 번 접었을 때 생기는 각을 직각이라고 합니다.

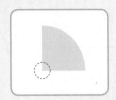 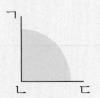 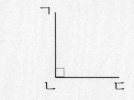

- 직각 ㄱㄴㄷ을 나타낼 때에는 꼭짓점 ㄴ에 ⌐ 표시를 하기도 합니다.

- **직각 삼각자에서 직각 찾기**
직각 삼각자에는 각이 3개 있는데, 그중에서 직각은 1개입니다.

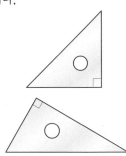

🐛 다음 도형에는 직각이 몇 개 있습니까?

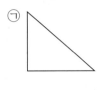

( ) ( ) ( )

풀이

➡ 1개 ➡ 0개 ➡ 4개

답 ㉠ 1개 ㉡ 0개 ㉢ 4개

2-4 직각삼각형을 알아볼까요

- **직각삼각형**: 한 각이 직각인 삼각형을 직각삼각형이라고 합니다.

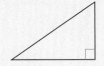 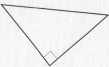 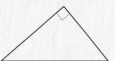

- 직각삼각형을 그릴 때에는 변의 길이에 관계없이 한 각이 직각이 되게 그리면 됩니다.

- **직각삼각형이 아닌 이유**

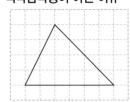

① 한 각이 직각인 삼각형이 아닙니다.
② 삼각형의 각 중에 직각이 없습니다.

🍂 직각삼각형을 모두 찾아보세요.

  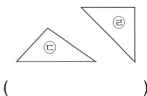

( )

풀이
① ㉠과 ㉣은 한 각이 직각인 삼각형이므로 직각삼각형입니다.
② ㉡과 ㉢은 직각인 각이 없습니다.

답 ㉠, ㉣

2-3 직각을 알아볼까요

1 도형에서 직각을 찾아 ⌐ 로 나타내어 보세요.

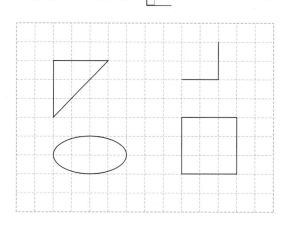

2 직각 삼각자를 이용하여 점 ㄱ을 꼭짓점으로 하는 직각을 그려 보세요.

ㄱ•

3 그림에서 직각은 모두 몇 개입니까?

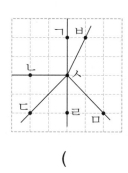

( )

2-4 직각삼각형을 알아볼까요

4 직각삼각형은 어느 것인지 기호를 써 보세요.

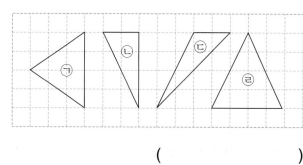

( )

5 다음 칠교판에는 직각삼각형이 몇 개 있는지 써 보세요.

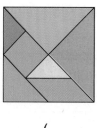

( )

6 점 종이에 직각삼각형을 그려 보세요.

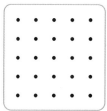

2

단원

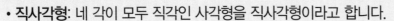

2-5 직사각형을 알아볼까요

- **직사각형**: 네 각이 모두 직각인 사각형을 직사각형이라고 합니다.

- **직사각형의 특징**
① 네 각이 모두 직각입니다. ── 직각이 4개 있습니다.
② 마주 보는 두 변의 길이가 같습니다.

- **직사각형이 아닌 이유**
네 각이 모두 직각인 사각형이 아닙니다.

🌰 **직사각형을 모두 찾아보세요.**

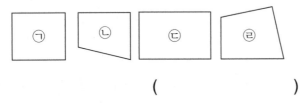

(   )

풀이
① ㉠과 ㉢은 네 각이 모두 직각이므로 직사각형입니다.
② ㉡과 ㉣은 네 각이 모두 직각인 사각형이 아닙니다.

답 ㉠, ㉢

2-6 정사각형을 알아볼까요

- **정사각형**: 네 각이 모두 직각이고 네 변의 길이가 모두 같은 사각형을 정사각형이라고 합니다.

 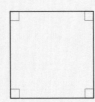 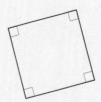

- **정사각형의 특징**
① 네 각이 모두 직각입니다. ── 직각이 4개 있습니다.
② 네 변의 길이가 모두 같습니다.

- **직사각형과 정사각형의 관계**
① 정사각형은 네 각이 모두 직각이므로 직사각형이라고 할 수 있습니다.
　└ 정사각형은 직사각형이라고 할 수 있습니다.
② 직사각형은 네 변의 길이가 모두 같지 않은 것도 있으므로 정사각형이라고 할 수 없습니다.
　└ 직사각형은 정사각형이라고 할 수 없습니다.

🌰 **정사각형을 모두 찾아보세요.**

 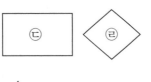

(   )

풀이
① ㉠과 ㉡은 네 각이 모두 직각이고 네 변의 길이가 모두 같으므로 정사각형입니다.
② ㉢은 네 각이 모두 직각이지만 네 변의 길이가 모두 같지 않습니다.
③ ㉣은 네 변의 길이는 모두 같지만 네 각이 모두 직각이 아닙니다.

답 ㉠, ㉡

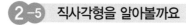 2-5 직사각형을 알아볼까요

🍄 그림을 보고 물음에 답하세요. [1~2]

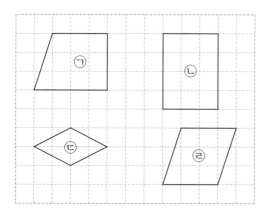

1 직사각형을 찾아 기호를 써 보세요.

( )

2 다음은 ㉠ 사각형이 직사각형이 <u>아닌</u> 이유를 설명한 것입니다. ☐ 안에 알맞은 말을 써 넣으세요.

네 각이 모두 ☐ 인 사각형이 아닙니다.

3 다음 도형에서 크고 작은 직사각형은 모두 몇 개인지 써 보세요.

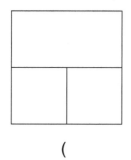

( )

 2-6 정사각형을 알아볼까요

🍄 그림을 보고 물음에 답하세요. [4~6]

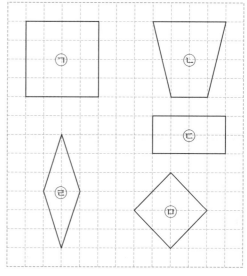

4 네 각이 모두 직각인 사각형을 찾아 기호를 모두 써 보세요.

( )

5 네 변의 길이가 모두 같은 사각형을 찾아 기호를 모두 써 보세요.

( )

6 정사각형을 찾아 기호를 모두 써 보세요.

( )

7 다음은 ㉣ 사각형이 정사각형이 <u>아닌</u> 이유를 설명한 것입니다. ☐ 안에 알맞은 말을 써 넣으세요.

네 변의 길이는 모두 같지만 네 각이 모두 ☐ 이 아닙니다.

1 선분 ㄱㄴ은 어느 것입니까? (　　　)

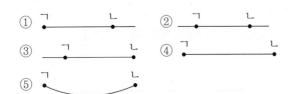

2 점을 이용하여 반직선 ㄱㄴ을 그어 보세요.

3 선분에 대하여 바르게 말한 사람은 누구입니까?

준하: 한 점에서 한쪽으로 끝없이 늘인 곧은 선이야.
은혜: 두 점을 곧게 이은 선이야.

(　　　　　　　)

4 다음 중 각을 찾을 수 <u>없는</u> 도형을 모두 고르세요.
(　　　)

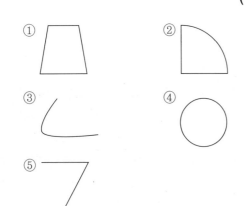

5 각을 읽어 보세요.

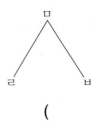

(　　　　　　　)

6 각 ㄱㄷㄹ을 그려 보세요.

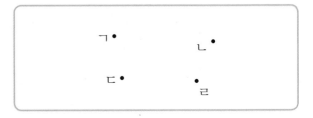

서술형

7 각의 개수가 가장 많은 도형은 어느 것인지 풀이 과정을 쓰고, 답을 구하세요.

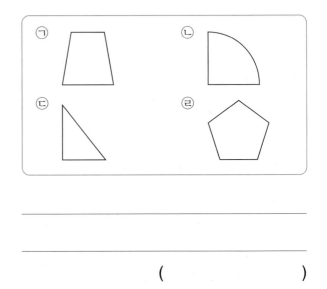

_____

_____

(　　　　　　　)

8 도형에는 직각이 몇 개 있습니까?

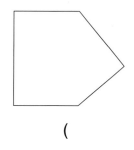

(   )

9 주어진 선분을 한 변으로 하는 직각을 그려 보세요.

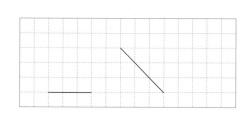

10 다음 중 직각삼각형을 모두 고르세요. (   )

①   ②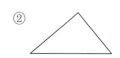

③   ④

⑤

11 직각삼각형을 바르게 설명한 사람은 누구입니까?

변이 3개, 직각이 1개 있어.   직각이 3개 있어.

수호   진영

(   )

12 모눈종이 위에 서로 다른 직각삼각형을 2개 그려 보세요.

서술형

13 도형이 직각삼각형이 <u>아닌</u> 이유를 설명해 보세요.

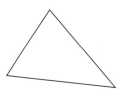

_____

14 오른쪽 도형이 직사각형이 <u>아닌</u> 이유를 찾아 기호를 써 보세요.

> ㉠ 변이 4개가 아닙니다.
> ㉡ 직각이 4개가 아닙니다.

(   )

15 직사각형을 보고 빈칸에 알맞은 수를 써넣으세요.

변의 수(개)	
꼭지점의 수(개)	
직각의 수(개)	

18 어떤 도형에 대한 설명인지 써 보세요.

> • 나는 변이 **4**개입니다.
> • 나는 직각이 **4**개입니다.
> • 나는 변의 길이가 모두 같습니다.

(   )

16 직사각형 모양의 색 도화지에 그림과 같이 점선을 긋고, 자르면 직사각형이 모두 몇 개 만들어집니까?

(   )

19 길이가 20 cm인 끈으로 가장 큰 정사각형을 만들었습니다. 정사각형의 한 변은 몇 cm인지 풀이 과정을 쓰고 답을 구하세요.

_____

_____

_____

(   )

17 정사각형을 모두 찾아 기호를 써 보세요.

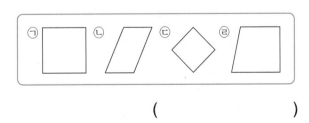

(   )

20 다음 직사각형의 네 변의 길이의 합은 몇 cm입니까?

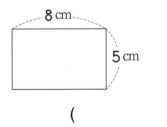

(   )

단원 평가

도전

2. 평면도형

1 직선을 모두 고르세요. (   )

2 다음 물음에 답하세요.

(1) 다음 점들을 지나는 직선을 모두 그어 보세요.

(2) (1)에서 직선은 모두 몇 개입니까?

(   )

3 다음 도형은 몇 개의 선분으로 이루어져 있습니까?

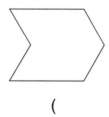

(   )

4 다음 중 각을 찾아 기호를 써 보세요.

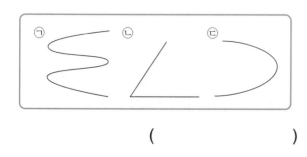

(   )

5 각을 읽어 보세요.

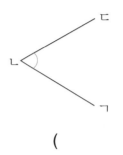

(   )

중요

6 도형에서 찾을 수 있는 각은 모두 몇 개입니까?

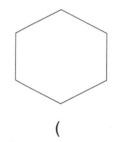

(   )

7 각이 더 많은 도형을 찾아 기호를 써 보세요.

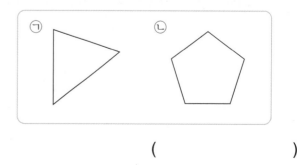

(   )

8 다음 중 직각을 모두 고르세요. (   )

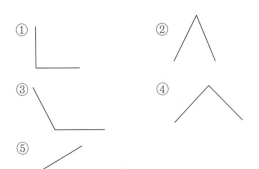

① ② ③ ④ ⑤

중요

9 직각이 가장 많은 도형을 찾아 기호를 써 보세요.

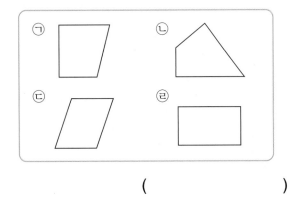

㉠ ㉡ ㉢ ㉣

(   )

10 직각삼각형이 <u>아닌</u> 것을 찾아 기호를 써 보세요.

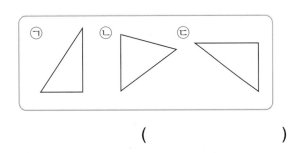

㉠ ㉡ ㉢

(   )

주의

11 다음 중 직각삼각형에 대한 설명으로 항상 옳은 것을 모두 고르세요. (   )

① 한 각이 직각입니다.
② 각은 모두 **3**개 있습니다.
③ 세 변의 길이가 같습니다.
④ 똑같은 모양을 **2**개 붙이면 항상 정사각형이 됩니다.
⑤ 세 각이 모두 직각인 삼각형을 직각삼각형이라고 합니다.

중요

12 도형에서 꼭짓점 ㄷ을 어느 곳으로 옮겨 그려야 직각삼각형이 됩니까? (   )

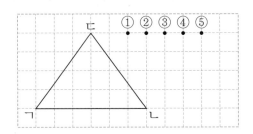

그림을 보고 물음에 답하세요. [13~14]

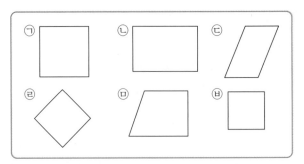

㉠ ㉡ ㉢ ㉣ ㉤ ㉥

13 직사각형을 찾아 기호를 모두 써 보세요.

(   )

14 정사각형을 찾아 기호를 모두 써 보세요.

(   )

서술형
15 ㉠과 ㉡에 알맞은 수의 합을 구하세요.

- 직각삼각형은 직각이 ㉠개입니다.
- 직사각형은 직각이 ㉡개입니다.

_____

_____

( )

16 주어진 선분을 한 변으로 하는 직사각형을 그려 보세요.

서술형
17 다음 직사각형의 네 변의 길이의 합은 38 cm입니다. ☐ 안에 알맞은 수는 얼마인지 풀이 과정을 쓰고 답을 구하세요.

8cm

cm

_____

_____

( )

18 다음 도형의 이름이 될 수 있는 것을 모두 고르세요. ( )

① 원　　　　　② 삼각형
③ 정사각형　　④ 직사각형
⑤ 직각삼각형

2
단원

19 직각 삼각자를 이용하여 주어진 선분을 한 변으로 하는 정사각형을 그려 보세요.

_____

응용
20 한 변이 2 cm인 정사각형 4개를 그림과 같이 겹치지 않게 이어 붙여 직사각형을 만들었습니다. 굵은 선의 길이는 몇 cm입니까?

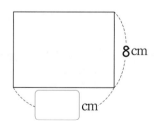

2 cm

( )

1 도형의 이름을 써 보세요.

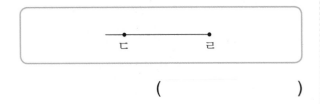

( )

2 그림을 보고 □ 안에 알맞은 도형의 이름을 써넣으세요.

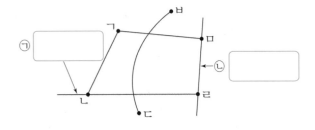

3 각을 찾아 기호를 써 보세요.

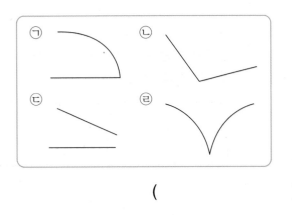

( )

4 그림을 보고 □ 안에 알맞은 말을 써넣으세요.

각 ㅅㅇㅈ에서 점 ㅇ을 각의 □ 이라 하고, 반직선 ㅇㅈ을 각의 □ 이라고 합니다.

서술형

5 오른쪽 도형을 각이라고 할 수 없는 이유를 써 보세요.

_____

_____

6 다음 도형에서 찾을 수 있는 각은 모두 몇 개입니까?

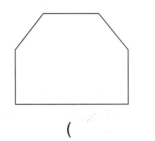

( )

7 다음과 같이 색종이를 접었다 펼쳤을 때 생기는 각 ㅇㅈㅂ은 어떤 각입니까?

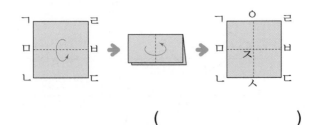

( )

8 그림에서 직각은 모두 몇 개입니까?

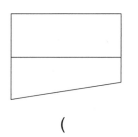

( )

9 직각이 가장 많은 도형은 어느 것인지 풀이 과정을 쓰고, 답을 구하세요.

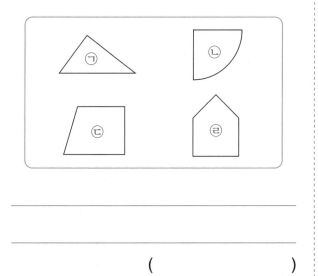

_____

_____

( )

10 직각삼각형은 모두 몇 개입니까?

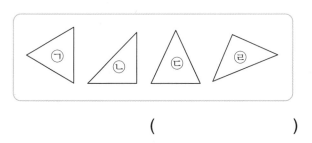

( )

11 어떤 도형에 대한 설명인지 풀이 과정을 쓰고 답을 구하세요.

> • 3개의 선분으로 둘러싸인 도형입니다.
> • 한 각이 직각인 도형입니다.

_____

_____

( )

12 삼각형의 안쪽에 선분을 1개 그어서 직각삼각형을 2개 만들어 보세요.

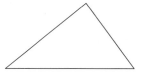

13 그림에서 찾을 수 있는 크고 작은 직각삼각형은 모두 몇 개입니까?

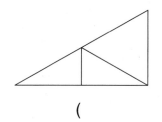

( )

14 점 종이에 모양과 크기가 다른 직사각형을 2개 그려 보세요.

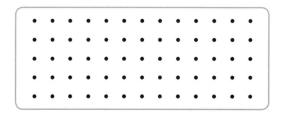

15 그림에서 크고 작은 직사각형은 모두 몇 개입니까?

(   )

18 정사각형을 모두 고르세요. (   )

16 직사각형 모양의 종이를 다음과 같이 접었습니다. 물음에 답하세요.

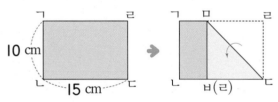

(1) 변 ㅁㄷ을 펼친 사각형 ㅁㅂㄷㄹ은 어떤 사각형입니까?

(   )

(2) 선분 ㄱㅁ의 길이는 몇 cm입니까?

(   )

19 네 변의 길이의 합이 32 cm인 정사각형의 한 변은 몇 cm입니까?

(   )

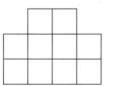

20 그림에서 크고 작은 정사각형은 모두 몇 개인지 풀이 과정을 쓰고 답을 구하세요.

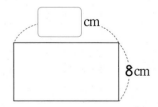

_____

_____

(   )

17 직사각형의 네 변의 길이의 합이 46 cm일 때, ☐ 안에 알맞은 수를 써넣으세요.

1 반직선 ㄱㄴ을 찾아 기호를 써 보세요.

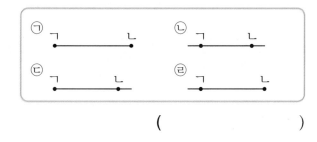

( )

2 도형의 이름을 써 보세요.

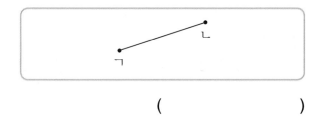

( )

3 5개의 점을 지나는 직선은 모두 몇 개 그을 수 있습니까?

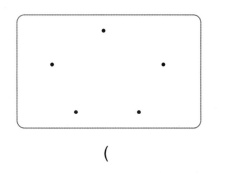

( )

4 각이 있는 도형을 모두 찾아 기호를 써 보세요.

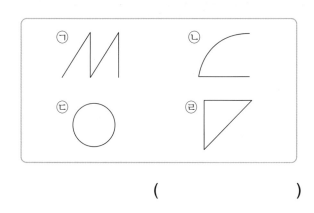

( )

5 다음 도형에 대한 설명으로 틀린 것을 찾아 기호를 써 보세요.

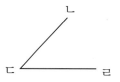

ㄱ 꼭짓점은 점 ㄷ입니다.
ㄴ 각 ㄴㄷㄹ이라고 읽습니다.
ㄷ 두 반직선이 점 ㄷ에서 만납니다.
ㄹ 변은 반직선 ㄴㄷ과 반직선 ㄹㄷ입니다.

( )

서술형

6 도형에서 크고 작은 각은 모두 몇 개 있는지 풀이 과정을 쓰고 답을 구하세요.

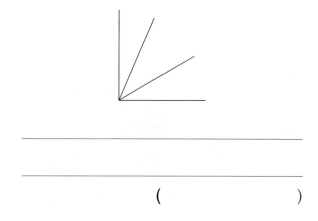

( )

7 도형에는 각이 모두 몇 개 있습니까?

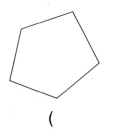

( )

2
단원

8 다음 삼각형에서 직각인 각을 찾아 읽어 보세요.

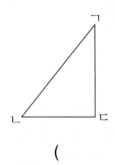

(　　　　　　　)

9 직각이 가장 많은 도형은 어느 것입니까? (　　　)

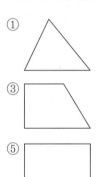
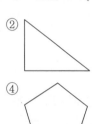

10 오른쪽 도형에서 직각은 모두 몇 개입니까?

(　　　　　　　)

11 직각삼각형에 대한 설명으로 옳은 것을 모두 고르세요. (　　　　)

① 한 각이 직각입니다.
② 꼭짓점이 4개 있습니다.
③ 세 각이 모두 직각입니다.
④ 세 변의 길이가 모두 같습니다.
⑤ 3개의 선분으로 둘러싸여 있습니다.

12 수민이는 색종이로 다음과 같이 도형을 만들었습니다. 수민이가 만든 도형의 이름을 써 보세요.

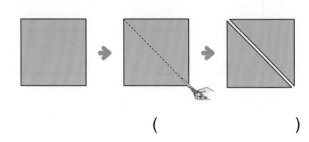

(　　　　　　　)

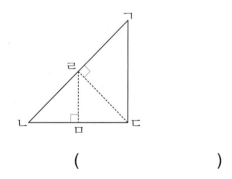

서술형

13 두 직각삼각형의 같은 점과 다른 점을 써 보세요.

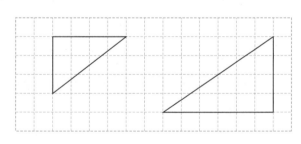

(1) 같은 점: _____

(2) 다른 점: _____

14 직각삼각형 ㄱㄴㄷ을 점선을 따라 자르면 직각삼각형이 모두 몇 개 생깁니까?

(　　　　　　　)

서술형

15 다음 도형은 직사각형이 아닙니다. 그 이유를 써 보세요.

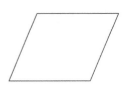

_____

16 직각 삼각자를 이용하여 주어진 선분을 두 변으로 하는 직사각형을 그려 보세요.

17 그림과 같은 직사각형의 네 변의 길이의 합이 44 cm일 때, ☐ 안에 알맞은 수를 써넣으세요.

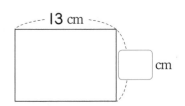

18 ㉠과 ㉡에 알맞은 수의 합을 구하세요.

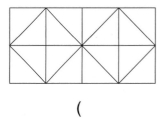

• 직각삼각형은 직각이 ㉠ 개 있습니다.

• 정사각형은 길이가 같은 변이 ㉡ 개 있습니다.

(   )

19 그림에서 크고 작은 정사각형은 모두 몇 개입니까?

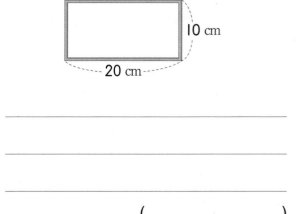

(   )

서술형

20 직사각형 모양의 철사를 남김없이 사용하여 가장 큰 정사각형을 만들려고 합니다. 한 변의 길이를 몇 cm로 해야 하는지 풀이 과정을 쓰고 답을 구하세요.

10 cm
20 cm

_____

_____

_____

(   )

연습 각 단계를 따라 문제를 풀어 보세요.

1 두 도형에서 찾을 수 있는 직각의 개수의 차는 몇 개인지 구해 보세요.

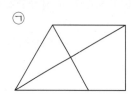 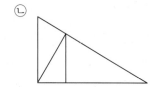

1단계 ㉠ 도형에서 찾을 수 있는 직각은 몇 개입니까?

( )

2단계 ㉡ 도형에서 찾을 수 있는 직각은 몇 개입니까?

( )

3단계 두 도형에서 찾을 수 있는 직각의 개수의 차를 구해 보세요.

( )

도전 위에서 푼 방법을 생각하며 풀어 보세요.

1-1 두 도형에서 찾을 수 있는 직각의 개수의 차는 몇 개인지 풀이 과정을 쓰고 답을 구하세요.

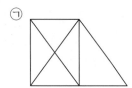 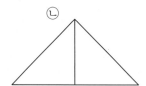

이렇게 술술 풀어요

① ㉠ 도형에서 찾을 수 있는 직각의 개수를 구합니다.

② ㉡ 도형에서 찾을 수 있는 직각의 개수를 구합니다.

③ 두 도형에서 찾을 수 있는 직각의 개수의 차를 구합니다.

풀이

_____

_____

_____

답 _____

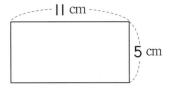 **연습** 각 단계를 따라 문제를 풀어 보세요.

2 오른쪽 그림과 같이 직사각형 모양의 토끼 울타리를 정사각형 모양으로 바꾸려고 합니다. 네 변의 길이의 합은 변하지 않았다면 바꾼 정사각형 모양의 토끼 울타리의 한 변은 몇 m인지 구해 보세요.

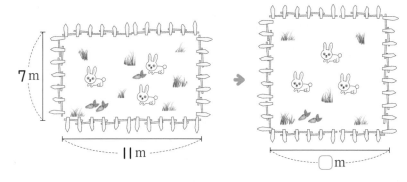

1단계 직사각형 모양 토끼 울타리의 네 변의 길이의 합은 몇 m입니까?

( )

2단계 정사각형 모양 토끼 울타리의 네 변의 길이의 합은 몇 m입니까?

( )

3단계 정사각형 모양의 토끼 울타리의 한 변은 몇 m입니까?

( )

 도전 위에서 푼 방법을 생각하며 풀어 보세요.

2-1 오른쪽 직사각형과 네 변의 길이의 합이 같은 정사각형을 그리려고 합니다. 정사각형의 한 변을 몇 cm로 그려야 하는지 풀이 과정을 쓰고, 답을 구하세요.

─ 11 cm ─

5 cm

이렇게 술술풀어요

① 직사각형의 네 변의 길이의 합을 구합니다.

② 정사각형의 네 변의 길이의 합을 구합니다.

③ 정사각형의 한 변의 길이를 구합니다.

풀이

_____

_____

_____

_____

답 _____

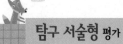 
연습 각 단계를 따라 문제를 풀어 보세요.

3 도형에서 크고 작은 직각삼각형은 모두 몇 개인지 구해 보세요.

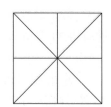

1단계 다음과 같은 직각삼각형은 각각 몇 개입니까?

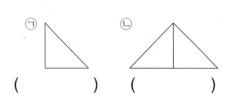

( ) ( ) ( )

2단계 크고 작은 직각삼각형은 모두 몇 개입니까?

( )

도전 위에서 푼 방법을 생각하며 풀어 보세요.

3-1 도형에서 크고 작은 직각삼각형은 모두 몇 개인지 구해 보세요.

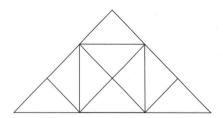

풀이

답

이렇게 술술 풀어요

① 찾을 수 있는 직각삼각형의 종류를 알아봅니다.

② 각 직각삼각형이 몇 개씩인지 찾습니다.

③ 크고 작은 직각삼각형의 수를 더합니다.

실전 시험처럼 문제를 풀어 보세요.

4 도형에서 점 ㄱ을 꼭짓점으로 하는 각은 모두 몇 개인지 풀이 과정을 쓰고 답을 구하세요.

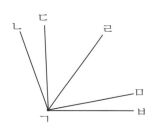

풀이

답

실전 시험처럼 문제를 풀어 보세요.

5 한 변의 길이가 2 cm인 정사각형을 다음과 같은 규칙으로 이어 붙였습니다. 도형에서 빨간색 부분을 둘레라고 할 때, 여섯째 도형의 둘레는 몇 cm인지 풀이 과정을 쓰고 답을 구하세요.

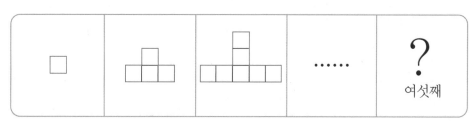

여섯째

풀이

답

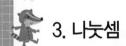
3-1 똑같이 나누어 볼까요

- 똑같이 나누기 ①
예) 딸기 10개를 2명이 똑같이 나누면 한 명이 5개씩 먹게 됩니다.
① 나눗셈식으로 쓰기: $10 \div 2 = 5$ → 나누어지는 수 / 나누는 수 / 몫
② 나눗셈식 읽기: 10 나누기 2는 5와 같습니다.
③ 몫: 5, 나누어지는 수: 10, 나누는 수: 2
  → 10을 2로 나눈 몫
- 똑같이 나누기 ②
예) 딸기 10개를 한 봉지에 2개씩 담으면 몇 봉지가 됩니까?
① 뺄셈으로 해결하기: $10 - 2 - 2 - 2 - 2 - 2 = 0$ → 2씩 5번 빼면 0이 되므로 5봉지에 담을 수 있습니다.
② 나눗셈으로 해결하기: $10 \div 2 = 5$ → 5봉지에 담을 수 있습니다.

- 나눗셈식을 뺄셈식으로 나타내기
예) 나눗셈식 $15 \div 5 = 3$을 뺄셈식으로 나타내기
① 15에서 5씩 3번 빼면 0이 됩니다.
② 뺄셈식으로 쓰기:
  $15 - 5 - 5 - 5 = 0$
  → 3번 / 몫

🐛 바둑돌 18개를 6명이 똑같이 나누어 가지려고 합니다. 몇 개씩 나누어 가질 수 있는지 두 가지 방법으로 해결해 보세요.

(1) 뺄셈으로 해결하기: ✎ _____

(2) 나눗셈으로 해결하기: ✎ _____

풀이
① 6씩 3번 빼면 0이 됩니다. → $18 - 6 - 6 - 6 = 0$
② 18을 6으로 나누면 3이 됩니다. → $18 \div 6 = 3$

답 (1) $18 - 6 - 6 - 6 = 0$ (2) $18 \div 6 = 3$

3-2 곱셈과 나눗셈의 관계를 알아볼까요

- 사과의 수를 곱셈식으로 나타내기
8개씩 2줄 ➡ $8 \times 2 = 16$
- 사과의 수를 나눗셈식으로 나타내기
① 사과 16개를 8묶음으로 똑같이 나누면 한 묶음에 2개씩 됩니다.
  ➡ $16 \div 8 = 2$
② 사과 16개를 2개씩 나누면 8묶음이 됩니다.
  ➡ $16 \div 2 = 8$

- 곱셈과 나눗셈의 관계
① 하나의 곱셈식을 2개의 나눗셈식으로 바꿀 수 있습니다.
  ■ × ● = ▲
  ➡ ▲ ÷ ● = ■
     ▲ ÷ ■ = ●
② 하나의 나눗셈식을 2개의 곱셈식으로 바꿀 수 있습니다.
  ▲ ÷ ● = ■
  ➡ ● × ■ = ▲
     ■ × ● = ▲
예) $12 \div 3 = 4$
  ➡ $3 \times 4 = 12$
     $4 \times 3 = 12$

🐛 ☐ 안에 공통으로 들어갈 수를 써넣으세요.

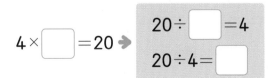

$4 \times \boxed{} = 20$ ➡ $20 \div \boxed{} = 4$
$20 \div 4 = \boxed{}$

풀이
하나의 곱셈식을 2개의 나눗셈식으로 바꿀 수 있습니다.

답 5

수학 익힘 풀기

3. 나눗셈

3-1 똑같이 나누어 볼까요

1 과자를 모양이 같은 접시에 똑같이 나누어 놓으려고 합니다. 접시의 모양에 따라 놓을 수 있는 과자의 수를 구해 보세요.

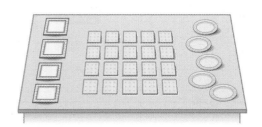

(1) ▭ 에 놓을 때: 한 접시에 ☐ 개

(2) ◯ 에 놓을 때: 한 접시에 ☐ 개

2 전체가 64쪽인 동화책을 하루에 8쪽씩 매일 읽으려고 합니다. 이 책을 모두 읽으려면 며칠이 걸립니까?

식 _____

답 _____

3 풍선 18개를 한 명에게 3개씩 나누어 주려고 합니다. 몇 명에게 나누어 줄 수 있는지 두 가지 방법으로 해결해 보세요.

방법1 _____

방법2 _____

(_____)

3-2 곱셈과 나눗셈의 관계를 알아볼까요

4 그림을 보고 물음에 답하세요.

(1) 참외가 9개씩 3줄로 놓여 있습니다. 참외는 모두 몇 개입니까?

식 _____

답 _____

(2) 참외를 3상자에 똑같이 나누어 담으려고 합니다. 한 상자에 참외를 몇 개씩 담아야 합니까?

식 _____

답 _____

(3) 참외를 한 상자에 9개씩 담으려고 합니다. 상자는 몇 상자 필요합니까?

식 _____

답 _____

5 빵을 한 모둠에 8개씩 주면 몇 모둠에게 나누어 줄 수 있는지 알아보려고 합니다. 곱셈식을 나눗셈식으로 바꿔 보세요.

곱셈식 _____ 8 × 4 = 32 _____

나눗셈식 _____

3-3 나눗셈의 몫을 곱셈식으로 구해 볼까요

• 나눗셈의 몫을 곱셈식으로 구하기

예) 귤 15개를 5명에게 똑같이 나누어 주려고 합니다. 한 명이 몇 개씩 가질 수 있습니까?

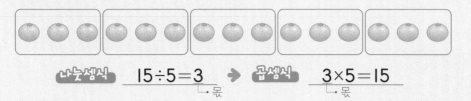

나눗셈식 $15 \div 5 = 3$ → 곱셈식 $3 \times 5 = 15$
　　　　　　　　└ 몫　　　　　　　　　　　　└ 몫

답 ____3개____
　　　　└ 몫

• 감 20개를 4봉지에 똑같이 나누어 담을 때 한 봉지에 담을 수 있는 감은 몇 개입니까?

나눗셈식 $20 \div 4 = \boxed{5}$

곱셈식 $\boxed{5} \times 4 = 20$

답 ____5개____

🐸 학생 32명을 4명씩 나누어 모둠을 만들려고 합니다. 몇 모둠으로 나눌 수 있는지 알아보려고 합니다. 어떻게 알아볼 수 있는지 ☐ 안에 알맞은 수를 써넣으세요.

$$32 \div \boxed{} = \boxed{} \Rightarrow \boxed{} \times 4 = 32$$

풀이

나눗셈식으로 나타내면 $32 \div 4 = 8$

나눗셈식을 곱셈식으로 나타내면 $8 \times 4 = 32$

답 4, 8, 8

3-4 나눗셈의 몫을 곱셈구구로 구해 볼까요

• 곱셈표를 이용하여 나눗셈의 몫 구하기

예) 클립 48개를 6명이 똑같이 나누어 가지려고 합니다. 한 명이 몇 개씩 가질 수 있습니까?

×	1	2	3	4	5	6	7	8	9
1	1	2	3	4	5	6	7	8	9
2	2	4	6	8	10	12	14	16	18
3	3	6	9	12	15	18	21	24	27
4	4	8	12	16	20	24	28	32	36
5	5	10	15	20	25	30	35	40	45
6	6	12	18	24	30	36	42	48	54
7	7	14	21	28	35	42	49	56	63
8	8	16	24	32	40	48	56	64	72
9	9	18	27	36	45	54	63	72	81

곱셈표에서 가로의 6이나 세로의 6을 찾은 다음 48을 찾아 보아요.

식 ____$48 \div 6 = 8$____

답 ____8개____

• 나눗셈의 몫을 곱셈구구로 구하기

예) $3 \times 4 = 12$

→ $12 \div 4 = 3 \Rightarrow$ 몫: 3
　 $12 \div 3 = 4 \Rightarrow$ 몫: 4

$12 \div 4$의 몫을 구할 때, 나누는 수인 4의 단 곱셈구구를 외워 곱이 나누어지는 수 12가 되는 곱셈식을 찾으면 몫을 구할 수 있습니다.

🐸 위 곱셈표를 이용하여 나눗셈의 몫을 구해 보세요.

$$72 \div 8 = \boxed{}$$

풀이

곱셈표에서 가로의 8이나 세로의 8 중 한 곳을 선택하여 72를 찾습니다. $8 \times 9 = 72 \Rightarrow 72 \div 8 = 9$

답 9

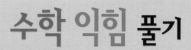 

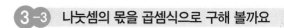 나눗셈의 몫을 곱셈식으로 구해 볼까요

1 관계있는 것끼리 선으로 이어 보세요.

$56 \div 7 =$ ☐	$42 \div 7 =$ ☐	$63 \div 7 =$ ☐

$6 \times 7 = 42$	$7 \times 9 = 63$	$8 \times 7 = 56$

6	8	9

2 클립이 45개 있습니다. 5명에게 똑같이 나누어 주면 한 명에게 몇 개씩 줄 수 있습니까?

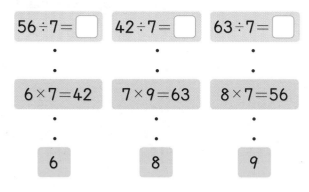

나눗셈식 _____

곱셈식 _____

답 _____

3 색연필 36자루를 4명에게 똑같이 나누어 주었습니다. 한 명에게 몇 자루씩 주었습니까?

나눗셈식 _____

곱셈식 _____

답 _____

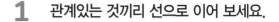 나눗셈의 몫을 곱셈구구로 구해 볼까요

🍄 곱셈표를 이용하여 나눗셈의 몫을 구해 보세요. [4~6]

×	1	2	3	4	5	6	7	8	9
1	1	2	3	4	5	6	7	8	9
2	2	4	6	8	10	12	14	16	18
3	3	6	9	12	15	18	21	24	27
4	4	8	12	16	20	24	28	32	36
5	5	10	15	20	25	30	35	40	45
6	6	12	18	24	30	36	42	48	54
7	7	14	21	28	35	42	49	56	63
8	8	16	24	32	40	48	56	64	72
9	9	18	27	36	45	54	63	72	81

4 상자 한 개에 도시락이 4개씩 들어갑니다. 도시락 36개를 상자에 넣으려면 몇 상자가 필요합니까?

식 _____

답 _____

5 호두과자 18개를 동생과 똑같이 나누어 먹으려고 합니다. 한 사람이 몇 개씩 먹을 수 있습니까?

식 _____

답 _____

6 체육 대회가 끝난 후 생수 30병을 5모둠에 똑같이 나누어 주려고 합니다. 한 모둠에 몇 병씩 나누어 주어야 합니까?

식 _____

답 _____

1 ☐ 안에 알맞은 수를 써넣으세요.

사과 **30**개를 **5**개의 접시에 똑같이 나누어 담으려면 한 접시에 ☐ 개씩 담아야 합니다.

2 뺄셈식을 보고 ☐ 안에 알맞은 수를 써넣으세요.

(1) $56-8-8-8-8-8-8-8=0$

➡ ☐ ÷ ☐ = ☐

(2) $36-9-9-9-9=0$

➡ ☐ ÷ ☐ = ☐

3 다음을 나눗셈식으로 나타내어 보세요.

(1) **45**를 **9**곳에 똑같이 나누면 한 곳에 **5**씩 됩니다.

✍ _____

(2) **15**개를 **5**개씩 묶으면 **3**묶음이 됩니다.

✍ _____

4 그림을 보고 ☐ 안에 알맞은 수를 써넣으세요.

$4 \times$ ☐ $=$ ☐

☐ ÷4= ☐

☐ ÷5= ☐

5 다음 세 수를 이용하여 나눗셈식을 **2**개를 만들어 보세요.

| 21 | 7 | 3 |

(   )

중요

6 나눗셈식을 곱셈식으로 바꿔 보세요.

$42 \div 7 = 6$

☐ × ☐ = ☐

☐ × ☐ = ☐

7 곱셈식을 나눗셈식으로 바꿔 보세요.

$4 \times 8 = 32$

☐ ÷ ☐ = ☐

☐ ÷ ☐ = ☐

8 그림을 보고 ☐ 안에 알맞은 수를 써넣으세요.

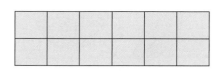

$2 \times \boxed{} = 12$ $6 \times \boxed{} = 12$

$12 \div \boxed{} = 2$ $12 \div \boxed{} = 6$

9 $18 \div 6$의 몫을 구하려고 합니다. 필요한 곱셈식을 모두 고르세요. (   )

① $6 \times 3 = 18$ ② $9 \times 2 = 18$
③ $3 \times 6 = 18$ ④ $4 \times 5 = 20$
⑤ $2 \times 9 = 18$

10 딸기 24개를 8명에게 똑같이 나누어 주려고 합니다. ☐ 안에 알맞은 수를 써넣으세요.

> 8명이 1개씩 먹으면 $8 \times 1 = 8$
> 8명이 2개씩 먹으면 $8 \times 2 = 16$
> 8명이 3개씩 먹으면 $8 \times 3 = 24$
> $8 \times 3 = 24 \longleftrightarrow 24 \div 8 = 3$

한 명이 딸기를 ☐ 개씩 먹을 수 있습니다.

 주의

11 6으로 나누어지는 수에 모두 ◯표 하세요.

> 12   15   24   35   42

12 곱셈식과 나눗셈식의 관계를 써서 몫을 구하세요.

(1) $18 \div 2 = \boxed{} \longleftrightarrow \boxed{} \times \boxed{} = \boxed{}$

(2) $24 \div 6 = \boxed{} \longleftrightarrow \boxed{} \times \boxed{} = \boxed{}$

13 ☐ 안에 알맞은 수를 써넣으세요.

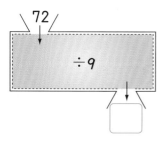

 중요

14 몫의 크기를 비교하여 ◯ 안에 >, =, <를 알맞게 써넣으세요.

> $24 \div 4 \; \bigcirc \; 15 \div 5$

주의

15 연필이 49자루 있습니다. 7명이 똑같이 나누어 가지면 한 명이 연필을 몇 자루 가질 수 있습니까?

(   )

16 빈칸에 알맞은 수를 써넣으세요.

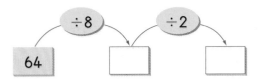

서술형

17 채연이네 반은 남학생이 18명, 여학생이 17명입니다. 한 모둠에 5명씩으로 나누어 공놀이를 하려고 합니다. 모두 몇 모둠이 되는지 풀이 과정을 쓰고 답을 구하세요.

_____

_____

_____

(   )

18 빈칸에 알맞은 수를 써넣으세요.

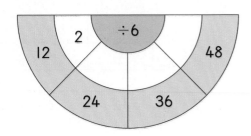

응용

19 빈칸에 알맞은 수를 써넣으세요.

÷8	72		24	
		7		5

서술형

20 다음 나눗셈식에서 ★＋♥의 값은 얼마인지 풀이 과정을 쓰고 답을 구하세요.

$$25 \div 5 = ★$$
$$14 \div ♥ = 2$$

_____

_____

_____

(   )

1 다음을 나눗셈식으로 나타내어 보세요.

> 24 나누기 6은 4와 같습니다.

식 _____

2 나눗셈식을 보고 ☐ 안에 알맞은 수나 말을 써넣으세요.

> $16 \div 2 = 8$

(1) 16 나누기 ☐ 는 ☐ 과 같습니다.

(2) 16을 ☐ 씩 묶으면 ☐ 묶음이 됩니다.

(3) 8은 16을 2로 나눈 ☐ 입니다.

🍄 다음을 읽고 물음에 답하세요. [3~4]

> 진수는 친구들과 과수원에서 사과 20개를 땄습니다. 사과 20개를 한 사람에게 4개씩 나누어 주면 몇 명에게 나누어 줄 수 있습니까?

3 사과 20개를 4개씩 묶어 보세요.

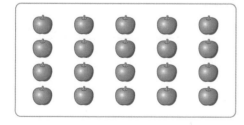

4 나눗셈식을 쓰고 답을 구하세요.

식 _____

답 _____

5 참외 15개를 한 봉지에 3개씩 포장하여 판매하려고 합니다. 봉지는 모두 몇 개 필요한지 ☐ 안에 알맞은 수를 써넣고 필요한 봉지의 수를 구하세요.

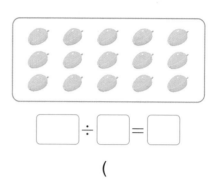

☐ $\div$ ☐ $=$ ☐

(   )

3 단원

6 ☐ 안에 알맞은 수를 써넣으세요.

(1) 지우개가 6개씩 들어 있는 상자가 9상자 있습니다. 지우개는 모두 몇 개입니까?

☐ $\times$ ☐ $=$ ☐ (개)

(2) 지우개 54개를 9명에게 똑같이 나누어 주려고 합니다. 한 명에게 몇 개씩 나누어 주어야 합니까?

☐ $\div$ ☐ $=$ ☐ (개)

(3) 지우개 54개를 6명에게 똑같이 나누어 주려고 합니다. 한 명에게 몇 개씩 나누어 주어야 합니까?

☐ $\div$ ☐ $=$ ☐ (개)

7 나눗셈식을 곱셈식으로 바꿔 보세요.

(1) $56 \div 7 = 8$

☐ $\times$ ☐ $=$ ☐
☐ $\times$ ☐ $=$ ☐

(2) $27 \div 3 = 9$

☐ $\times$ ☐ $=$ ☐
☐ $\times$ ☐ $=$ ☐

8 그림을 보고 곱셈식과 나눗셈식으로 나타내어 보세요.

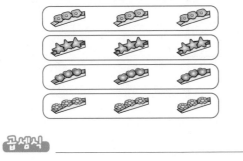

곱셈식 _____

나눗셈식 _____

9 다음을 읽고 물음에 답하세요.

> 한 봉지에 빵이 6개씩 들어 있습니다. 빵이 48개라면 모두 몇 봉지입니까?

(1) ⬜ 안에 알맞은 수를 써넣으세요.

곱셈식 6 × ⬜ = 48

나눗셈식 48 ÷ 6 = ⬜

(2) 빵은 모두 몇 봉지입니까?

(   )

10 ⬜ 안에 알맞은 수를 써넣으세요.

$72 \div 9 = $ ⬜ ⟷ $9 \times$ ⬜ $= 72$

11 사과가 48개 있습니다. 한 명에게 8개씩 나누어 주면 몇 명에게 줄 수 있습니까?

(   )

12 나눗셈의 몫을 구하세요.

(1) $12 \div 6$
(2) $28 \div 7$
(3) $35 \div 5$
(4) $36 \div 9$

13 빈칸에 알맞은 수를 써넣으세요.

÷	10	12	15	21
	2	3	5	3
몫	5			

14 몫이 같은 것끼리 선으로 이어 보세요.

(1) $16 \div 4$ ·   · ㉠ $18 \div 2$

(2) $72 \div 8$ ·   · ㉡ $24 \div 6$

(3) $10 \div 2$ ·   · ㉢ $35 \div 7$

15 나눗셈의 몫에 색을 칠하여 표시한 것입니다. 잘못 표시한 것을 찾아 기호를 써보세요.

> ㉠ 40÷5=**8**   ㉡ 28÷**4**=7

(   )

서술형

16 어떤 수를 3으로 나누어야 할 것을 잘못하여 어떤 수에 3을 곱했더니 27이 되었습니다. 바르게 계산한 답은 얼마인지 풀이 과정을 쓰고 답을 구하세요.

_____

_____

(   )

주의

17 ☐ 안에 들어갈 수가 가장 큰 나눗셈식은 어느 것입니까? (   )

① 15÷☐=5　② 18÷2=☐

③ 25÷☐=5　④ 32÷4=☐

⑤ 64÷☐=8

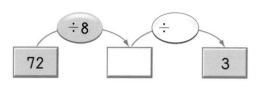

18 빈칸에 알맞은 수를 써넣으세요.

72 → (÷8) → ☐ → (÷) → 3

응용

19 빈칸에 알맞은 수를 써넣으세요.

÷ →		
㉠	8	㉡
㉢	㉣	3
㉤	4	2

서술형

20 어떤 수를 5로 나누면 몫이 ▲이고, ▲를 4로 나누면 몫이 2가 됩니다. 어떤 수는 얼마인지 풀이 과정을 쓰고 답을 구하세요.

_____

_____

_____

(   )

3
단원

1 △ 10개를 5개의 칸에 똑같게 나누어 그리고, ☐ 안에 알맞은 수를 써넣으세요.

☐ ÷ 5 = ☐

2 다음을 나눗셈식으로 나타내어 보세요.

25 나누기 5는 5와 같습니다.

➪ _____

3 다음을 나눗셈식으로 나타내어 보세요.

초콜릿 36개를 9개씩 묶어서 4번 덜어 내면 0이 됩니다.

➪ _____

4 그림을 보고 ☐ 안에 알맞은 수를 써넣으세요.

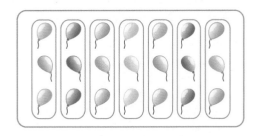

21 ÷ 3 = ☐

5 곱셈식을 보고 나눗셈식으로 바꿔 보세요.

9 × 3 = 27

☐ ÷ ☐ = ☐
☐ ÷ ☐ = ☐

6 그림을 보고 곱셈식과 나눗셈식을 써 보세요.

곱셈식 _____
나눗셈식 _____

7 관계있는 것끼리 선으로 이어 보세요.

(1) 18 ÷ 2 = 9 •   • ㉠ 4 × 4 = 16

(2) 14 ÷ 2 = 7 •   • ㉡ 9 × 2 = 18

(3) 16 ÷ 4 = 4 •   • ㉢ 2 × 7 = 14

8 곱셈식을 이용하여 나눗셈식의 몫을 구하세요.

(1) $64 \div 8 = \boxed{}$ ←→ $8 \times \boxed{} = 64$

(2) $20 \div 4 = \boxed{}$ ←→ $\boxed{} \times 4 = 20$

9 유림이네 농장에 있는 돼지의 다리를 세어 보았더니 모두 28개였습니다. 돼지는 모두 몇 마리입니까?

(   )

 서술형

10 나눗셈식 $32 \div 4$의 몫을 구하는 문제를 만들어 보고 답을 구하세요.

_____

_____

(   )

11 9의 단 곱셈구구를 이용하여 9로 나눈 몫을 빈칸에 써넣으세요.

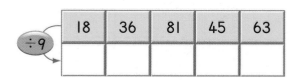

18	36	81	45	63

12 나눗셈의 몫이 큰 것부터 차례대로 기호를 써 보세요.

㉠ $9 \div 3$	㉡ $10 \div 2$
㉢ $20 \div 5$	㉣ $16 \div 2$

(   )

13 다음 중 몫이 다른 것은 어느 것입니까? (   )

① $14 \div 2$ ② $49 \div 7$

③ $32 \div 4$ ④ $35 \div 5$

⑤ $56 \div 8$

14 몫의 크기를 비교하여 ◯ 안에 >, =, <를 알맞게 써넣으세요.

(1) $49 \div 7$ ◯ $63 \div 7$

(2) $64 \div 8$ ◯ $42 \div 6$

(3) $72 \div 9$ ◯ $40 \div 5$

15 다음에서 설명하는 수는 무엇입니까?

> • 두 자리 수이고, 7의 단 곱셈구구입니다.
> • 십의 자리 수와 일의 자리 수의 합이 6입니다.
> • 30보다 크고, 50보다 작습니다.

(   )

16 ☐ 안에 들어갈 수가 가장 큰 것은 어느 것입니까?

(   )

① ☐ × 2 = 16   ② 4 × ☐ = 36

③ 24 ÷ 8 = ☐   ④ 32 ÷ ☐ = 4

⑤ 42 ÷ ☐ = 6

서술형

17 은정이는 종이학을 6분 동안 12마리 접을 수 있습니다. 같은 빠르기로 9분 동안 접는다면 종이학을 몇 마리 접을 수 있는지 풀이 과정을 쓰고 답을 구하세요.

_____

(   )

18 자전거 보관대에 두발자전거와 세발자전거가 있습니다. 바퀴 수를 세어 보니 모두 28개였습니다. 두발자전거가 8대라면 세발자전거는 몇 대입니까?

(   )

서술형

19 다음 나눗셈식의 몫이 가장 큰 수가 되도록 ☐ 안에 알맞은 수를 구하려고 합니다. 풀이 과정을 쓰고 답을 구하세요.

> 4 ☐ ÷ 7

_____

_____

_____

(   )

20 ▲와 ■에 알맞은 수를 각각 구하세요.

> • ▲와 ♥의 합은 56입니다.
> • ▲ ÷ ■ = ♥
> • ♥ ÷ 2 = 4

▲ : (   )

■ : (   )

1 야구공 21개를 7명에게 똑같이 나누어 주려고 합니다. 한 명이 몇 개씩 가지게 되는지 알아보세요.

(1) 야구공 21개를 똑같이 7곳으로 나누면 한 곳에 몇 개씩입니까?

(   )

(2) 이것을 나눗셈식으로 나타내어 보세요.

식 _____

2 나눗셈식을 읽어 보세요.

$$36 \div 4 = 9$$

읽기 _____

3 뺄셈식을 보고 나눗셈식을 써 보세요.

$$56 - 7 - 7 - 7 - 7 - 7 - 7 - 7 - 7 = 0$$

식 _____

4 별 16개를 2개씩 묶고, 나눗셈식을 완성하세요.

$$16 \div \boxed{} = \boxed{}$$

5 곱셈식을 나눗셈식으로 바꿔 보세요.

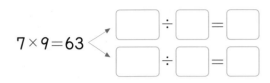

$$7 \times 9 = 63$$

$\boxed{} \div \boxed{} = \boxed{}$

$\boxed{} \div \boxed{} = \boxed{}$

6 그림을 보고 곱셈식과 나눗셈식으로 나타내어 보세요.

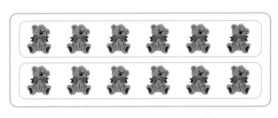

곱셈식 _____

나눗셈식 _____

7 주어진 문장을 읽고, 곱셈식과 나눗셈식으로 나타내어 보세요.

> 장미가 5송이씩 꽂혀 있는 꽃병이 9개 있습니다.

곱셈식 _____

나눗셈식 _____

8 ☐ 안에 알맞은 수를 써넣으세요.

(1) $30 \div 6 = $ ☐ ➔ $6 \times $ ☐ $ = 30$

(2) $56 \div 7 = $ ☐ ➔ $7 \times $ ☐ $ = 56$

9 한 모둠에 학생이 3명씩 있습니다. 전체 학생이 15명이면 모두 몇 모둠입니까?

(   )

서술형

10 참외 72개를 상자에 담으려고 살펴보았더니 8개가 썩어 있었습니다. 썩은 참외는 버리고 나머지를 한 상자에 8개씩 담으면 몇 상자가 되는지 풀이 과정을 쓰고 답을 구하세요.

_____

_____

(   )

11 몫의 크기를 비교하여 ◯ 안에 >, =, <를 알맞게 써넣으세요.

(1) $18 \div 2$ ◯ $28 \div 7$

(2) $42 \div 6$ ◯ $63 \div 9$

12 ☐ 안에 들어갈 수가 큰 것부터 차례로 기호를 써 보세요.

○ $32 \div 8 = $ ☐   ○ $5 \times $ ☐ $ = 45$

○ $6 \times $ ☐ $ = 36$ ○ $56 \div 7 = $ ☐

(   )

서술형

13 몫이 4인 나눗셈식을 찾아 기호를 모두 쓰려고 합니다. 풀이 과정을 쓰고 답을 구하세요.

○ $12 \div 3$ ○ $20 \div 4$

○ $21 \div 7$ ○ $24 \div 6$

_____

_____

(   )

14 다음 나눗셈식에 대한 설명으로 틀린 것은 어느 것입니까? (   )

$$48 \div 8 = 6$$

① 몫은 8입니다.

② 나눗셈식으로 $48 \div 8 = 6$이라고 씁니다.

③ '48 나누기 8은 6과 같습니다.'라고 읽습니다.

④ 곱셈식 $8 \times 6 = 48$ 또는 $6 \times 8 = 48$로 나타낼 수 있습니다.

⑤ 뺄셈식을 이용하여 $48 - 8 - 8 - 8 - 8 - 8 - 8 = 0$으로 계산할 수 있습니다.

15 규칙을 찾아 빈칸에 알맞은 수를 써넣으세요.

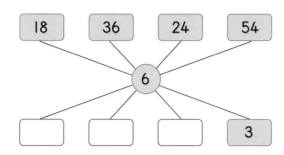

18 기현이가 가진 카드에 적혀 있는 수를 9로 나누면 몫이 9가 됩니다. 기현이가 가진 카드에 적혀 있는 수는 얼마입니까?

(   )

3
단원

서술형

19 ★에 알맞은 수는 얼마인지 풀이 과정을 쓰고 답을 구하세요.

$$★÷2=▲, ▲÷3=3$$

_____

_____

(   )

서술형

16 은하네 학교 학생 420명이 현장 체험 학습을 가려고 합니다. 357명은 큰 버스를 타고, 남은 학생들은 9명씩 탈 수 있는 작은 버스에 타려고 합니다. 작은 버스는 몇 대가 필요한지 풀이 과정을 쓰고 답을 구하세요.

_____

_____

_____

(   )

20 ☐ 안에 들어갈 수 있는 수를 모두 고르세요.

(   )

$$40÷8 < 24÷☐$$

① 3 　　　　　② 4

③ 6 　　　　　④ 8

⑤ 12

17 빈칸에 알맞은 수를 써넣으세요.

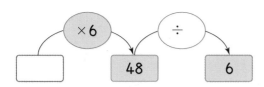

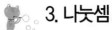
연습 각 단계를 따라 문제를 풀어 보세요.

1 ☐ 안에 알맞은 수는 얼마인지 구해 보세요.

$$42 \div \boxed{} = 28 \div 4$$

1단계 28÷4의 몫은 얼마입니까?

(   )

2단계 ☐ 안의 값을 구하는 식을 써 보세요.

(   )

3단계 ☐ 안에 알맞은 수를 구해 보세요.

(   )

도전 위에서 푼 방법을 생각하며 풀어 보세요.

1-1 ☐ 안에 알맞은 수는 얼마인지 풀이 과정을 쓰고 답을 구하세요.

$$24 \div \boxed{} = 36 \div 9$$

풀이

_____

_____

_____

답 _____

① 36÷9의 몫을 구합니다.

② ☐의 값을 구하는 식으로 나타냅니다.

③ ☐의 값을 구합니다.

2 지후 아버지께서 한 봉지에 5개씩 들어 있는 귤을 6봉지 사 오셨습니다. 그중에서 2개는 썩어서 버리고 나머지를 4명이 똑같이 나누어 먹으려고 합니다. 한 명이 귤을 몇 개씩 먹을 수 있는지 구해 보세요.

1단계 지후 아버지께서 사 온 귤은 몇 개입니까?

(   )

2단계 버리고 남은 귤은 몇 개입니까?

(   )

3단계 한 명이 귤을 몇 개씩 먹을 수 있습니까?

(   )

3
단원

도전 위에서 푼 방법을 생각하며 풀어 보세요.

2-1 한 봉지에 4개씩 들어 있는 빵을 7봉지 샀습니다. 사 온 빵 중 l개는 먹고, 나머지를 3개의 접시에 똑같이 나누어 담으려고 합니다. 접시 한 개에 빵을 몇 개씩 담아야 하는지 풀이 과정을 쓰고 답을 구하세요.

이렇게 술술 풀어요

① 사 온 빵의 수를 구합니다.

② 먹고 남은 빵의 수를 구합니다.

③ 접시 한 개에 담아야 하는 빵의 수를 구합니다.

풀이

_____

_____

_____

답  _____

연습 각 단계를 따라 문제를 풀어 보세요.

3 도넛과 쿠키가 각각 봉지에 나뉘어 들어 있습니다. 4봉지에 들어 있는 도넛은 모두 24개이고 5봉지에 들어 있는 쿠키는 모두 35개입니다. 한 봉지에 더 많이 들어 있는 것은 어느 것인지 구해 보세요.

1단계 도넛은 한 봉지에 몇 개씩 들어 있습니까?

( )

2단계 쿠키는 한 봉지에 몇 개씩 들어 있습니까?

( )

3단계 한 봉지에 더 많이 들어 있는 것은 어느 것입니까?

( )

도전 위에서 푼 방법을 생각하며 풀어 보세요.

3-1 남학생과 여학생이 나뉘어 줄을 서 있습니다. 남학생 42명은 7줄로 서 있고, 여학생 40명은 5줄로 서 있습니다. 남학생과 여학생 중 한 줄에 서 있는 학생 수가 더 많은 쪽을 구하려고 합니다. 풀이 과정을 쓰고 답을 구하세요.

이렇게 술술 풀어요

① 한 줄에 서 있는 남학생 수를 구합니다.

② 한 줄에 서 있는 여학생 수를 구합니다.

③ 한 줄에 서 있는 학생 수가 더 많은 쪽을 구합니다.

풀이

_____

_____

_____

답 _____

실전 시험처럼 문제를 풀어 보세요.

4 다음을 만족하는 ■와 ▲의 값은 얼마인지 풀이 과정을 쓰고 답을 각각 구하세요.

> • 36에서 9를 ● 번 빼면 0이 됩니다.
> • 35 ÷ ▲ = 5, ■ ÷ ▲ = ●

풀이

답 ■ : _____ , ▲ : _____

3 단원

실전 시험처럼 문제를 풀어 보세요.

5 72 m 길이의 오솔길 양쪽에 9 m 간격으로 나무를 심으려고 합니다. 오솔길의 시작 시점부터 나무를 심는다면 나무는 모두 몇 그루가 필요한지 풀이 과정을 쓰고 답을 구하세요.

풀이

답 _____

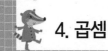

4-1 (몇십)×(몇)을 구해 볼까요

• 20×4의 계산

① 십 모형의 개수: $2×4=8$(개)
② 십 모형 8개는 일 모형 80개와 같습니다.
③ $2×4=8$에서 8을 십의 자리에 쓰고, 일의 자리에 0을 씁니다.
➡ $20×4=80$

• (몇십)×(몇)의 계산
(몇)×(몇)의 계산 결과 뒤에
0을 한 개 붙입니다.

$$\underset{2×4=8}{2\underline{0}×4=8\underline{0}}$$

$$\begin{array}{r}2\ 0 \\ \times \quad 4 \\ \hline 8\ 0 \end{array}$$
↳ $2×4=8$

🌱 계산해 보세요.

(1) $30×2$

(2)
$$\begin{array}{r} 1\ 0 \\ \times \quad 6 \\ \hline \end{array}$$

풀이
(1) $3×2$의 계산 결과 뒤에 0을 한 개 붙입니다.

답 (1) 60 (2) 60

4-2 (몇십몇)×(몇)을 구해 볼까요(1) — 올림이 없는 곱셈

• 12×4의 계산

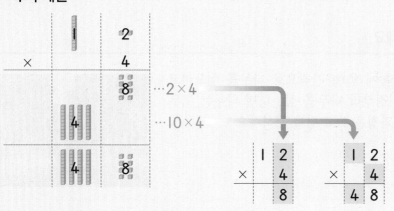

···$2×4$
···$10×4$

$$\begin{array}{r} 1\ 2 \\ \times \quad 4 \\ \hline 8 \end{array}$$

$$\begin{array}{r} 1\ 2 \\ \times \quad 4 \\ \hline 4\ 8 \end{array}$$

① $2×4=8$에서 8을 일의 자리에 씁니다.
② $1×4=4$에서 4를 십의 자리에 씁니다.
➡ $12×4=48$

• 올림이 없는 (몇십몇)×(몇)의 계산
$2×4=8$에서 8을 일의 자리에 쓰고, $1×4=4$에서 4를 십의 자리에 씁니다.

$$\underset{②\ 1×4=4}{\overset{①\ 2×4=8}{1\ 2×4=48}}$$

• 세로로 계산하기
세로로 계산할 때에는 일의 자리를 기준으로 각 자리를 맞추어 씁니다.

🌱 계산해 보세요.

(1) $32×2$

(2)
$$\begin{array}{r} 2\ 3 \\ \times \quad 3 \\ \hline \end{array}$$

풀이
(1) $2×2=4$에서 4를 일의 자리에 쓰고, $3×2=6$에서 6을 십의 자리에 씁니다.

답 (1) 64 (2) 69

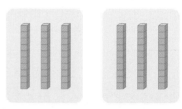 (몇십)×(몇)을 구해 볼까요

1 30×2를 수 모형으로 계산하려고 합니다. ☐ 안에 알맞은 수를 써넣으세요.

(1) 십 모형의 개수를 곱셈식으로 나타내면

☐ × 2 = ☐ 입니다.

(2) 십 모형 ☐ 개는 일 모형 ☐ 개와 같습니다.

(3) 30 × ☐ = ☐

2 계산해 보세요.

(1)   2 0
    ×   3

(2)   2 0
    ×   4

3 계산 결과가 같은 것끼리 선으로 이어 보세요.

(1) 10×8 ·   · ㉠ 20×2

(2) 10×4 ·   · ㉡ 30×3

(3) 10×9 ·   · ㉢ 40×2

 (몇십몇)×(몇)을 구해 볼까요(1)

4 계산해 보세요.

(1)   2 3
    ×   3

(2)   4 2
    ×   2

5 곱의 크기를 비교하여 ◯ 안에 >, =, <를 알맞게 써넣으세요.

(1) 12×3 ◯ 13×2

(2) 32×3 ◯ 22×4

6 과자가 한 봉지에 21개씩 들어 있습니다. 4봉지에 들어 있는 과자는 모두 몇 개입니까?

식 _____

답 _____

7 세 사람의 나이는 각각 몇 살인지 ☐ 안에 써넣으세요.

 난 10살이에요.

 난 재현이보다 3살이 더많아요.

 내 나이는 재현이 누나 나이의 3배야.

재현 [10] 살   누나 ☐ 살   아버지 ☐ 살

4-3 (몇십몇)×(몇)을 구해 볼까요(2) ── 십의 자리에서 올림이 있는 곱셈

• 52×3의 계산

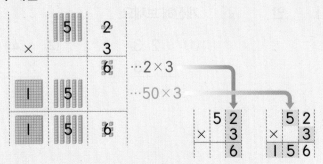

···2×3
···50×3

① 2×3＝6에서 6을 일의 자리에 씁니다.
② 5×3＝15에서 5를 십의 자리에, 1을 백의 자리에 씁니다.
➜ 52×3＝156

• 십의 자리에서 올림이 있는
 (몇십몇)×(몇)의 계산
 2×3＝6에서 6을 일의 자리에 쓰고, 5×3＝15에서 5를 십의 자리에, 1을 백의 자리에 씁니다.

① 2×3＝6
52×3＝156
② 5×3＝15

🌰 계산해 보세요.

(1) 32×4

(2)　　 6 3
　　× 　　3

풀이

(1) 2×4＝8에서 8을 일의 자리에 쓰고, 3×4＝12에서 2를 십의 자리에, 1을 백의 자리에 씁니다.

답 (1) 128 (2) 189

4-4 (몇십몇)×(몇)을 구해 볼까요(3) ── 일의 자리에서 올림이 있는 곱셈

• 25×3의 계산

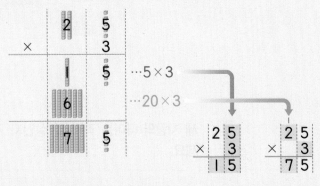

···5×3
···20×3

① 5×3＝15에서 1은 십의 자리 위에 작게 쓰고, 5는 일의 자리에 씁니다.
② 2×3＝6에 일의 자리에서 올림한 수 1을 더한 값 7을 십의 자리에 씁니다.
➜ 25×3＝75

• 일의 자리에서 올림이 있는
 (몇십몇)×(몇)의 계산
 일의 자리를 계산한 값 15와 십의 자리를 계산한 값 60을 더하여 구합니다.

　 2 5　　　　 2 5
× 　 3　　　× 　 3
 1 5　　　　 6 0
 6 0　　　　 1 5
 7 5　　　　 7 5

🌰 계산해 보세요.

(1)　　 3 8
　　× 　 2

(2)　　 2 9
　　× 　 3

풀이

(1) 8×2＝16에서 1은 십의 자리 위에 작게 쓰고, 6은 일의 자리에 씁니다. 3×2＝6에 일의 자리에서 올림한 수 1을 더한 값 7을 십의 자리에 씁니다.

답 (1) 76 (2) 87

4-3 (몇십몇)×(몇)을 구해 볼까요(2)

1 딸기가 한 상자에 21개씩 6상자 있습니다. ☐ 안에 알맞은 수를 써넣으세요.

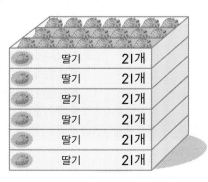

딸기	21개
딸기	21개
딸기	21개
딸기	21개
딸기	21개
딸기	21개

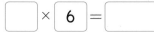

☐ × 6 = ☐

2 계산해 보세요.

(1)
```
   6 1
 ×   7
```

(2)
```
   7 2
 ×   4
```

3 빈칸에 알맞은 수를 써넣으세요.

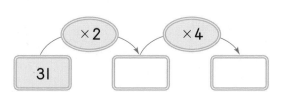

×2   ×4

31 → ☐ → ☐

4-4 (몇십몇)×(몇)을 구해 볼까요(3)

4 ☐ 안에 알맞은 수를 써넣으세요.

(1)
```
  ☐ 5
×   6
  9 0
```

(2)
```
  1 ☐
×   5
  8 5
```

5 빈칸에 알맞은 수를 써넣으세요.

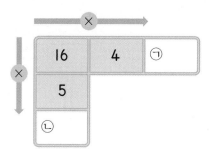

×		
16	4	㉠
5		
㉡		

6 연필 한 타는 12자루입니다. 재윤이네 집에 있는 연필은 모두 몇 자루입니까?

└─ 물건 열두 개를 한 단위로 세는 말입니다.

우리 집에는 연필이 7타 있어.

재윤

식 _____

답 _____

4-5 (몇십몇)×(몇)을 구해 볼까요(4) — 십의 자리와 일의 자리에서 올림이 있는 곱셈

• 수 모형으로 25×5를 계산하기

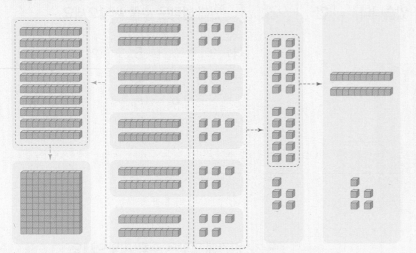

① 일 모형의 개수를 곱셈식으로 나타내면 5×5=25입니다.
② 십 모형의 개수를 곱셈식으로 나타내면 2×5=10입니다.

➡ 25×5=125

• 26×8의 계산

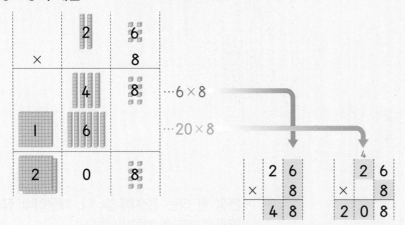

···6×8
···20×8

① 6×8=48에서 4는 십의 자리 위에 작게 쓰고, 8은 일의 자리에 씁니다.
② 2×8=16에 일의 자리에서 올림한 수 4를 더하여 0을 십의 자리에, 2를 백의 자리에 씁니다.

➡ 26×8=208

• 십의 자리와 일의 자리에서 올림이 있는 (몇십몇)×(몇)의 계산

① 5×5=25에서 2는 십의 자리 위에 작게 쓰고, 5는 일의 자리에 씁니다.
② 2×5=10에서 일의 자리에서 올림한 수 2를 더하여 2를 십의 자리에, 1을 백의 자리에 씁니다.

$$\begin{array}{r} {}^{2} \\ 2\ 5 \\ \times\ \ \ 5 \\ \hline 1\ 2\ 5 \end{array}$$

• 26×8의 계산
일의 자리를 계산한 값 48과 십의 자리를 계산한 값 160을 더하여 구합니다.

$$\begin{array}{r} 2\ 6 \\ \times\ \ \ 8 \\ \hline 4\ 8 \\ 1\ 6\ 0 \\ \hline 2\ 0\ 8 \end{array} \qquad \begin{array}{r} 2\ 6 \\ \times\ \ \ 8 \\ \hline 1\ 6\ 0 \\ 4\ 8 \\ \hline 2\ 0\ 8 \end{array}$$

🦔 계산해 보세요.

(1) $\begin{array}{r} 5\ 6 \\ \times\ \ \ 3 \\ \hline \end{array}$ (2) $\begin{array}{r} 4\ 8 \\ \times\ \ \ 3 \\ \hline \end{array}$

풀이

(1) ① 6×3=18에서 1은 십의 자리 위에 작게 쓰고, 8은 일의 자리에 씁니다.
② 5×3=15에 일의 자리에서 올림한 수 1을 더하여 6을 십의 자리에, 1을 백의 자리에 씁니다.

답 (1) 168 (2) 144

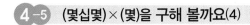

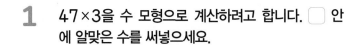

1   47×3을 수 모형으로 계산하려고 합니다. ☐ 안에 알맞은 수를 써넣으세요.

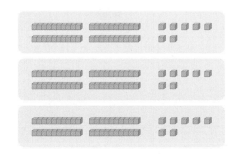

(1) 일 모형의 개수를 곱셈식으로 나타내면

☐ × 3 = ☐ 입니다.

(2) 십 모형의 개수를 곱셈식으로 나타내면

☐ × 3 = ☐ 입니다.

(3) 47 × ☐ = ☐

2   ☐ 안에 알맞은 수를 써넣으세요.

(1)
```
    ☐
  6 8
×   7
─────
☐ ☐ ☐
```

(2)
```
    ☐
  7 6
×   4
─────
☐ ☐ ☐
```

3   ☐ 안에 알맞은 수를 써넣으세요.

(1)
```
  ☐ 6
×   7
─────
6 0 2
```

(2)
```
  6 ☐
×   5
─────
3 4 5
```

4   곱셈을 하여 답을 찾아 선으로 이어 보세요.

(1)
```
  5 8
×   3
```
•   • ㉠   522

(2)
```
  6 5
×   9
```
•   • ㉡   174

(3)
```
  8 7
×   6
```
•   • ㉢   585

5   빈칸에 알맞은 수를 써 넣으세요.

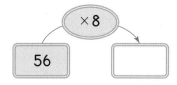

6   기차 한 칸에 55명씩 탈 수 있습니다. 기차 6칸에 탈 수 있는 사람은 모두 몇 명입니까?

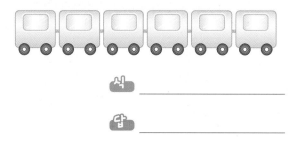

식 _____

답 _____

1 그림을 보고 ☐ 안에 알맞은 수를 써넣으세요.

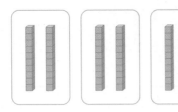

$20+20+20=$ ☐

☐ $\times$ ☐ $=$ ☐

2 다음 중 나타내는 값이 <u>다른</u> 하나는 어느 것입니까? ( )

① 30씩 4묶음
② $30+30+30$
③ 30의 4배
④ 30과 4의 곱
⑤ 30×4

3 곱이 가장 큰 것을 찾아 기호를 쓰세요.

㉠ 20×4 ㉡ 40×4
㉢ 40×3 ㉣ 30×5

( )

4 사탕이 한 봉지에 50개씩 들어 있습니다. 9봉지에 들어 있는 사탕은 모두 몇 개입니까?

 _____

 _____

5 수직선을 보고 ☐ 안에 알맞은 수를 써넣으세요.

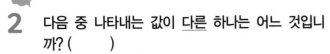

$13 \times$ ☐ $=$ ☐

6 계산해 보세요.

(1)   2 3
   $\times$ 3

(2)   4 2
   $\times$ 2

7 ☐ 안에 알맞은 수를 써넣으세요.

    3   4
$\times$ ☐
    6   8

8 보기 와 같이 계산해 보세요.

```
보기
      7 4
  ×   2
  1 4 0
      8
  1 4 8
```

```
      8 1
  ×    3
```

9 곱의 크기를 비교하여 ◯ 안에 >, =, < 를 알맞게 써넣으세요.

(1) 94×2 ◯ 92×3

(2) 61×6 ◯ 84×2

10 성민이네 반 학생 21명에게 색종이를 6장씩 나누어 주려면 색종이는 모두 몇 장이 필요한지 두 가지 방법으로 구해 보세요.

방법1 _____

방법2 _____

11 ☐ 안에 알맞은 수를 써넣으세요.

$14 \times 4 =$ ☐ ←

$4 \times 4 =$ ☐ ⊕

$10 \times 4 =$ ☐

12 빈칸에 알맞은 수를 써넣으세요.

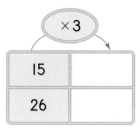

×3	
15	
26	

13 ☐ 안에 알맞은 수를 써넣으세요.

47×6 — ☐ $\times 6 =$ ☐ — ☐

$7 \times 6 =$ ☐

14 두 수의 곱을 구하여 빈칸에 써넣으세요.

29	6

서술형

15 계산에서 잘못된 부분을 찾아 바르게 계산하고 이유를 써 보세요.

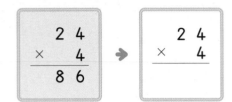

이유

_____

_____

16 곱셈을 하여 답을 찾아 선으로 이어 보세요.

(1) 17×3 ·   ·㉠ 56

(2) 15×3 ·   ·㉡ 51

(3) 28×2 ·   ·㉢ 45

17 다음 중 곱이 가장 큰 것은 어느 것입니까? (　　)

① 20×8　　　② 13×6

③ 22×4　　　④ 52×3

⑤ 24×9

18 어떤 수를 7로 나누었더니 몫이 52였습니다. 어떤 수를 구하세요.

(　　　　　　　)

주의

19 성준이는 윗몸 일으키기를 하루에 46번씩 3일 동안 하였고, 수민이는 하루에 32번씩 4일 동안 하였습니다. 누가 윗몸 일으키기를 몇 번 더 많이 했습니까?

(　　　　　　　)

응용

20 1에서 9까지의 수 중에서 ☐ 안에 들어갈 수 있는 수를 모두 찾아 쓰세요.

24×2 ＞ 12×☐

(　　　　　　　)

단원**평가**

1 그림을 보고 ☐ 안에 알맞은 수를 써넣으세요.

$$40 \times \boxed{} = \boxed{}$$

2 계산해 보세요.

(1) 40×4 (2) 50×5

(3) 30×9 (4) 60×2

3 세발자전거가 20대 있습니다. 자전거 바퀴는 모두 몇 개입니까?

(   )

4 그림을 보고 ☐ 안에 알맞은 수를 써넣으세요.

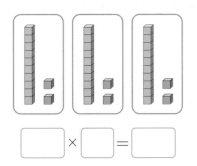

$$\boxed{} \times \boxed{} = \boxed{}$$

5 계산해 보세요.

(1)
$$\begin{array}{r} 3\ 2 \\ \times\quad 3 \\ \hline \end{array}$$

(2)
$$\begin{array}{r} 2\ 4 \\ \times\quad 2 \\ \hline \end{array}$$

6 성민이네 집에서 문구점까지의 거리는 34 m입니다. 성민이가 문구점에 다녀오려면 몇 m를 걸어야 합니까?

성민이네 집   문구점

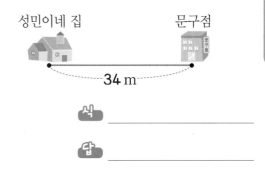

34 m

식 _____

답 _____

서술형

7 곱셈식을 보고 파란색 숫자 8이 뜻하는 것을 보기 와 같이 써 보세요.

$$\begin{array}{r} 4\ 3 \\ \times\quad 2 \\ \hline 8\ 6 \end{array}$$

보기

• 빨간색 숫자 6은 일 모형 3개의 2배인 6을 나타냅니다.

• 빨간색 숫자 6은 $3 \times 2 = 6$을 나타냅니다.

• 파란색 숫자 8은 _____

_____

• 파란색 숫자 8은 _____

8 ☐ 안에 알맞은 수를 써넣으세요.

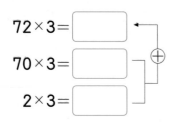

$72 \times 3 =$ ☐

$70 \times 3 =$ ☐

$2 \times 3 =$ ☐

9 계산해 보세요.

(1) 81×6 (2) 91×5

(3)
```
    7 1
  ×   4
```

(4)
```
    6 2
  ×   4
```

10 재우가 말하는 수는 얼마인지 곱셈식으로 나타내어 보세요.

53을 4번 더한 수야.

재우

(   )

11 ☐ 안에 알맞은 수를 써넣으세요.

17×5
$\begin{cases} 10 \times 5 = ☐ \\ 7 \times 5 = ☐ \end{cases}$ ☐

12 빈칸에 알맞은 수를 써넣으세요.

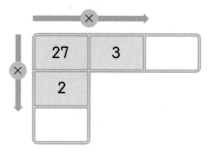

 13 보기 와 같이 계산해 보세요.

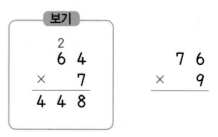

보기
```
    2
    6 4
  ×   7
  4 4 8
```

```
    7 6
  ×   9
```

14 빈칸에 알맞은 수를 써넣으세요.

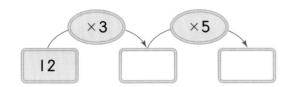

15 곱이 62×4보다 큰 것을 모두 찾아 기호를 쓰세요.

| ㉠ 83×3 | ㉡ 78×2 |
| ㉢ 37×7 | ㉣ 75×3 |

(   )

16 ☐ 안에 들어갈 수 있는 가장 큰 자연수를 구하세요.

38 × ☐ < 111

(   )

17 다음 중 계산이 <u>잘못된</u> 것은 어느 것입니까?
(   )

① 14×2=28   ② 24×3=62
③ 49×2=98   ④ 32×4=128
⑤ 53×3=159

18 ☐ 안에 알맞은 수를 써넣으세요.

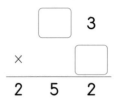

19 동우네 학교 3학년은 7개 반이 있습니다. 각 반의 학생 수는 모두 21명씩입니다. 동우네 학교 3학년 학생에게 공책을 두 권씩 나누어 주려면 공책은 모두 몇 권을 준비해야 하는지 풀이 과정을 쓰고 답을 구하세요.

_____

_____

_____

(   )

20 숫자 카드 3 , 5 , 8 을 한 번씩만 사용하여 곱이 가장 큰 (몇십몇)×(몇)의 곱셈식을 만들어 곱을 구해 보세요.

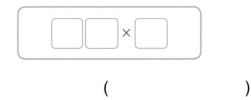

(   )

1 다음 중 70×2를 나타내는 방법이 **틀린** 것을 모두 찾아 기호를 쓰세요.

> ㉠ 70+2   ㉡ 70+70
> ㉢ 70의 2배   ㉣ 70과 2의 합
> ㉤ 70씩 2묶음   ㉥ 70과 2의 곱

(   )

2 빈칸에 알맞은 수를 써넣으세요.

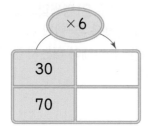

3 곱의 크기를 비교하여 ◯ 안에 >, =, <를 알맞게 써넣으세요.

(1) 40×5 ◯ 20×9

(2) 60×4 ◯ 30×8

4 ☐ 안에 알맞은 수를 써넣으세요.

42×2 = ☐

2×2 = ☐

40×2 = ☐

5 다음 중 곱이 가장 큰 것은 어느 것입니까? (   )

① 22×4   ② 11×7
③ 31×3   ④ 23×2
⑤ 33×2

서술형

6 귤이 한 상자에 12개씩 4줄 들어 있습니다. 귤은 모두 몇 개인지 풀이 과정을 쓰고 답을 구하세요.

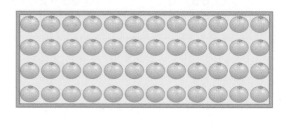

_____

_____

(   )

7 보기 와 같이 계산해 보세요.

보기

```
    2 6              1 4
  ×   3            ×   6
  ─────
    6 0
    1 8
  ─────
    7 8
```

8 수아네 학교 3학년은 한 반에 21명씩 5개 반이 있습니다. 수아는 연필을 12자루씩 9타 가지고 있습니다. 3학년 전체 학생들에게 연필을 한 자루씩 나누어 주려고 할 때, 연필이 충분한지 설명해 보세요.

_____

_____

_____

9 두 수의 곱을 구하여 빈칸에 써넣으세요.

43	3

10 곱셈을 하여 답을 찾아 선으로 이어 보세요.

(1) 71 × 9 ·   · ㉠ 159

(2) 53 × 3 ·   · ㉡ 639

(3) 32 × 4 ·   · ㉢ 128

11 ☐ 안에 알맞은 수를 써넣으세요.

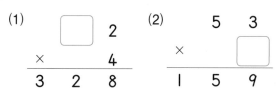

(1)
```
    □ 2
  ×   4
  3 2 8
```

(2)
```
    5 3
  ×   □
  1 5 9
```

12 다음 수를 6배한 수를 써 보세요.

70보다 1만큼 더 큰 수

(   )

13 다음 계산에서 <u>잘못된</u> 부분을 찾아 바르게 계산해 보세요.

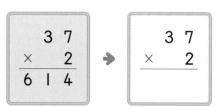

```
    3 7
  ×   2
  6 1 4
```
➡
```
    3 7
  ×   2
```

14 곱셈을 하고 곱이 큰 것부터 순서대로 ◯ 안에 번호를 써넣으세요.

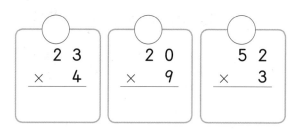

```
    2 3
  ×   4
```
```
    2 0
  ×   9
```
```
    5 2
  ×   3
```

4단원

15 빈칸에 알맞은 수를 써넣으세요.

	×		
16		64	
3			

서술형

16 어떤 수에 3을 곱해야 하는 것을 잘못하여 3을 뺐더니 24가 되었습니다. 바르게 계산하면 얼마인지 풀이 과정을 쓰고 답을 구하세요.

_____

(   )

17 세 사람의 나이를 모두 더하면 몇 살인지 구하세요.

난 10살이 에요.

난 민지보다 2살이 많아요.

내 나이는 승호 나이의 3배야.

민지   승호   선생님

(   )

서술형

18 지민이네 할아버지 댁 농장에는 토끼가 26마리, 닭이 35마리 있습니다. 동물의 다리 수는 모두 몇 개인지 풀이 과정을 쓰고 답을 구하세요.

_____

_____

_____

(   )

19 ☐ 안에 알맞은 자연수 중에서 가장 작은 수와 가장 큰 수를 각각 구하세요.

$$23 \times 2 < \boxed{} < 30 \times 4$$

㉠ 가장 작은 수: (   )

㉡ 가장 큰 수: (   )

20 곧게 뻗은 도로의 한쪽에 나무 10그루를 14 m 간격으로 나란히 심었습니다. 첫 번째 심은 나무와 마지막에 심은 나무 사이의 거리는 몇 m입니까? (단, 나무의 두께는 생각하지 않습니다.)

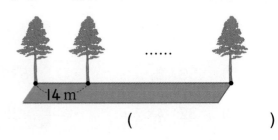

14 m

(   )

1 다음을 덧셈식과 곱셈식으로 각각 나타내어 보세요.

> 20씩 5묶음

덧셈식 _____

곱셈식 _____

2 ☐ 안에 알맞은 숫자를 찾아 선으로 이어 보세요.

(1) 20×4=☐0 • • ㉠ 0

(2) ☐0×3=150 • • ㉡ 5

(3) 70×2=14☐ • • ㉢ 8

3 ☐ 안에 알맞은 수를 써넣으세요.

62×2=☐ ←┐

60×2=☐ ┐├ +

2×2=☐ ┘

4 곱의 크기를 비교하여 ◯ 안에 >, =, <를 알맞게 써넣으세요.

(1) 14×2 ◯ 12×3

(2) 34×2 ◯ 11×8

5 빈칸에 알맞은 수를 써넣으세요.

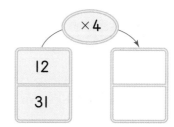

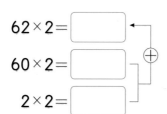서술형

6 658에서 21씩 3번 뛰어 센 수는 얼마인지 풀이 과정을 쓰고 답을 구하세요.

_____

_____

(   )

7 빈칸에 알맞은 수를 써넣으세요.

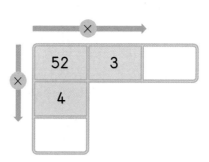

8 구슬을 각각 몇 개 가지고 있는지 ☐ 안에 알맞게 써넣으세요.

난 구슬을 21개 가지고 있어.

난 유나가 가지고 있는 구슬 수의 2배만큼 가지고 있어.

난 예한이가 가지고 있는 구슬 수의 3배만큼 가지고 있어.

유나   예한   지민

┌─────┐ ┌─────┐ ┌─────┐
│ 21 │개 │   │개 │   │개
└─────┘ └─────┘ └─────┘

서술형

9 다음 중에서 가장 큰 수와 가장 작은 수의 곱은 얼마인지 풀이 과정을 쓰고 답을 구하세요.

| 26 | 4 | 32 | 9 |

_____

_____

(   )

10 ☐ 안에 알맞은 수를 써넣으세요.

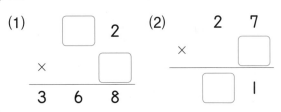

(1)
```
    ┌─┐ 2
    └─┘
  × ┌─┐
    └─┘
 ─────────
  3  6  8
```

(2)
```
      2  7
  ×    ┌─┐
       └─┘
 ─────────
    ┌─┐ 1
    └─┘
```

11 경민이네 반은 꽃밭에 봉숭아를 심었습니다. 한 줄에 19포기씩 5줄을 심었다면 모두 몇 포기를 심은 것인지 식을 쓰고 답을 구하세요.

식 _____

답 _____

12 곱이 같은 것끼리 선으로 이어 보세요.

(1) 30×8 ·   · ㉠ 18×4

(2) 62×4 ·   · ㉡ 40×6

(3) 36×2 ·   · ㉢ 31×8

13 곱이 큰 것부터 차례대로 기호를 써 보세요.

| ㉠ 60×4 | ㉡ 51×4 |
| ㉢ 63×3 | ㉣ 74×3 |

(   )

14 어떤 수에 6을 곱해야 하는 것을 잘못하여 6을 더했더니 30이 되었습니다. 바르게 계산하면 얼마입니까?

(   )

15 길이가 12 cm인 막대를 겹치는 부분 없이 이어 붙였습니다. 8개의 막대를 이어 붙인 전체 길이는 몇 cm입니까?

| 12cm | 12cm | 12cm | 12cm | ...... |

(   )

서술형

16 승우와 기주는 공책에 붙임 딱지를 붙여 정리하였습니다. 승우는 한 쪽에 27장씩 5쪽에 붙였고, 기주는 한 쪽에 21장씩 9쪽에 붙였습니다. 누가 붙임 딱지를 몇 장 더 붙였는지 풀이 과정을 쓰고 답을 구하세요.

_____

_____

_____

(   )

17 1에서 9까지의 수 중에서 ☐ 안에 들어갈 수 있는 수는 모두 몇 개입니까?

$$34 \times 2 \; \textless \; 17 \times \boxed{}$$

(   )

18 환웅이네 반 전체 학생 수는 32명이고, 남학생은 17명입니다. 색종이를 여학생에게는 3장씩, 남학생에게는 2장씩 나누어 주려고 합니다. 색종이는 모두 몇 장 필요합니까?

(   )

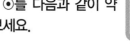

19 두 수 ㉮와 ㉯에 대하여 기호 ⊙를 다음과 같이 약속할 때, 23 ⊙ 3을 계산해 보세요.

㉮ ⊙ ㉯ = ㉮ × ㉯ × ㉯

$$23 ⊙ 3 = \boxed{}$$

서술형

20 4장의 숫자 카드 중 3장을 골라 곱이 가장 큰 (몇십몇)×(몇)의 곱셈식을 만들어 곱을 구하려고 합니다. 풀이 과정을 쓰고 답을 구하세요.

| 0 | 2 | 3 | 5 |

_____

_____

_____

(   )

연습 각 단계를 따라 문제를 풀어 보세요.

1 민겸이와 동우 중 누가 윗몸 일으키기를 몇 번 더 많이 했는지 구해 보세요.

> 민겸: 나는 하루에 42번씩 5일 동안 했어.
> 동우: 나는 하루에 37번씩 6일 동안 했어.

1단계 민겸이는 윗몸 일으키기를 모두 몇 번 했습니까?

(   )

2단계 동우는 윗몸 일으키기를 모두 몇 번 했습니까?

(   )

3단계 누가 윗몸 일으키기를 몇 번 더 많이 했습니까?

(   )

도전 위에서 푼 방법을 생각하며 풀어 보세요.

1-1 윤후와 시연이 중 누가 동화책을 몇 쪽 더 많이 읽었는지 구해 보세요.

> 윤후: 나는 하루에 39쪽씩 5일 동안 읽었어.
> 시연: 나는 하루에 24쪽씩 7일 동안 읽었어.

풀이

_____

_____

_____

_____

답 _____

이렇게 술술풀어요

① 윤후가 읽은 동화책의 쪽수를 구합니다.

② 시연이가 읽은 동화책의 쪽수를 구합니다.

③ 동화책을 누가 몇 쪽 더 많이 읽었는지 구합니다.

각 단계를 따라 문제를 풀어 보세요.

2 1에서 9까지의 수 중에서 ☐ 안에 들어갈 수 있는 수를 모두 찾아 쓰세요.

$$52 \times 2 \;(>)\; 26 \times \boxed{}$$

1단계 52×2는 얼마입니까?

(   )

2단계 $52 \times 2 = 26 \times \boxed{}$인 ☐는 얼마입니까?

(   )

3단계 ☐ 안에 들어갈 수 있는 수를 모두 찾아 쓰세요.

(   )

4
단원

위에서 푼 방법을 생각하며 풀어 보세요.

2-1 1에서 9까지의 수 중에서 ☐ 안에 들어갈 수 있는 수를 모두 찾아 쓰세요.

$$62 \times 3 \;(<)\; 31 \times \boxed{}$$

 풀이

_____

_____

_____

 답 _____

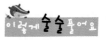 이렇게 술술풀어요

① 62×3을 구합니다.

② $62 \times 3 = 31 \times \boxed{}$인 ☐를 구합니다.

③ ☐ 안에 들어갈 수 있는 수를 모두 찾아 씁니다.

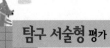 
연습 각 단계를 따라 문제를 풀어 보세요.

3 숫자 카드 １ , ５ , ９ 를 한 번씩만 사용하여 곱이 가장 큰 (몇십몇)×(몇)의 곱셈식을 만들어 곱을 구해 보세요.

$$\boxed{㉠}\ \boxed{㉡} \times \boxed{㉢}$$

1단계 가장 큰 수인 ９ 를 어디에 놓아야 하는지 찾아 기호를 써 보세요.

９ (   )

2단계 １ 과 ５ 를 각각 어디에 놓아야 하는지 찾아 기호를 써 보세요.

１ (   ) ５ (   )

3단계 곱이 가장 큰 (몇십몇)×(몇)의 곱셈식을 만들어 곱을 구해 보세요.

(   )

도전 위에서 푼 방법을 생각하며 풀어 보세요.

3-1 숫자 카드 ３ , ４ , ８ 을 한 번씩만 사용하여 곱이 가장 작은 (몇십몇)×(몇)의 곱셈식을 만들어 곱을 구해 보세요.

$$\boxed{㉠}\ \boxed{㉡} \times \boxed{㉢}$$

 풀이

_____

_____

_____

_____

 답 _____

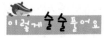 이렇게 술술풀어요

① 가장 작은 수를 어디에 놓아야 하는지 찾습니다.

② 나머지 두 수를 어디에 놓아야 하는지 차례로 찾습니다.

③ 곱이 가장 작은 (몇십몇)×(몇)의 곱셈식을 만들어 곱을 구합니다.

시험처럼 문제를 풀어 보세요.

4 승우네 학교 3학년 학생들 중 배구를 좋아하는 학생은 17명이고, 농구를 좋아하는 학생은 배구를 좋아하는 학생 수의 3배, 축구를 좋아하는 학생은 농구를 좋아하는 학생 수의 2배입니다. 축구를 좋아하는 학생은 배구를 좋아하는 학생보다 몇 명 더 많은지 구해 보세요.

풀이

답

4
단원

시험처럼 문제를 풀어 보세요.

5 숫자 카드 [2], [4], [7] 을 한 번씩만 사용하여 (몇십몇)×(몇)의 곱셈식을 만들 때 곱이 가장 큰 곱과 가장 작은 곱의 차를 구해 보세요.

풀이

답

5-1 1 cm보다 작은 단위는 무엇일까요

- **mm 단위**
① 1 mm: 1 cm를 10칸으로 똑같이 나누었을 때 작은 눈금 한 칸의 길이(■)를 1 mm라고 합니다.
② 쓰기: 1 mm
③ 읽기: 1 밀리미터

- **cm와 mm로 나타내기**
예 4 cm보다 5 mm 더 긴 것
① 쓰기: 4 cm 5 mm
② 읽기: 4 센티미터 5 밀리미터

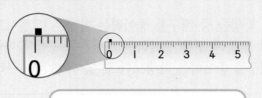

1 cm=10 mm

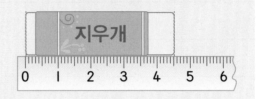

4 cm 5 mm=45 mm

- **1 mm 쓰기**

1 mm

- 자의 눈금을 읽을 때에는 cm 단위의 눈금을 먼저 읽고, mm 단위의 눈금을 나중에 읽습니다.

- 4 cm 5 mm
=40 mm+5 mm
=45 mm

□ 안에 알맞은 수를 써넣으세요.

(1) 5 cm = □ mm

(2) 10 cm 5 mm = □ mm

풀이
(1) 1 cm는 10 mm와 같습니다.
(2) 10 cm 5 mm=100 mm+5 mm=105 mm

답 (1) 50 (2) 105

5-2 1 m보다 큰 단위는 무엇일까요

- **km 단위**
① 1 km: 1000 m와 같습니다.
② 쓰기: 1 km
③ 읽기: 1 킬로미터

- **km와 m로 나타내기**
예 2 km보다 500 m 더 긴 것
① 쓰기: 2 km 500 m
② 읽기: 2 킬로미터 500 미터

1 km=1000 m

2 km 500 m=2500 m

- **1 km 쓰기**

1 km

- 2 km 500 m
=2000 m+500 m
=2500 m

□ 안에 알맞은 수를 써넣으세요.

(1) 2 km = □ m

(2) 3 km 400 m = □ m

풀이
(1) 1 km는 1000 m와 같습니다.
(2) 3 km 400 m=3000 m+400 m=3400 m

답 (1) 2000 (2) 3400

1 다음 까만색 연필심의 길이를 재어서 그 길이를 mm 단위로 써 보세요.

----

2 ☐ 안에 알맞은 수를 써넣으세요.

(1) ☐ cm=60 mm

(2) 5 cm 6 mm=☐ mm

(3) 174 mm=☐ cm ☐ mm

3 머리핀의 길이를 써넣으세요.

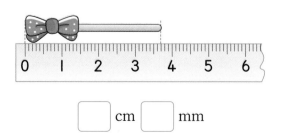

☐ cm ☐ mm

4 수직선을 보고 ☐ 안에 알맞은 수를 써넣으세요.

0 | km

☐ m

5 같은 길이끼리 선으로 이어 보세요.

(1) 7 km   •   • ㉠   6300 m

(2) 5700 m   •   • ㉡   7000 m

(3) 6 km 300 m   •   • ㉢   5 km 700 m

5
단원

6 다음 다리의 길이는 1410 m입니다. 빈칸에 알맞은 길이를 써넣으세요.

다리 이름	km와 m로 나타내기	m로 나타내기
성산대교		1410 m

5-3 길이와 거리를 어림하고 재어 볼까요

• **주변에 있는 물건의 길이를 어림하고 확인하기**

물건	어림한 길이	잰 길이
㉘ 사인펜	약 15 cm	16 cm 5 mm

• **알맞은 단위 선택하기**

버스의 길이	등산로의 길이	건빵의 가로	축구 골대의 높이
약 12 m	약 2 km	약 29 mm	약 244 cm

• **알맞은 단위 선택하기**
① 연필심의 길이: ㉘ 4 mm
② 우리 집에서 약수터까지의
   거리: ㉘ 2 km 200 m
③ 칠판의 긴 쪽의 길이:
   ㉘ 2 m 50 cm
④ 빨대의 길이: ㉘ 15 cm

🐛 **수학 교과서 긴 쪽의 길이를 어림하고 자로 재어 보세요.**

수학 교과서 긴 쪽의 길이	어림한 길이	잰 길이
	㉠	㉡

풀이
길이를 여러 번 어림하고 재어 보면 어림한 길이와 잰 길이의 차이를 좁힐 수 있습니다.

답 ㉠ ㉘ 약 25 cm ㉡ 27 cm

5-4 1분보다 작은 단위는 무엇일까요

• **1초 알아보기**
① 1초: 초바늘이 작은 눈금 한 칸을 가는 동안 걸리는 시간을 1초라고 합니다.

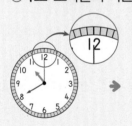 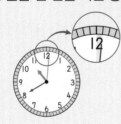

작은 눈금 한 칸=1초

② 60초: 초바늘이 시계를 한 바퀴 도는 데 걸리는 시간은 60초입니다.

60초=1분

• **시각 읽기**

7시 51분 10초

초바늘이 한 바퀴를 도는 동안 긴바늘은 눈금 한 칸을 움직여.

🐛 **시각을 읽어 보세요.**

( )

풀이
짧은 바늘이 숫자 5와 6 사이에 있으므로 5시, 긴바늘이 숫자 10(50분)에서 작은 눈금 4칸 더 간 곳을 지났으므로 54분, 초바늘이 숫자 1(5초)에서 작은 눈금 2칸 더 간 곳에 있으므로 7초입니다.

답 5시 54분 7초

5-3 길이와 거리를 어림하고 재어 볼까요

1 ☐ 안에 cm와 mm 중 알맞은 단위를 써넣으세요.

(1) 동화책의 긴 쪽의 길이는 약 **260** ☐ 입니다.

(2) 컴퓨터 화면 긴 쪽의 길이는 약 **35** ☐ 입니다.

(3) 내 키는 약 **124** ☐ 입니다.

2 다음 중 길이가 **1 km**보다 긴 것은 어느 것입니까? ( )

① 소나무의 높이
② 한라산의 높이
③ 책상 긴 쪽의 길이
④ 내 운동화 긴 쪽의 길이
⑤ 3학년 1반 교실 긴 쪽의 길이

3 학교에서 버스 정류장까지의 거리는 약 **250 m**입니다. 학교에서 약 **1 km** 떨어진 곳에 있는 장소를 써 보세요.

( )

5-4 1분보다 작은 단위는 무엇일까요

4 1초 동안 할 수 있는 일을 찾아 ◯표 하세요.

(1) 물 한 컵을 마시기   ( )
(2) 눈 한 번 깜박이기   ( )
(3) 넘어진 친구를 일으켜 세우기 ( )

5 시각을 읽어 보세요.

(1)

☐ 시 ☐ 분 ☐ 초

(2)

`4:52:17`

☐ 시 ☐ 분 ☐ 초

6 ☐ 안에 알맞은 수를 써넣으세요.

(1) ☐ 분 = 180초

(2) 2분 30초 = ☐ 초 + 30초

        = ☐ 초

(3) 250초 = ☐ 분 ☐ 초

5-5 시간은 어떻게 더하고 뺄까요(1)

• 시는 시끼리, 분은 분끼리, 초는 초끼리 차례로 더합니다.

```
  5시  40분 35초
+      5분 15초
  5시  45분 50초
```

• 시는 시끼리, 분은 분끼리, 초는 초끼리 차례로 뺍니다.

```
 10시  40분 35초
-  2시   5분 15초
  8시간 35분 20초
```

• 시각과 시간
① 시각: 어떤 한 시점
예 9시 15분에
② 시간: 어떤 시각에서 어떤 시각까지의 사이
예 1시간 동안

🌰 ☐ 안에 알맞은 수를 써넣으세요.

```
  3 시 25 분 35 초
+      15 분 15 초
  ☐시  ☐분  ☐초
```

풀이

시는 시끼리, 분은 분끼리, 초는 초끼리 더합니다.

답 3, 40, 50

5-6 시간은 어떻게 더하고 뺄까요(2)

• 초끼리, 분끼리의 합이 60이거나 60보다 크면 60초를 1분으로, 60분을 1시간으로 계산합니다.

```
①   2시   37분 42초
 + 1시간  11분 56초
    3시   48분   98초
        +1분 ← -60초
    3시   49분   38초

②   4시간  45분 35초
 + 6시간  53분 21초
   10시간  98분   56초
        +1시간 ← -60분
   11시간  38분 56초
```

• 초, 분끼리 뺄 수 없으면 1시간을 60분으로, 1분을 60초로 계산합니다.

```
         34분 96초와 같습니다.
③   7시  35분 36초
 - 2시간  19분 48초
    5시  15분 48초
```

```
      9시간 95분과 같습니다.
④  10시간 35분 35초
 - 4시간  50분 15초
    5시간 45분 20초
```

```
      7시 83분 92초와 같습니다.
⑤   8시  24분 32초
 - 5시  29분 57초
   2시간 54분 35초
```

• 시간의 덧셈과 뺄셈
① (시각)+(시간)=(시각)
② (시간)+(시간)=(시간)
③ (시각)-(시간)=(시각)
④ (시간)-(시간)=(시간)
⑤ (시각)-(시각)=(시간)

결과가 시각인지 시간인지 주의하여 답을 구해요.

🌰 ☐ 안에 알맞은 수를 써넣으세요.

```
  5 시  25 분
-       30 분
  ☐시  ☐분
```

풀이

1시간=60분이므로 5시 25분-30분=4시 85분-30분
=4시 55분이 됩니다.

답 4, 55

5-5 시간은 어떻게 더하고 뺄까요(1)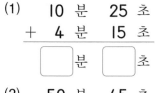

1 ☐ 안에 알맞은 수를 써넣으세요.

(1)
```
    10 분  25 초
 +   4 분  15 초
   ☐ 분  ☐ 초
```

(2)
```
    50 분  45 초
 -  15 분  15 초
   ☐ 분  ☐ 초
```

2 지금 시각은 1시 15분 35초입니다. 동영상 수업이 끝나는 시각을 구해 보세요.

동영상 수업의 재생 시간은 40분 15초예요.

```
    1 시  15 분  35 초
 +        40 분  15 초
   ☐ 시  ☐ 분  ☐ 초
```

3 다음 고속버스 시간표를 보고 서울에서 강릉까지 이동하는 데 걸리는 시간을 구해 보세요.

고속버스 시간표			
출발 시각		도착 시각	
서울	18:05	강릉	20:55

( )

5-6 시간은 어떻게 더하고 뺄까요(2)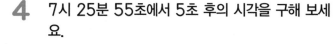

4 7시 25분 55초에서 5초 후의 시각을 구해 보세요.

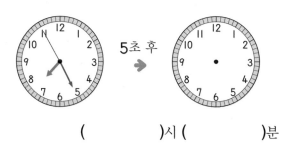

5초 후

( )시 ( )분

5 지금은 5시 10분입니다. 15분 전의 시각을 구해 보세요.

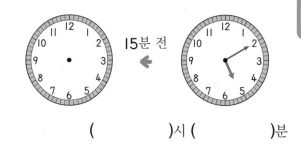

15분 전

( )시 ( )분

6 다음은 버스 정류장의 전광판입니다. 6813번 버스가 도착하는 시각을 구해 보세요.

버스 도착 안내		
	노선	도착 예정 시간
8:57	263	5분 후
	6633	9분 후
	6813	14분 후

( )

1 길이를 바르게 쓰고 읽어 보세요.

> 4 cm 5 mm

쓰기 _____

읽기 _____

2 연필의 길이는 몇 cm 몇 mm입니까?

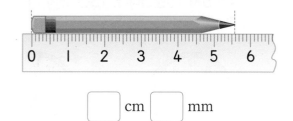

[ ] cm [ ] mm

중요

3 [ ] 안에 알맞은 수를 써넣으세요.

42 mm = [ ] cm [ ] mm

4 [ ] 안에 알맞은 수를 써넣으세요.

6 km보다 250 m 더 먼 거리

→ [ ] km [ ] m

5 보기 와 같이 거리의 단위를 고쳐 보세요.

> 보기
> 7 km 500 m = 7 km + 500 m
> = 7000 m + 500 m
> = 7500 m

5 km 50 m = [ ] km + [ ] m

= [ ] m + [ ] m

= [ ] m

주의

6 다음 중 틀린 것을 찾아 기호를 쓰세요.

> ㉠ 12 mm = 1 cm 2 mm
> ㉡ 2046 m = 2 km 460 m
> ㉢ 9 km 700 m = 9700 m

(   )

서술형

7 길이가 더 긴 것은 어느 것인지 찾아 기호를 쓰려고 합니다. 풀이 과정을 쓰고 답을 구하세요.

> ㉠ 2 km 300 m   ㉡ 2420 m

_____

_____

(   )

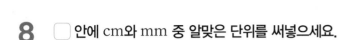

8 ☐ 안에 cm와 mm 중 알맞은 단위를 써넣으세요.

(1) 필통의 길이는 약 24 ☐ 입니다.

(2) 연필의 길이는 약 145 ☐ 입니다.

9 다음 중 길이가 1 km보다 긴 것은 어느 것입니까?

( )

① 버스의 길이
② 지리산의 높이
③ 5층 건물의 높이
④ 책상의 긴 쪽의 길이
⑤ 운동장의 긴 쪽의 길이

10 시각을 읽어 보세요.

 ☐시 ☐분 ☐초

11 ☐ 안에 알맞은 수를 써넣으세요.

3분 30초= ☐ 초

12 같은 시간끼리 선으로 이어 보세요.

(1) 1분 30초 ・   ・㉠ 105초

(2) 1분 45초 ・   ・㉡ 90초

(3) 4분 30초 ・   ・㉢ 270초

13 ◯ 안에 >, =, <를 알맞게 써넣으세요.

400초 ◯ 6분 50초

14 ☐ 안에 알맞은 수를 써넣으세요.

(1)
```
    5 시  35 분  21 초
+   2 시간 20 분  33 초
──────────────────────
    ☐시   ☐분   ☐초
```

(2)
```
    5 시  47 분  36 초
−   1 시  12 분  25 초
──────────────────────
   ☐시간  ☐분   ☐초
```

15 다음 시각에서 15분 후의 시각을 구해 보세요.

(   )

16 그림을 보고 ☐ 안에 알맞은 수를 써넣으세요.

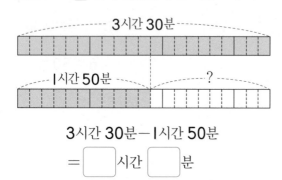

3시간 30분－1시간 50분

＝☐시간 ☐분

서술형

17 청소를 하는 데 50분이 걸렸다고 합니다. 9시 40분에 청소를 시작했다면 청소가 끝난 시각은 몇 시 몇 분인지 풀이 과정을 쓰고 답을 구하세요.

_____

_____

(   )

18 학교에서 우체국까지의 거리는 약 500 m입니다. 학교에서 약 1 km 500 m 떨어진 곳에 있는 장소를 써 보세요.

(   )

🍄 지수와 한빈이는 만화 영화를 한 편씩 보았습니다. 물음에 답하세요. [19~20]

만화 영화 제목	꼬마 곰의 모험	바다 전쟁
재생 시간	1시간 20분	1시간 17분

19 지수는 '꼬마 곰의 모험'을 보았습니다. 오전 9시 55분에 영화가 시작했다면 영화가 끝난 시각을 구해 보세요.

오전 (   )

응용

20 한빈이는 '바다 전쟁'을 보았습니다. 영화가 끝난 시각이 오후 4시 5분이었다면 영화를 보기 시작한 시각을 구해 보세요.

오후 (   )

1 다음은 자의 일부분입니다. ↓로 표시된 곳의 위치를 보고 □ 안에 알맞은 수를 써넣으세요.

 ☐ cm ☐ mm

2 같은 길이끼리 선으로 이어 보세요.

(1) 20 mm · · ㉠ 9 cm

(2) 50 mm · · ㉡ 2 cm

(3) 90 mm · · ㉢ 3 cm

(4) 30 mm · · ㉣ 5 cm

3 연필의 길이를 재어 □ 안에 알맞은 수를 써넣으세요.

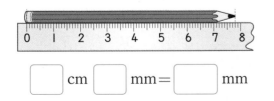

☐ cm ☐ mm = ☐ mm

4 ◯ 안에 >, =, <를 알맞게 써넣으세요.

4 cm 6 mm ◯ 45 mm

5 □ 안에 알맞은 수를 써넣고 읽어 보세요.

☐ km ☐ m

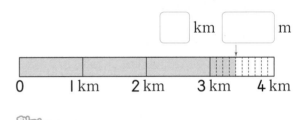

읽기 _____

6 도서관에서 학교까지의 거리는 몇 km 몇 m입니까?

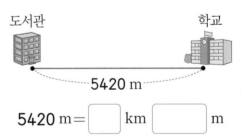

5420 m = ☐ km ☐ m

7 다음 중 틀린 것은 어느 것입니까? ( )

① 7 m = 700 cm

② 2400 m = 24 km

③ 6004 m = 6 km 4 m

④ 3 cm 2 mm = 32 mm

⑤ 2 km 300 m = 2300 m

서술형

8 다음 중 단위를 <u>잘못</u> 쓴 사람을 찾아 이름을 쓰고 문장을 옳게 고쳐 보세요.

필통의 길이는 약 25 cm야.   우리 집에서 공원까지의 거리는 약 700 m야.   에어컨의 높이는 약 2 km야.

예나   수범   한비

단위를 잘못 쓴 사람: (   )

_____

9 다음 중 km 단위를 사용하여 길이를 나타내기 알맞은 것을 찾아 기호를 쓰세요.

> ㉠ 서울에서 경주까지의 거리
> ㉡ 걸어서 1분 동안 갈 수 있는 거리
> ㉢ 우리 반 교실에서 학교 정문까지의 거리

(   )

10 시각에 맞게 시계에 초바늘을 그려 넣으세요.

6시 22분 47초

11 ☐ 안에 초, 분, 시간 중 알맞은 단위를 써넣으세요.

> 나는 학교에서 점심 시간에 식사를 약 15 ☐ 동안 하고 운동장에서 축구를 합니다.

12 다음 중 옳은 것을 모두 찾아 기호를 쓰세요.

> ㉠ 1분＝60초
> ㉡ 1분 40초＝140초
> ㉢ 210초＝2분 10초
> ㉣ 2분 50초＝170초

(   )

13 예나는 색종이 접기를 7분 20초 동안 했고, 지원이는 420초 동안 했습니다. 누가 색종이 접기를 더 오래 했습니까?

(   )

14 ☐ 안에 알맞은 수를 써넣으세요.

(1)
	3 시간	13 분	19 초
＋	4 시간	42 분	32 초
	☐ 시간	☐ 분	☐ 초

(2)
	11 시	50 분	55 초
－	8 시	34 분	9 초
	☐ 시간	☐ 분	☐ 초

15 그림을 보고 ☐ 안에 알맞은 수를 써넣으세요.

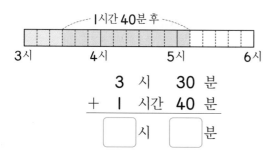

ㅡ1시간 40분 후ㅡ

3시 4시 5시 6시

$$\begin{array}{r} 3\ \text{시} \quad 30\ \text{분} \\ +\ \ 1\ \text{시간} \quad 40\ \text{분} \\ \hline \boxed{}\ \text{시} \quad \boxed{}\ \text{분} \end{array}$$

주의

16 주현이는 오후 3시 50분에 노래 연습을 시작하여 15분 동안 하였습니다. 주현이가 노래 연습을 마친 시각을 구해 보세요.

오후 (   )

서술형

17 두 사람이 운동을 시작한 시각과 끝낸 시각을 나타낸 표입니다. 운동을 더 오래한 사람은 누구인지 풀이 과정을 쓰고 답을 구하세요.

이름	시작한 시각	끝낸 시각
재희	1시	2시 30분
윤서	3시 30분	4시 50분

(   )

그림을 보고 물음에 답하세요. [18~19]

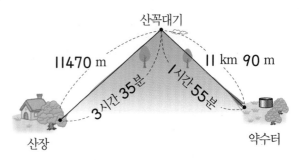

산꼭대기

11470 m   11 km 90 m

3시간 35분   1시간 55분

산장   약수터

18 산장과 약수터 중 산꼭대기까지 더 먼 곳은 어디입니까?

(   )

19 산장에서 산꼭대기를 지나 약수터까지 가는 데 걸리는 시간을 구해 보세요.

(   )

응용

20 서울에서 부산까지 가는 데 기차로 2시간 43분 16초가 걸린다고 합니다. 부산에 도착한 시각이 오후 1시 8분 14초였다면 서울에서 출발한 시각을 구해 보세요.

오전 (   )

1 길이를 쓰고 읽어 보세요.

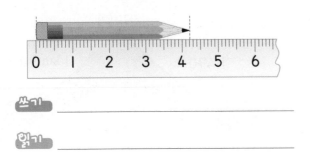

쓰기 _____

읽기 _____

2 ◯ 안에 알맞은 수를 써넣으세요.

(1) 45 mm = ☐ cm ☐ mm

(2) 7 cm 8 mm = ☐ mm

(3) 23 cm 6 mm = ☐ mm

3 다음 중 길이가 가장 긴 물건은 어느 것입니까?

> 풀: 134 mm
> 가위: 13 cm 7 mm
> 연필: 12 cm 9 mm

( )

4 소나는 일요일에 할머니 댁에 갔습니다. 12 km는 버스를 타고 가고 450 m는 걸어서 갔습니다. 소나네 집에서 할머니 댁까지의 거리는 몇 km 몇 m 입니까?

( )

5 수직선을 보고 ☐ 안에 알맞은 수를 써넣으세요.

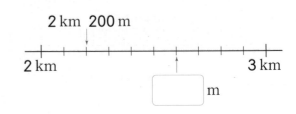

☐ m

6 ◯ 안에 >, =, <를 알맞게 써넣으세요.

(1) 540 mm ◯ 50 cm 4 mm

(2) 2260 m ◯ 2 km 270 m

7 학교와 서점 중에서 미소네 집에서 더 가까운 곳은 어디입니까?

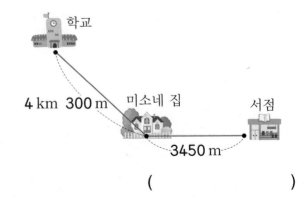

( )

8 보기 에서 알맞은 길이를 찾아 문장을 완성해 보세요.

> 보기
>
> 12 cm, 12 m, 1 km 200 m

(1) 버스의 길이는 약 [   ]입니다.

(2) 우리 집에서 공원까지의 거리는
약 [   ]입니다.

9 시계에서 초침이 2바퀴 돌았습니다. 몇 초가 지난 것입니까?

(   )

10 시각을 읽어 보세요.

[ ] 시 [ ] 분 [ ] 초

11 같은 시간끼리 선으로 이어 보세요.

(1) 170초 ·

  · ㉠ 410초

  · ㉡ 3분 20초

(2) 4분 10초 ·

  · ㉢ 2분 50초

(3) 200초 ·

  · ㉣ 250초

서술형

12 두 사람의 달리기 기록입니다. 소진이와 희정이가 달리기를 하였습니다. 누가 더 오래 달렸는지 풀이 과정을 쓰고 답을 구하세요.

소진	희정
9분 25초	612초

_____

_____

(   )

5 단원

13 ◻ 안에 알맞은 수를 써넣으세요.

(1)

	1 시간	19 분	22 초
+	4 시간	33 분	9 초
	[ ] 시간	[ ] 분	[ ] 초

(2)

	10 시	46 분	34 초
−	2 시간	20 분	18 초
	[ ] 시	[ ] 분	[ ] 초

14 빈칸에 알맞은 시간을 써넣으세요.

−26분 14초

35분 40초 → [   ]

15 다음은 버스 정류장의 전광판입니다. 6637번 버스가 도착하는 시각을 구해 보세요.

버스 도착 안내		
	노선	도착 예정 시간
9:54	540	8분 후
	6637	13분 후

( )

16 지금 시각은 8시 5분입니다. 25분 전의 시각을 시계에 그려 넣으세요.

서술형

17 서진이는 4시 50분 48초에 숙제를 시작하여 1254초 후에 숙제를 끝냈습니다. 서진이가 숙제를 끝낸 시각은 몇 시 몇 분 몇 초인지 풀이 과정을 쓰고 답을 구하세요.

_____

_____

( )

18 학교에서 우체국까지의 거리만큼 떨어진 곳에 어떤 장소가 있는지 써 보세요.

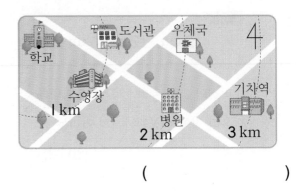

( )

19 1시간 55분 동안 상영하는 영화를 보고 나서 시계를 보니 4시 15분이었습니다. 영화 시작 시각을 구해 보세요.

( )

서술형

20 기차 승차권을 보고 시간의 뺄셈에 관한 문제를 만들고 풀어 보세요.

승차권
20○○년 ○월 ○일
서울 ▶ 울산
13:54   16:04

문제 _____

풀이 _____

_____

1 색 테이프의 길이는 몇 cm 몇 mm인지 쓰고 읽어 보세요.

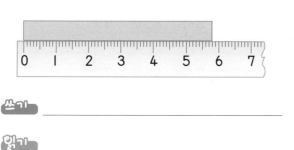

쓰기 _____

읽기 _____

2 동화책의 긴 쪽의 길이를 자로 재어 보았더니 25 cm보다 작은 눈금 7칸이 더 길었습니다. 동화책의 긴 쪽의 길이는 몇 cm 몇 mm입니까?

(   )

3 클립의 길이는 몇 mm입니까?

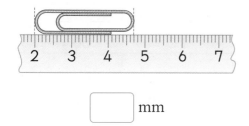

☐ mm

4 지영이네 집에서 도서관까지의 거리는 2 km보다 몇 m 더 멉니까?

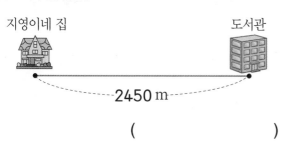

지영이네 집   도서관

2450 m

(   )

5 다음 중 틀린 것을 찾아 기호를 쓰세요.

> ㉠ 5 cm 6 mm=56 mm
> ㉡ 407 mm=4 cm 7 mm
> ㉢ 5200 m=5 km 200 m

(   )

서술형

6 미술 시간에 하승이는 빨간색 끈을 18 cm 3 mm 사용했고, 예원이는 파란색 끈을 212 mm 사용했습니다. 누가 끈을 더 많이 사용했는지 풀이 과정을 쓰고 답을 구하세요.

_____

_____

(   )

7 다음 중 옳은 것은 어느 것입니까? (   )

① 1103 m ⟩ 11 km 3 m

② 5 cm 6 mm ⟨ 50 mm

③ 10 cm 7 mm ⟩ 110 mm

④ 2 km 220 m ⟨ 2202 m

⑤ 4527 m ⟨ 4 km 600 m

5 단원

8 다음 중 단위를 잘못 쓴 문장을 찾아 ◯ 안에 기호를 써넣고 단위를 바르게 고쳐 보세요.

> ㉠ 백두산의 높이는 2744 m입니다.
> ㉡ 컴퓨터 화면의 긴 쪽의 길이는 약 55 mm 입니다.

◯   잘못 쓴 단위 [   ] → 바른 단위 [   ]

서술형
9 다음 시각에서 초침이 시계를 5바퀴 돌았을 때의 시각은 몇 시 몇 분 몇 초인지 구하려고 합니다. 풀이 과정을 쓰고 답을 구하세요.

_____

_____

_____

(   )

10 같은 시간끼리 선으로 이어 보세요.

(1) [2분 15초] ·   · ㉠ [185초]

(2) [1분 50초] ·   · ㉡ [135초]

(3) [3분 5초] ·   · ㉢ [110초]

11 계산해 보세요.

(1)　　2시간 24분 47초
　　+ 3시간 35분 　9초

(2)　　7시 　45분 37초
　　− 2시간 17분 12초

12 다음 시각에서 90분 후의 시각을 구해 보세요.

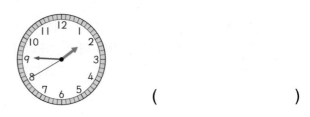

(   )

13 그림을 보고 ☐ 안에 알맞은 수를 써넣으세요.

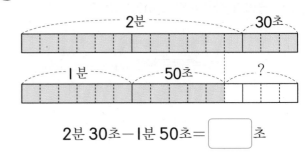

2분 30초 − 1분 50초 = ☐ 초

14 준재가 3일 동안 공부한 시간을 나타낸 것입니다. 준재가 3일 동안 공부한 시간을 모두 더해 보세요.

	공부한 시간
첫째 날	1시간 10분
둘째 날	50분
셋째 날	1시간 20분

(   )

15 연극을 시작한 시간과 끝낸 시각입니다. 걸린 시간에 맞도록 ☐ 안에 알맞은 수를 써넣으세요.

시작한 시각   끝낸 시각

☐ 시간 ☐ 분

서술형
16 두 명이 한 모둠이 되어 이어달리기 경주를 하였습니다. 어느 모둠이 이겼는지 풀이 과정을 쓰고 답을 구하세요.

모둠	이름	달리기 기록
(가)	유나	1분 10초
	지형	1분 39초
(나)	수빈	1분 23초
	한서	1분 15초

_____

_____

_____

(   )

17 그림은 지하철 5호선의 각 역에 도착하는 시각을 나타낸 것입니다. 도착 후 각 역에서 10초씩 쉰다고 할 때, 종로3가역에서 출발하여 서대문역에 도착하는 데 걸리는 시간을 구해 보세요.

1시 5분 2초   1시 8분 20초   1시 10분 55초

종로3가역   광화문역   서대문역

(   )

🍄 나영이가 부모님과 공원 산책을 갔습니다. 물음에 답하세요. [18~20]

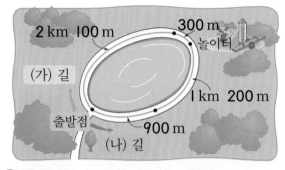

2 km 100 m   300 m   놀이터

(가) 길

1 km 200 m

출발점   900 m

(나) 길

18 출발점에서 놀이터까지 (가) 길과 (나) 길로 가는 거리를 각각 수직선 위에 나타내어 보세요.

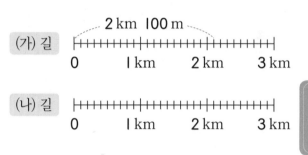

(가) 길   ⊢2 km 100 m⊣

0   1 km   2 km   3 km

(나) 길

0   1 km   2 km   3 km

19 출발점에서 놀이터까지 더 가까운 길은 어느 길입니까?

(   )

서술형
20 (가) 길로 놀이터까지 가는데 출발한 시각과 도착한 시각이 다음과 같을 때 걸린 시간은 몇 시간 몇 분인지 풀이 과정을 쓰고 답을 구하세요.

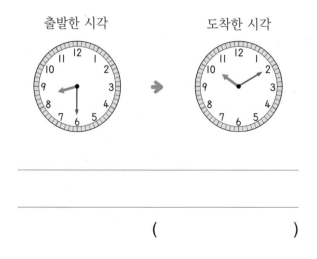

출발한 시각   도착한 시각

_____

_____

(   )

5
단원

연습 각 단계를 따라 문제를 풀어 보세요.

1 집에서 더 가까운 곳은 어디인지 써 보세요.

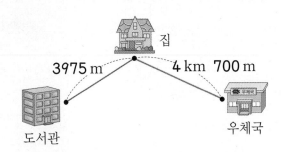

1단계 3975 m는 몇 km 몇 m입니까?

( )

2단계 거리를 비교하여 ◯ 안에 >, =, <를 알맞게 써넣으세요.

3975 m ◯ 4 km 700 m

3단계 집에서 더 가까운 곳은 어디인지 써 보세요.

( )

도전 위에서 푼 방법을 생각하며 풀어 보세요.

1-1 집에서 가장 멀리 떨어진 곳은 어디인지 써 보세요.

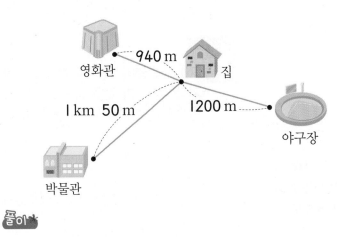

이렇게 술술 풀어요

① 거리의 단위를 통일합니다.

② 거리를 비교합니다.

③ 가장 멀리 떨어진 곳을 찾습니다.

풀이

_____

_____

답 _____

연습 각 단계를 따라 문제를 풀어 보세요.

2 정우는 1259초 동안 피아노 연습을 했습니다. 정우가 피아노 연습을 끝낸 시각을 구해 보세요.

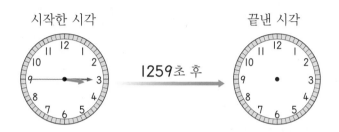

1단계 피아노 연습을 시작한 시각을 읽어 보세요.

(   )

2단계 1259초는 몇 분 몇 초인지 구해 보세요.

(   )

3단계 피아노 연습을 끝낸 시각을 구해 보세요.

(   )

5 단원

도전 위에서 푼 방법을 생각하며 풀어 보세요.

2-1 미나는 2425초 동안 그림을 그렸습니다. 미나가 그림 그리기를 끝낸 시각을 구해 보세요.

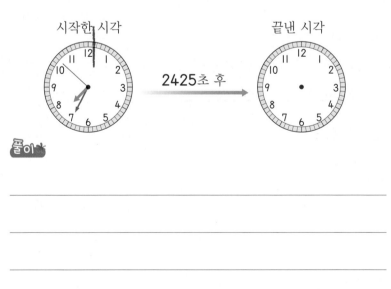

풀이

_____

_____

_____

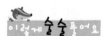 _____

이렇게 술술 풀어요

① 그림 그리기를 시작한 시각을 알아봅니다.

② 2425초는 몇 분 몇 초인지 구합니다.

③ 그림 그리기를 끝낸 시각을 구합니다.

연습 각 단계를 따라 문제를 풀어 보세요.

3 민우와 지영이는 수학 공부를 했습니다. 공부를 더 오래한 사람은 누구입니까?

	시작한 시각	끝낸 시각
민우	1시 25분	2시 17분
지영	3시 20분	4시 5분

1단계 민우가 공부한 시간은 몇 분입니까?

( )

2단계 지영이가 공부한 시간은 몇 분입니까?

( )

3단계 공부를 더 오래한 사람은 누구입니까?

( )

도전 위에서 푼 방법을 생각하며 풀어 보세요.

3-1 예나와 호석이는 학교 마라톤 대회에 나갔습니다. 달리기 기록이 더 좋은 사람은 누구입니까?

	출발 시각	도착 시각
예나	2시 56분 45초	3시 20분 57초
호석	2시 12분 25초	2시 34분 14초

이렇게 술술풀어요

① 예나가 달린 시간을 구합니다.

② 호석이가 달린 시간을 구합니다.

③ 달리기 기록이 더 좋은 사람을 찾습니다.

풀이

_____

_____

_____

답 _____

4 다음은 영화 상영 시간표입니다. 영화를 I시간 I5분 20초 동안 상영한 후 520초 쉬고 다음 회차 영화를 시작한다고 합니다. 2회 차 영화가 끝나는 시각을 구해 보세요.

회 차	I회	2회
시작 시각	9시	

풀이

답

5
단원

5 다음은 하지와 동지의 해 뜨는 시각과 해 지는 시각을 나타낸 표입니다. 하지와 동지 중 언제 낮의 길이가 얼마나 더 긴지 구해 보세요.

절기	해 뜨는 시각	해 지는 시각
하지	5시 10분	19시 45분
동지	7시 32분	17시 15분

풀이

답 _____의 낮의 길이가 _____ 더 깁니다.

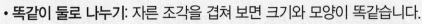

6-1 똑같이 나누어 볼까요

- **똑같이 둘로 나누기:** 자른 조각을 겹쳐 보면 크기와 모양이 똑같습니다.

- **똑같이 넷으로 나누기**

- **똑같이 나누어진 도형**

- **똑같이 나누어지지 않은 도형**

🌰 **똑같이 셋으로 나눈 것을 찾아 기호를 쓰세요.**

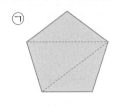　ㄱ　　　　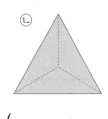　ㄴ

(　　　　　　　　　)

풀이
자른 세 조각의 크기와 모양이 똑같은 것을 찾습니다.

답 ㄴ

6-2 분수를 알아볼까요(1)

- $\dfrac{2}{3}$: 오른쪽 그림과 같이 전체를 똑같이 3으로 나눈 것의 2를 나타내고, 3분의 2라고 읽습니다.

- **분수:** $\dfrac{1}{2}$, $\dfrac{2}{3}$와 같은 수를 분수라고 합니다.

$\dfrac{2}{3}$ ← 분자
　← 분모

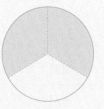

쓰기 $\dfrac{2}{3}$

읽기 3분의 2

- **분수를 쓸 때:** 가로선을 먼저 긋고 분모를 먼저 쓰고, 분자를 나중에 씁니다.

- **분수를 읽을 때:** 분모를 먼저 읽고, 분자를 나중에 읽습니다.

$\dfrac{1}{5}$ ➡ 5분의 1

🌰 **☐ 안에 알맞은 분수를 써넣으세요.**

나이지리아 국기에서 초록색 부분은 전체의 ☐ 입니다.

풀이
초록색 부분은 전체를 똑같이 3으로 나눈 것 중의 2이므로 전체의 $\dfrac{2}{3}$입니다.

답 $\dfrac{2}{3}$

6-1 똑같이 나누어 볼까요

1 똑같이 나누어진 피자를 찾아 기호를 쓰세요.

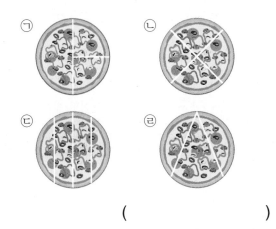

(   )

2 같은 크기의 조각이 몇 조각 있는지 ☐ 안에 써넣으세요.

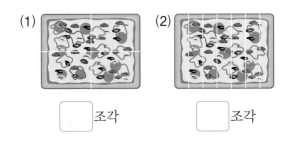

(1) ☐ 조각   (2) ☐ 조각

3 똑같이 나누어진 도형을 모두 찾아 기호를 쓰세요.

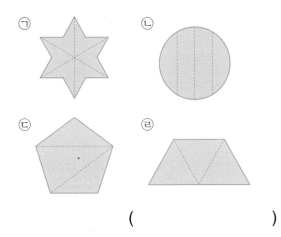

(   )

6-2 분수를 알아볼까요(1)

4 다음 국기에서 노란색 부분은 전체의 얼마인지 쓰세요.

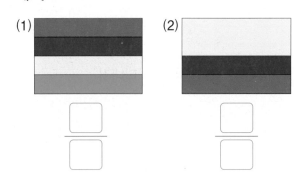

(1) ☐/☐   (2) ☐/☐

5 분수에 맞게 색칠한 것을 찾아 기호를 쓰세요.

$\dfrac{3}{5}$

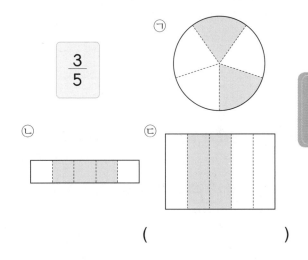

(   )

6 색칠한 부분을 분수로 쓰고 읽어 보세요.

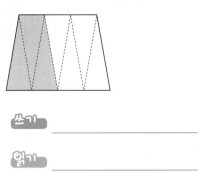

쓰기 _____

읽기 _____

6-3 분수를 알아볼까요(2)

• 전체에 대한 부분을 분수로 나타내기

 ① 남은 부분은 전체의 $\dfrac{3}{5}$ 입니다.

② 먹은 부분은 전체의 $\dfrac{2}{5}$ 입니다.

• 부분을 보고 전체를 나타내기

┌ 부분은 1조각   ┌ 전체는 4조각

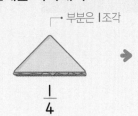

$\dfrac{1}{4}$

• 색칠한 부분과 색칠하지 않은 부분

① 색칠한 부분은 전체의 $\dfrac{3}{4}$ 입니다.

② 색칠하지 않은 부분은 전체의 $\dfrac{1}{4}$ 입니다.

🌰 □ 안에 공통으로 들어갈 숫자를 쓰세요.

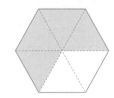

풀이
색칠한 부분은 전체를 똑같이 6으로 나눈 것 중의 4, 색칠하지 않은 부분은 전체를 똑같이 6으로 나눈 것 중의 2입니다.

답 6

6-4 분모가 같은 분수의 크기를 비교해 볼까요

• $\dfrac{3}{4}$ 과 $\dfrac{2}{4}$ 의 크기 비교

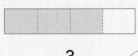

$\dfrac{3}{4}$ $\gt$ $\dfrac{2}{4}$

• 분모가 같은 분수의 크기 비교: 분자가 클수록 더 큰 수입니다.

┌ 분자가 가장 큽니다.

$\dfrac{4}{5} \gt \dfrac{3}{5} \gt \dfrac{2}{5} \gt \dfrac{1}{5}$

• $\dfrac{3}{4}$ 은 $\dfrac{1}{4}$ 이 3개,

$\dfrac{2}{4}$ 은 $\dfrac{1}{4}$ 이 2개이므로

$\dfrac{3}{4}$ 은 $\dfrac{2}{4}$ 보다 더 큽니다.

🌰 두 분수의 크기를 비교하여 ◯ 안에 $\gt$, $=$, $\lt$ 를 알맞게 써넣으세요.

$\dfrac{5}{9}$ ◯ $\dfrac{2}{9}$

풀이
분모가 같은 분수는 분자가 클수록 더 큰 수입니다.

답 $\gt$

6-3 분수를 알아볼까요(2)

1 남은 부분과 먹은 부분을 분수로 나타내어 보세요.

(1) 남은 부분은 전체의 ☐

(2) 먹은 부분은 전체의 ☐

2 색칠한 부분과 색칠하지 않은 부분을 분수로 나타내어 보세요.

(1)

(2)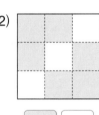

3 전체에 알맞은 도형을 모두 찾아 기호를 쓰세요.

 전체를 똑같이 5로 나눈 것 중의 3입니다.

㉠ 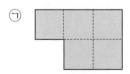   ㉡

㉢ 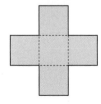   ㉣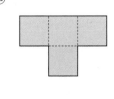

(   )

6-4 분모가 같은 분수의 크기를 비교해 볼까요

4 주어진 분수만큼 색칠하고 ◯ 안에 >, =, <를 알맞게 써넣으세요.

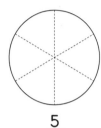   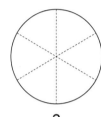

$\dfrac{5}{6}$ ◯ $\dfrac{3}{6}$

5 두 분수의 크기를 비교하여 ◯ 안에 >, =, <를 알맞게 써넣으세요.

$$\dfrac{5}{8} \bigcirc \dfrac{7}{8}$$

6
단원

6 다음 분수 중 $\dfrac{4}{9}$보다 크고 $\dfrac{7}{9}$보다 작은 분수를 모두 고르세요. (   )

① $\dfrac{2}{9}$ ② $\dfrac{6}{9}$

③ $\dfrac{5}{9}$ ④ $\dfrac{8}{9}$

⑤ $\dfrac{3}{9}$

6-5 단위분수의 크기를 비교해 볼까요

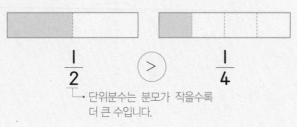

- 단위분수: 분수 중에서 $\frac{1}{2}$, $\frac{1}{3}$, $\frac{1}{4}$, $\frac{1}{5}$ ······과 같이 분자가 1인 분수

- $\frac{1}{2}$과 $\frac{1}{4}$의 크기 비교

$$\frac{1}{2} \bigcirc{>} \frac{1}{4}$$

└ 단위분수는 분모가 작을수록 더 큰 수입니다.

- 단위분수의 크기 비교
분모가 작을수록 큰 수입니다.

$$\frac{1}{2} > \frac{1}{3} > \frac{1}{4} > \frac{1}{5}$$

$\frac{1}{2}$	
$\frac{1}{3}$	
$\frac{1}{4}$	
$\frac{1}{5}$	

🐛 두 분수의 크기를 비교하여 ◯ 안에 >, =, <를 알맞게 써넣으세요.

$$\frac{1}{18} \bigcirc \frac{1}{25}$$

풀이

단위분수는 분모가 작을수록 더 큰 수입니다.

답 >

6-6 소수를 알아볼까요(1) → 0.■

- 소수: 0.1, 0.2, 0.3과 같은 수
- 소수점: 0.1, 0.2, 0.3과 같은 수에서 ' . '을 말합니다.

분수	$\frac{1}{10}$	$\frac{2}{10}$	$\frac{3}{10}$	······	$\frac{9}{10}$
소수 쓰기	0.1	0.2	0.3	······	0.9
소수 읽기	영 점 일	영 점 이	영 점 삼	······	영 점 구

- 분수를 소수로 나타내기

$$\frac{\blacksquare}{10} = 0.\blacksquare$$

- 0.1
전체를 똑같이 10으로 나눈 것 중의 1을 $\frac{1}{10}$이라고 하고, 이것을 소수로 0.1이라고 합니다.

🐛 그림을 보고 색칠한 부분을 분수와 소수로 나타내어 보세요.

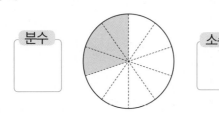

분수 [ ] 소수 [ ]

풀이

색칠한 부분은 전체를 똑같이 10으로 나눈 것 중의 3이므로 $\frac{3}{10}$=0.3입니다.

답 $\frac{3}{10}$, 0.3

6-5 단위분수의 크기를 비교해 볼까요

1 똑같이 나누어 주어진 분수만큼 색칠하고 ◯ 안에
>, =, <를 알맞게 써넣으세요.

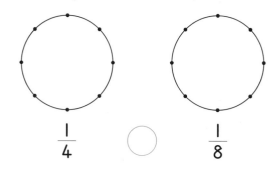

$\dfrac{1}{4}$ ◯ $\dfrac{1}{8}$

2 두 분수의 크기를 비교하여 ◯ 안에 >, =, <를
알맞게 써넣으세요.

(1) $\dfrac{1}{21}$ ◯ $\dfrac{1}{24}$

(2) $\dfrac{1}{13}$ ◯ $\dfrac{1}{10}$

3 다음 조건에 맞는 분수를 써 보세요.

분모가 4보다 큰
단위분수야.

$\dfrac{1}{6}$ 보다 큰 분수야.

( )

6-6 소수를 알아볼까요(1)

4 같은 것끼리 선으로 이어 보세요.

(1) $\dfrac{3}{10}$ ・ ・ 0.8 ・ ・ 영 점 삼

(2) $\dfrac{5}{10}$ ・ ・ 0.3 ・ ・ 영 점 팔

(3) $\dfrac{8}{10}$ ・ ・ 0.5 ・ ・ 영 점 오

5 ☐ 안에 알맞은 분수나 소수를 써넣으세요.

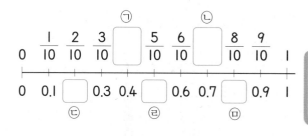

6 리본 1 m를 똑같이 10조각으로 나누어 그중 2조
각은 현민이가, 3조각은 희진이가, 5조각은 민호가
사용하였습니다. 세 어린이가 사용한 리본의 길이가
각각 몇 m인지 소수로 나타내어 보세요.

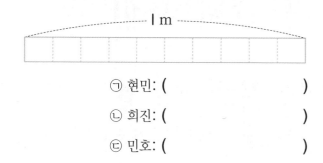

1 m

㉠ 현민: ( )

㉡ 희진: ( )

㉢ 민호: ( )

6 단원

6-7 소수를 알아볼까요(2) — 자연수와 소수로 이루어진 소수

• 2.7: 2와 0.7만큼을 2.7이라 쓰고 이 점 칠이라고 읽습니다.

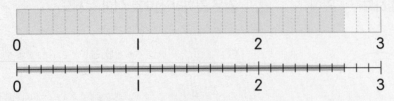

• 1 mm는 1 cm를 10개로 나눈 것 중의 1개이므로 0.1 cm입니다.

> 1 mm = 0.1 cm

• 2 cm 7 mm를 cm 단위로 나타내기
① 7 mm는 1 cm를 10개로 나눈 것 중의 7개이므로 0.7 cm입니다.

① 2 cm 7 mm
➡ 2 cm와 0.7 cm만큼
➡ 2.7 cm

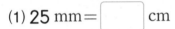 안에 알맞은 소수를 써넣으세요.

(1) 25 mm = ☐ cm

(2) 4 cm 6 mm = ☐ cm

풀이
1 mm는 1 cm를 10개로 나눈 것 중의 1개이므로 0.1 cm입니다.

답 (1) 2.5 (2) 4.6

6-8 소수의 크기를 비교해 볼까요

• 0.4와 0.5의 크기 비교: 0.4는 0.1이 4개, 0.5는 0.1이 5개이므로 0.4보다 0.5가 더 큽니다. ➡ 0.4 < 0.5

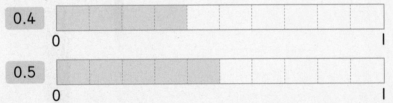

• 1.7과 2.3의 크기 비교: 1.7은 0.1이 17개, 2.3은 0.1이 23개이므로 2.3이 1.7보다 더 큽니다. ➡ 1.7 < 2.3

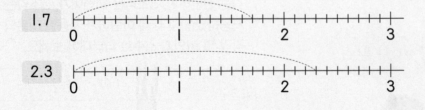

• 소수의 크기를 비교하는 방법
① 자연수의 크기를 비교합니다.
  2.5 < 3.5
② 자연수가 같을 때에는 소수점 오른쪽 수의 크기를 비교합니다.
  2.7 < 2.9

두 소수의 크기를 비교하여 ◯ 안에 >, =, <를 알맞게 써넣으세요.

(1) 3.3 ◯ 2.7   (2) 0.3 ◯ 0.7

풀이
(1) 자연수의 크기를 비교합니다.
(2) 소수점 오른쪽 수의 크기를 비교합니다.

답 (1) > (2) <

6-7 소수를 알아볼까요(2)

1 장난감 자동차의 길이를 소수로 나타내어 보세요.

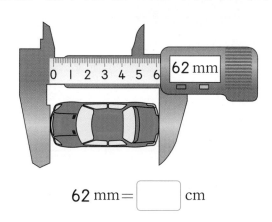

62 mm = ☐ cm

2 ☐ 안에 알맞은 수를 써넣으세요.

(1) 0.1이 23개이면 ☐ 입니다.

(2) 4.7은 0.1이 ☐ 개인 수입니다.

(3) 2 cm 5 mm = ☐ cm

(4) ☐ mm = 5.3 cm

3 피자가 몇 판인지 소수로 나타내어 보세요.

( )

6-8 소수의 크기를 비교해 볼까요

4 소수를 수직선에 나타내고 ◯ 안에 >, =, <를 알맞게 써넣으세요.

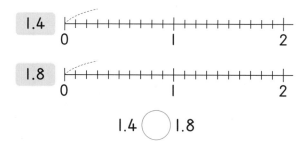

1.4 ◯ 1.8

5 다음 어린이가 말하는 두 소수를 ☐ 안에 쓰고, 크기를 비교하여 ◯ 안에 >, =, <를 알맞게 써넣으세요.

0.1이 28개인 수 $\frac{1}{10}$ 이 36개인 수

☐ ◯ ☐

6 ☐ 안에 들어갈 수 있는 수를 모두 찾아 ◯표 하세요.

3.7 < 3.☐

(1 , 2 , 3 , 4 , 5 , 6 , 7 , 8 , 9)

🍄 그림을 보고 물음에 답하세요. [1~2]

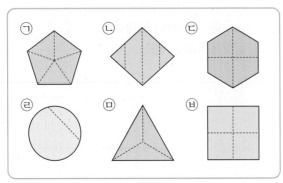

1 똑같이 나누어진 것을 모두 찾아 기호를 쓰세요.

(   )

2 똑같이 넷으로 나누어진 것을 모두 찾아 기호를 쓰세요.

(   )

3 ☐ 안에 알맞은 수를 써넣으세요.

➡ 부분 🍘 은 전체 🍘 를 똑같이 ☐ (으)로 나눈 것 중의 ☐ 이므로

$\dfrac{☐}{☐}$ 입니다.

4 ☐ 안에 알맞은 수를 써넣으세요.

독일 국기에서 빨간색 부분은

전체의 $\dfrac{☐}{☐}$ 입니다.

중요

5 색칠한 부분과 색칠하지 않은 부분을 분수로 나타내어 보세요.

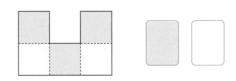

6 분수로 써 보세요.

(1) 11분의 6 ➡ (   )

(2) 9분의 8 ➡ (   )

7 $\dfrac{3}{10}$ 만큼 색칠해 보세요.

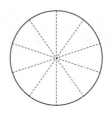

8 전체에 대하여 색칠한 부분을 분수로 나타낼 때 다른 하나를 찾아 기호를 쓰세요.

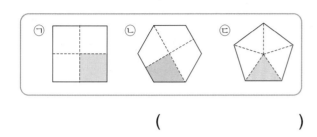

(   )

9 주어진 분수만큼 색칠하고 ◯ 안에 >, =, <를 알맞게 써넣으세요.

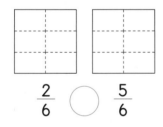

$\dfrac{2}{6}$ ◯ $\dfrac{5}{6}$

10 ☐ 안에 알맞은 수를 써넣으세요.

$\dfrac{4}{7}$는 $\dfrac{1}{☐}$이 ☐개인 수입니다.

11 두 분수의 크기를 비교하여 ◯ 안에 >, =, <를 알맞게 써넣으세요.

(1) $\dfrac{2}{9}$ ◯ $\dfrac{4}{9}$

(2) $\dfrac{1}{11}$ ◯ $\dfrac{1}{3}$

12 $\dfrac{3}{7}$보다 큰 분수는 모두 몇 개입니까?

$$\dfrac{1}{7} , \quad \dfrac{3}{7} , \quad \dfrac{6}{7} , \quad \dfrac{4}{7} , \quad \dfrac{2}{7}$$

(   )

서술형

13 예한이는 피자 한 판의 $\dfrac{3}{8}$을 먹었고, 민수는 피자 한 판의 $\dfrac{5}{8}$를 먹었습니다. 누가 피자를 더 많이 먹었는지 풀이 과정을 쓰고 답을 구하세요.

_____

_____

(   )

6 단원

14 가장 큰 분수를 찾아 쓰세요.

$$\dfrac{1}{7} \qquad \dfrac{1}{3} \qquad \dfrac{1}{4}$$

(   )

15 분수를 소수로 나타내고 소수를 읽어 보세요.

$$\frac{1}{10}$$

 _____

읽기 _____

16 ☐ 안에 알맞은 분수나 소수를 각각 써넣으세요.

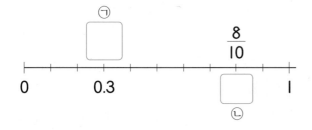

서술형

17 ㉠과 ㉡에 알맞은 두 수의 합은 얼마인지 풀이 과정을 쓰고 답을 구하세요.

- 0.5는 0.1이 ㉠ 개입니다.
- 0.1이 ㉡ 개이면 4.8입니다.

_____

_____

(   )

18 ☐ 안에 알맞은 소수를 써넣으세요.

(1) 3 cm 8 mm = ☐ cm

(2) 9 cm 2 mm = ☐ cm

중요

19 주어진 소수만큼 색칠하고 ◯ 안에 >, =, <를 알맞게 써넣으세요.

1.2 ◯ 1.7

응용

20 색 테이프를 희주는 1.3 m, 성종이는 2.2 m, 지아는 1.9 m 가지고 있습니다. 가지고 있는 색 테이프의 길이가 가장 긴 사람의 이름을 쓰세요.

(   )

6. 분수와 소수

1 똑같이 둘로 나누어진 도형을 모두 찾아 기호를 쓰세요.

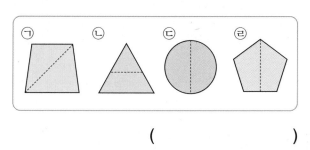

( )

2 똑같이 나누어진 개수가 같은 도형끼리 선으로 이어 보세요.

(1) · · ㉠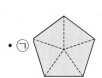

(2) 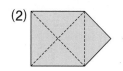 · · ㉡

3 ☐ 안에 알맞은 수를 써넣으세요.

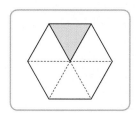

➡ 부분  은 전체 를 똑같이

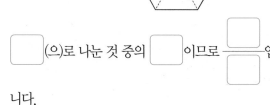

☐ (으)로 나눈 것 중의 ☐ 이므로 ☐/☐ 입니다.

4 주어진 분수만큼 색칠하고 분수를 읽어 보세요.

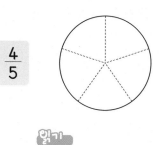

$\frac{4}{5}$

읽기 _____

5 부분을 보고 전체를 그려 보세요.

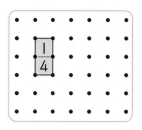

6 그림과 같이 색종이를 접었다 펼쳐서 접힌 선을 따라 잘랐습니다. 잘린 한 조각은 전체의 몇 분의 몇입니까?

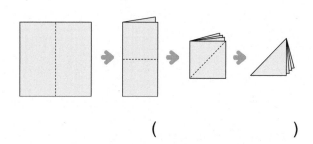

( )

7 다음을 분수로 나타내어 보세요.

전체를 똑같이 11로 나눈 것 중의 7

( )

8 왼쪽 도형의 색칠한 부분이 나타내는 분수와 크기가 같도록 오른쪽 도형을 나누고 색칠해 보세요.

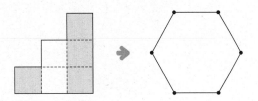

서술형

9 더 큰 수를 찾아 기호를 쓰려고 합니다. 풀이 과정을 쓰고 답을 구하세요.

> (가) $\dfrac{1}{11}$이 7개인 수
>
> (나) $\dfrac{1}{11}$이 9개인 수

_____

(   )

10 성하는 전체 케이크의 $\dfrac{1}{8}$을 먹었습니다. 남은 케이크는 전체 케이크의 몇 분의 몇입니까?

(   )

11 사과의 무게는 $\dfrac{5}{6}$ kg이고 감의 무게는 $\dfrac{3}{6}$ kg입니다. 사과와 감 중에서 어느 것이 더 무겁습니까?

(   )

주의

12 다음 분수 중 $\dfrac{3}{10}$보다 크고 $\dfrac{7}{10}$보다 작은 분수를 모두 고르세요. (   )

① $\dfrac{3}{10}$ ② $\dfrac{2}{10}$

③ $\dfrac{6}{10}$ ④ $\dfrac{9}{10}$

⑤ $\dfrac{5}{10}$

13 큰 수부터 차례로 써 보세요.

$\dfrac{1}{10}$	$\dfrac{1}{20}$	$\dfrac{1}{100}$	$\dfrac{1}{5}$

(   )

14 관계있는 것끼리 선으로 이어 보세요.

(1) $\dfrac{3}{10}$ · · 0.3 · · 영 점 칠

(2) $\dfrac{7}{10}$ · · 0.5 · · 영 점 오

(3) $\dfrac{5}{10}$ · · 0.7 · · 영 점 삼

15 명윤이는 피자를 똑같이 10조각으로 나누어 그중에서 3조각을 먹었습니다. 명윤이가 먹은 피자는 전체의 얼마인지 소수로 나타내어 보세요.

( )

16 연필의 길이는 몇 cm인지 소수로 나타내어 보세요.

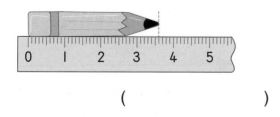

( )

17 안에 알맞은 수나 말을 써넣으세요.

7.4는 0.1이 ☐ 개인 수이고, ☐ 라고 읽습니다.

18 ◯ 안에 >, =, <를 알맞게 써넣으세요.

0.1이 32개인 수 ◯ 4

응용

19 길이가 긴 것부터 차례로 기호를 쓰세요.

| ㉠ 1.5 cm | ㉡ 3 cm |
| ㉢ 10 mm | ㉣ 2 cm 1 mm |

( )

서술형

20 정현이는 집에서 학교까지 가는 데 $\dfrac{4}{10}$시간이 걸리고, 성원이는 0.5시간이 걸립니다. 정현이와 성원이가 각자 집에서 같은 시각에 출발하였을 때 누가 학교에 먼저 도착하는지 풀이 과정을 쓰고 답을 구하세요.

_____

_____

( )

1 똑같이 셋으로 나누어진 것을 모두 고르세요.
(   )

①   ②

③   ④

⑤

2 도형을 똑같이 넷으로 나누어 보세요.

3 ☐ 안에 알맞은 수를 써넣으세요.

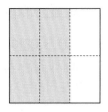

색칠한 부분은 전체를 똑같이 ☐(으)로 나눈

것 중의 ☐이므로 ☐/☐ 입니다.

4 전체에 알맞은 도형을 찾아 기호를 쓰세요.

> ⬜ 왼쪽 도형은 전체를 똑같이 3으로 나
> 눈 것 중의 1입니다.

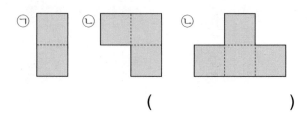

ㄱ   ㄴ   ㄷ

(   )

5 분수로 나타내어 보세요.

9분의 2   ➡ (   )

6 ☐ 안에 알맞은 수를 써넣으세요.

의 ☐/☐ 은/는   ▷ 입니다.

서술형

7 소훈이는 색 테이프를 똑같이 14조각으로 잘라 3조각은 리본을 만드는 데 사용하고, 2조각은 선물을 포장하는 데 사용하였습니다. 사용하고 남은 색 테이프는 전체의 몇 분의 몇인지 풀이 과정을 쓰고 답을 구하세요.

_____

_____

(   )

8 미나와 창석이가 각각 피자를 똑같은 조각으로 나누어 다음 분수만큼 먹었습니다. 피자 한 판을 똑같이 나눈 조각의 수가 더 많은 것은 누구의 피자입니까?

미나: $\dfrac{4}{8}$ 창석: $\dfrac{4}{5}$

(   )

9 ☐ 안에 알맞은 수를 써넣으세요.

(1) $\dfrac{1}{6}$ 이 5개이면 ☐ 입니다.

(2) $\dfrac{4}{9}$ 는 $\dfrac{1}{9}$ 이 ☐ 개입니다.

서술형

10 은정이는 철사를 7조각으로 잘라서 그중 6조각을 사용하였습니다. 은정이가 사용한 철사는 사용하고 남은 철사의 몇 배인지 풀이 과정을 쓰고 답을 구하세요.

_____

_____

_____

(   )

11 ☐ 안에 알맞은 분수를 쓰고, ◯ 안에 >, <를 알맞게 써넣으세요.

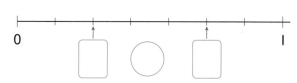

12 다음 중 가장 큰 수는 어느 것입니까? (   )

① $\dfrac{1}{6}$ ② $\dfrac{2}{6}$

③ $\dfrac{3}{6}$ ④ $\dfrac{4}{6}$

⑤ $\dfrac{5}{6}$

13 작은 수부터 차례대로 써 보세요.

$$\dfrac{1}{50},\ \dfrac{1}{500},\ \dfrac{1}{15},\ \dfrac{1}{100},\ \dfrac{1}{2000}$$

(   )

14 책꽂이에 꽂혀 있는 책 중에서 교과서가 전체의 $\dfrac{1}{9}$, 참고서가 전체의 $\dfrac{1}{4}$, 나머지는 동화책입니다. 교과서와 참고서 중에서 어느 책이 더 많이 꽂혀 있습니까?

(   )

6
단원

15 분수를 소수로 나타내고 소수를 읽어 보세요.

(1) $\frac{1}{10}$ 쓰기 _____

읽기 _____

(2) $\frac{5}{10}$ 쓰기 _____

읽기 _____

16 관계있는 것끼리 선으로 이어 보세요.

(1) 53 mm   (2) 37 mm   (3) 28 mm

2 cm 8 mm   3 cm 7 mm   5 cm 3 mm

5.3 cm   2.8 cm   3.7 cm

17 다음 중 옳지 <u>않은</u> 것은 어느 것입니까? (   )

① 0.1이 19개이면 1.9입니다.
② 2.8은 0.1이 28개인 수입니다.
③ 3과 0.4만큼을 3.4라고 합니다.
④ 7.7은 칠 점 영칠이라고 읽습니다.
⑤ $\frac{8}{10}$을 소수로 나타내면 0.8입니다.

18 ☐ 안에 들어갈 수가 가장 작은 것을 찾아 기호를 쓰세요.

• 1.6은 0.1이 ㉠ 개입니다.

• 2.1은 0.1이 ㉡ 개입니다.

• 0.1이 83개이면 ㉢ 입니다.

(   )

서술형
19 1부터 9까지의 수 중에서 ☐ 안에 공통으로 들어 갈 수 있는 수를 모두 구하려고 합니다. 풀이 과정 을 쓰고 답을 구하세요.

• 3.4 < 3.☐

• 0.☐ > 0.7

_____

_____

(   )

20 가장 큰 수와 가장 작은 수를 찾아 써 보세요.

| 6.9 | 8.3 | 2.7 | 3.1 | 0.9 |

㉠ 가장 큰 수: (   )

㉡ 가장 작은 수: (   )

서술형

1 똑같이 넷으로 나누어진 것이 <u>아닌</u> 것을 찾아 그 이유와 기호를 써 보세요.

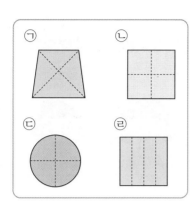

_____

_____

(   )

2 ☐ 안에 알맞은 수를 써넣으세요.

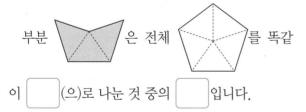

부분 ◈ 은 전체 ◈ 를 똑같

이 ☐ (으)로 나눈 것 중의 ☐ 입니다.

3 색칠한 부분을 분수로 나타내어 보세요.

4 다음 도형을 두 가지 방법으로 똑같이 나누어 $\frac{3}{4}$ 만큼 색칠해 보세요.

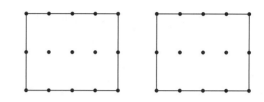

5 분수로 써 보세요.

(1) [5분의 4] ➡ (   )

(2) [6분의 3] ➡ (   )

6 재하가 빵을 똑같이 4조각으로 나누어 전체의 $\frac{1}{2}$ 만큼 먹었습니다. 재하는 빵을 몇 조각 먹었습니까?

(   )

7 주영이는 초콜릿 한 개를 사서 똑같이 12조각으로 나누었습니다. 그중의 3조각을 먹었다면 남은 초콜릿은 전체의 몇 분의 몇입니까?

(   )

 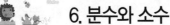
8 ㉠, ㉡, ㉢에 알맞은 수 중 가장 큰 것의 기호를 쓰세요.

> - $\dfrac{7}{8}$은 $\dfrac{1}{8}$이 ㉠ 개인 수
> - $\dfrac{5}{7}$는 $\dfrac{1}{7}$이 ㉡ 개인 수
> - $\dfrac{㉢}{9}$은 $\dfrac{1}{9}$이 8개인 수

(   )

9 수정이와 현정이는 과자를 나누어 먹었습니다. 수정이는 과자 전체의 $\dfrac{1}{6}$을, 현정이는 과자 전체의 $\dfrac{4}{6}$를 먹었습니다. 현정이가 먹은 과자는 수정이가 먹은 과자의 몇 배입니까?

(   )

10 1부터 9까지의 수 중에서 ☐ 안에 들어갈 수 있는 수를 모두 구하세요.

$$\dfrac{\boxed{}}{7} < \dfrac{3}{7}$$

(   )

서술형

11 다음 조건에 알맞은 분수를 모두 구하려고 합니다. 풀이 과정을 쓰고 답을 구하세요.

단위분수야. $\dfrac{1}{8}$보다 큰 분수야. $\dfrac{1}{5}$보다 작은 분수야.

은아   재범   소나

_____

(   )

12 주어진 분수만큼 색칠하고 ◯ 안에 >, =, <를 알맞게 써넣으세요.

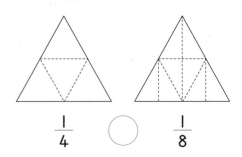

$$\dfrac{1}{4} \bigcirc \dfrac{1}{8}$$

13 종이로 만든 개구리로 멀리뛰기 시합을 했습니다. 명수가 만든 개구리는 $\dfrac{1}{9}$ m를 뛰었고, 인호가 만든 개구리는 $\dfrac{1}{8}$ m를 뛰었습니다. 누가 만든 개구리가 더 멀리 뛰었습니까?

(   )

14 관계있는 것끼리 선으로 이어 보세요.

(1) $\dfrac{4}{10}$ ・ ・ 0.5 ・ ・ 영 점 오

(2) $\dfrac{5}{10}$ ・ ・ 0.4 ・ ・ 영 점 팔

(3) $\dfrac{8}{10}$ ・ ・ 0.8 ・ ・ 영 점 사

15 4 mm는 몇 cm인지 분수와 소수로 각각 나타내어 보세요.

ⓐ 분수: (   )

ⓑ 소수: (   )

16 다음 중 ⬜ 안에 알맞은 수가 가장 큰 것은 어느 것입니까? (   )

① 1 mm = ⬜ cm   ② 5 mm = ⬜ cm

③ 7 mm = ⬜ cm   ④ 3 mm = ⬜ cm

⑤ 0.1 cm = ⬜ mm

17 1부터 9까지의 수 중에서 ⬜ 안에 들어갈 수 있는 수는 모두 몇 개입니까?

4.3 < 4.⬜ < 4.7

(   )

18 직사각형의 가로의 길이는 14 mm이고 세로의 길이는 1 cm 2 mm입니다. 가로와 세로 중 어느 것의 길이가 더 긴지 풀이 과정을 쓰고 답을 구하세요.

_____

_____

(   )

19 어머니께서 오징어를 2.3 kg, 문어를 3.1 kg, 고등어를 2.6 kg 사 오셨습니다. 가장 많이 산 것은 어느 것인지 풀이 과정을 쓰고 답을 구하세요.

_____

_____

(   )

6단원

20 보기 에서 8.9보다 크고 9.7보다 작은 수를 모두 찾아 기호를 쓰세요.

보기
ⓐ 8.9   ⓑ 9.4
ⓒ 0.1이 79개인 수   ⓓ 0.1이 91개인 수

(   )

연습 각 단계를 따라 문제를 풀어 보세요.

1 케이크 1개를 똑같이 8조각으로 나누어 성신이가 2조각, 혜진이가 1조각을 먹고, 나머지를 수아가 모두 먹었습니다. 수아가 먹은 케이크는 전체의 몇 분의 몇인지 구해 보세요.

1단계 성신이와 혜진이가 먹은 케이크 조각의 수를 구하세요.

(   )

2단계 수아가 먹은 케이크 조각의 수를 구하세요.

(   )

3단계 수아가 먹은 케이크는 전체의 몇 분의 몇입니까?

(   )

도전 위에서 푼 방법을 생각하며 풀어 보세요.

1-1 피자 한 판을 똑같이 6조각으로 나누어 지수가 3조각, 연하가 1조각을 먹고, 나머지를 민주가 모두 먹었습니다. 민주가 먹은 피자는 전체의 몇 분의 몇인지 구해 보세요.

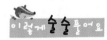 이렇게 술술풀어요

① 지수와 연하가 먹은 피자 조각의 수를 구합니다.

② 민주가 먹은 피자 조각의 수를 구합니다.

③ 민주가 먹은 피자가 전체의 몇 분의 몇인지 구합니다.

풀이

_____

_____

_____

답 _____

연습 각 단계를 따라 문제를 풀어 보세요.

2 다음 조건에 알맞은 분수는 모두 몇 개인지 구해 보세요.

> ㉠ 단위분수입니다.
>
> ㉡ $\frac{1}{7}$ 보다 큰 분수입니다.
>
> ㉢ 분모가 3보다 큽니다.

1단계 단위분수 중 $\frac{1}{7}$ 보다 큰 분수를 모두 쓰세요.

( )

2단계 **1단계** 에서 구한 분수 중 분모가 3보다 큰 분수를 모두 쓰세요.

( )

3단계 조건에 알맞은 분수는 모두 몇 개입니까?

( )

도전 위에서 푼 방법을 생각하며 풀어 보세요.

2-1 다음 조건에 알맞은 분수는 모두 몇 개인지 구해 보세요.

> ㉠ 단위분수입니다.
>
> ㉡ $\frac{1}{5}$ 보다 작은 분수입니다.
>
> ㉢ 분모가 8보다 작습니다.

풀이

_____

_____

_____

답 _____

이렇게 술술 풀어요

① 단위분수 중 $\frac{1}{5}$ 보다 작은 분수를 구합니다.

② 위에서 구한 분수 중 분모가 8보다 작은 분수를 모두 구합니다.

③ 조건을 만족하는 분수의 개수를 구합니다.

6단원

연습 각 단계를 따라 문제를 풀어 보세요.

3 큰 수부터 차례대로 기호를 써 보세요.

> ㉠ 0.1이 57개인 수   ㉡ 5.9   ㉢ $\frac{1}{10}$이 62개인 수

1단계 ㉠을 소수로 나타내어 보세요.

(   )

2단계 ㉢을 소수로 나타내어 보세요.

(   )

3단계 큰 수부터 차례대로 기호를 써 보세요.

(   )

도전 위에서 푼 방법을 생각하며 풀어 보세요.

3-1 작은 수부터 차례대로 기호를 써 보세요.

> ㉠ 0.1이 95개인 수   ㉡ 8.1   ㉢ $\frac{1}{10}$이 85개인 수

풀이

_____

_____

_____

답 _____

이렇게 술술 풀어요

① ㉠을 소수로 나타냅니다.

② ㉢을 소수로 나타냅니다.

③ 작은 수부터 차례로 기호를 씁니다.

4 다음 조건에 알맞은 분수는 모두 몇 개인지 구해 보세요.

> ㉠ 분자가 **3**인 분수입니다.
>
> ㉡ $\dfrac{3}{5}$ 보다 작은 분수입니다.
>
> ㉢ 분모가 **9**보다 작습니다.

풀이

답

6단원

5 다음 수 중 $\dfrac{1}{10}$ 이 **27**개인 수보다 크고 **4.9**보다 작은 수를 모두 찾아 기호를 쓰세요.

> ㉠ 0.1이 **52**개인 수 ㉡ **1.8** ㉢ $\dfrac{1}{10}$ 이 **34**개인 수 ㉣ 0.1이 **48**개인 수

풀이

답

100점
예상문제

수학 3-1

3~4
학년군

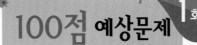 

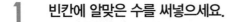
1 덧셈과 뺄셈

1 빈칸에 알맞은 수를 써넣으세요.

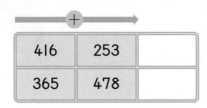

+ →		
416	253	
365	478	

2 ◯ 안에 >, =, <를 알맞게 써넣으세요.

(1) 358+635 ◯ 517+474

(2) 515+192 ◯ 307+481

3 ☐ 안에 알맞은 수를 써넣으세요.

☐ +354=630

4 가장 큰 수와 가장 작은 수의 합을 구해 보세요.

743   465   358   364

( )

5 기차에 452명이 타고 있었습니다. 이번 역에서 175명이 내리고 탄 사람은 없습니다. 기차에 남은 사람은 몇 명인지 풀이 과정을 쓰고 답을 구하세요.

_____

_____

_____

( )

6 ☐ 안에 알맞은 수를 써넣으세요.

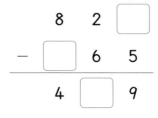

```
    8  2 ☐
  - ☐  6  5
  ─────────
    4 ☐  9
```

7 3장의 수 카드를 한 번씩만 사용하여 만들 수 있는 세 자리 수 중에서 가장 큰 수와 가장 작은 수의 차를 구해 보세요.

6   1   4

( )

8 다음은 어떤 도형을 모아 놓은 것입니까?

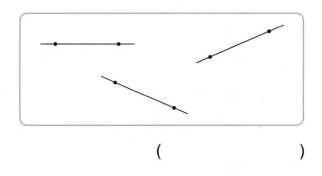

( )

9 각의 수가 많은 도형부터 차례로 기호를 써 보세요.

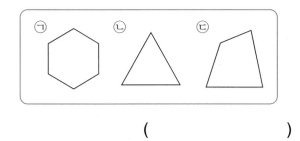

( )

10 도형에서 직각은 모두 몇 개입니까?

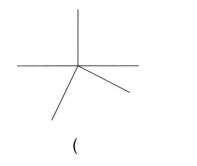

( )

11 ㉠과 ㉡에 알맞은 수의 합은 얼마인지 풀이 과정을 쓰고 답을 구하세요.

> 직각삼각형에는 꼭짓점이 ㉠개, 직각이 ㉡개 있습니다.

_____

_____

( )

12 직사각형을 모두 고르세요. ( )

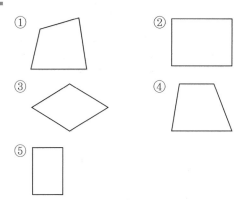

13 도형에서 찾을 수 있는 크고 작은 직사각형은 모두 몇 개인지 풀이 과정을 쓰고 답을 구하세요.

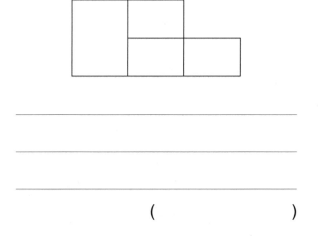

_____

_____

( )

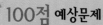

3 나눗셈

14 다음 정사각형의 네 변의 길이의 합은 몇 cm입니까?

6 cm

( )

15 만두 16개를 4개의 접시에 똑같이 나누어 담으려고 합니다. 한 접시에 만두를 몇 개씩 담아야 하는지 접시 위에 ◯를 그려 알아보세요.

한 접시에 만두를 [ ]개씩 담을 수 있습니다.

16 연필 21자루를 3명에게 똑같이 나누어 주려고 합니다. 한 명에게 연필을 몇 자루씩 줄 수 있습니까?

식 _____

답 _____

17 그림을 보고 곱셈식과 나눗셈식으로 나타내어 보세요.

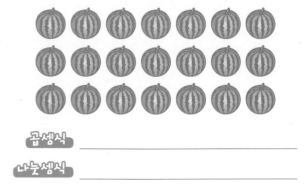

곱셈식 _____

나눗셈식 _____

18 몫이 더 큰 것을 찾아 기호를 쓰세요.

| ㉠ 24÷3 | ㉡ 48÷8 |

( )

19 곱셈식을 이용하여 나눗셈 56÷8의 몫을 구하는 방법을 설명해 보세요.

서술형

_____

_____

20 도넛이 63개 있습니다. 7명이 똑같이 나누어 가지면 한 명이 도넛 몇 개를 가질 수 있습니까?

( )

4 곱셈

1 그림을 보고 ☐ 안에 알맞은 수를 써넣으세요.

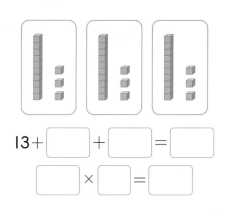

$$13+\boxed{}+\boxed{}=\boxed{}$$

$$\boxed{}\times\boxed{}=\boxed{}$$

2 곱이 같은 것끼리 선으로 이어 보세요.

(1) 11×6 ·   · ㉠ 12×4

(2) 33×3 ·   · ㉡ 11×9

(3) 24×2 ·   · ㉢ 22×3

3 ☐ 안에 알맞은 수를 써넣으세요.

$$\begin{array}{r} 3\ \ 4 \\ \times\ \boxed{} \\ \hline 6\ \ 8 \end{array}$$

4 빈칸에 알맞은 수를 써넣으세요.

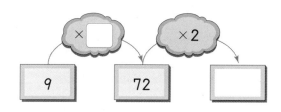

5 선아가 읽고 있는 동화책의 쪽수는 93쪽이고, 주희가 읽고 있는 동화책의 쪽수는 선아가 읽고 있는 동화책의 쪽수의 3배입니다. 주희가 읽고 있는 동화책은 모두 몇 쪽입니까?

(   )

6 곱이 큰 것부터 차례로 기호를 써 보세요.

㉠ 60×4   ㉡ 51×4
㉢ 63×3   ㉣ 74×3

(   )

100점
예상
문제

서술형

7 수정이는 수학 문제를 하루에 24개씩 3일 동안 풀었고, 혜원이는 하루에 43개씩 2일 동안 풀었습니다. 누가 수학 문제를 몇 문제 더 풀었는지 풀이 과정을 쓰고 답을 구하세요.

_____

_____

_____

(   )

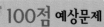

5 길이와 시간

8 연필의 길이를 재어 ☐ 안에 알맞은 수를 써넣으세요.

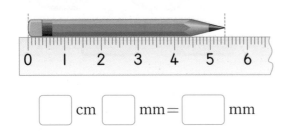

☐ cm ☐ mm = ☐ mm

9 ☐ 안에 알맞은 수를 써넣으세요.

> 9 km보다 670 m 더 먼 거리
>
> ➔ ☐ km ☐ m

10 다음 중 <u>틀린</u> 것을 찾아 기호를 써 보세요.

> ㉠ 49 mm = 4 cm 9 mm
> ㉡ 9 km 5 m = 95 m
> ㉢ 6457 m = 6 km 457 m

( )

서술형

11 다음 중 단위를 잘못 쓴 사람을 찾아 ☐ 안에 이름을 쓰고 문장을 옳게 고쳐 보세요.

> 보민: 수학책의 두께는 약 6 mm야.
> 주형: 3층 건물의 높이는 약 9 m야.
> 미연: 백두산의 높이는 약 2750 km야.

단위를 잘못 쓴 사람: ☐

12 두 사람의 달리기 기록입니다. 누가 더 빠르게 달렸습니까?

무영   유진

5분 15초   328초

( )

13 지원이는 1시간 25분 37초 동안 피아노를 치고, 36분 18초 동안 음악 감상을 했습니다. 피아노를 친 시간과 음악 감상을 한 시간은 모두 몇 시간 몇 분 몇 초입니까?

( )

14 다음은 영화가 시작한 시각과 끝난 시각을 나타낸 시계입니다. 영화 상영 시간은 몇 시간 몇 분 몇 초입니까?

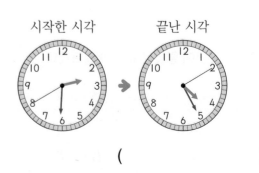

시작한 시각   끝난 시각

( )

15 색칠한 부분과 색칠하지 않은 부분을 분수로 나타내어 보세요.

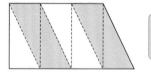

16 똑같이 나누어 주어진 분수만큼 색칠하고 분수를 읽어 보세요.

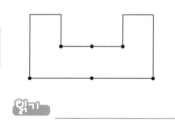

$\dfrac{3}{4}$

읽기

17 ㉠과 ㉡에 알맞은 수의 합을 구하려고 합니다. 풀이 과정을 쓰고 답을 구하세요.

서술형

- $\dfrac{3}{5}$은 $\dfrac{1}{5}$이 ㉠개입니다.
- $\dfrac{6}{10}$은 $\dfrac{1}{10}$이 ㉡개입니다.

( )

18 두 분수의 크기를 비교하여 ◯ 안에 >, =, <를 알맞게 써넣으세요.

(1) $\dfrac{3}{8}$ ◯ $\dfrac{7}{8}$

(2) $\dfrac{1}{5}$ ◯ $\dfrac{1}{7}$

19 같은 길이끼리 선으로 이어 보세요.

(1)	(2)	(3)
39 mm	94 mm	73 mm
3 cm 9 mm	7 cm 3 mm	9 cm 4 mm
9.4 cm	3.9 cm	7.3 cm

20 1부터 9까지의 수 중에서 ☐ 안에 공통으로 들어갈 수 있는 수를 모두 구하려고 합니다. 풀이 과정을 쓰고 답을 구하세요.

서술형

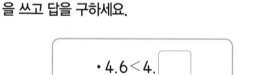

- $4.6 < 4.\boxed{}$
- $0.9 > 0.\boxed{}$

( )

1 덧셈과 뺄셈

1 두 수의 합을 구하여 빈칸에 써넣으세요.

2 농구장에 입장한 사람은 남자가 176명이고 여자가 145명입니다. 농구장에 입장한 사람은 모두 몇 명입니까?

( )

3 ○ 안에 >, =, <를 알맞게 써넣으세요.

$$235+199 \bigcirc 750-285$$

서술형

4 0부터 9까지의 수 중에서 ☐ 안에 알맞은 수를 모두 구하려고 합니다. 풀이 과정을 쓰고 답을 구하세요.

$$924-26\boxed{}>659$$

_____

_____

_____

( )

2 평면도형

서술형

5 재호가 다음과 같이 각을 그려서 틀렸습니다. 틀린 이유를 써 보세요.

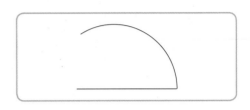

_____

6 도형에서 찾을 수 있는 크고 작은 직각삼각형은 모두 몇 개인지 구하세요.

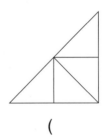

( )

7 다음 도형의 이름이 될 수 있는 것을 보기 에서 모두 찾아 써 보세요.

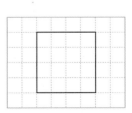

보기

직각삼각형, 사각형, 직사각형, 정사각형

_____

8 곱셈식을 나눗셈식으로 바꿔 보세요.

$$9 \times 7 = 63 <$$

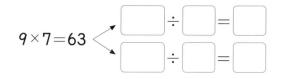

9 다음에서 4로도 나누어지고 7로도 나누어지는 수는 어느 것입니까?

| 8 | 14 | 28 | 36 | 42 |

( )

10 다음 중 안에 공통으로 들어갈 수 있는 수는 어느 것입니까? ( )

$$2\boxed{} \div 6 = \boxed{}$$

① 1
② 2
③ 3
④ 4
⑤ 5

11 보기 와 같이 계산해 보세요.

보기

```
  2 1
×   4
  ───
    4
  8 0
  ───
  8 4
```

```
  3 4
×   2
```

12 곱이 180보다 큰 것을 모두 찾아 기호를 써 보세요.

㉠ 70×2   ㉡ 35×5
㉢ 63×5   ㉣ 47×4

( )

서술형

13 보람이는 동화책을 매일 53쪽씩 읽었습니다. 3일 동안 읽은 동화책은 모두 몇 쪽인지 풀이 과정을 쓰고 답을 구하세요.

_____

_____

( )

100점
예상
문제

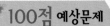 
5 길이와 시간

14 ⬜안에 cm와 mm 중 알맞은 단위를 써넣으세요.

(1) 운동화의 길이는 약 22 ⬜ 입니다.

(2) 가위의 길이는 약 164 ⬜ 입니다.

15 다음 중 틀린 것을 찾아 기호를 쓰세요.

> ㉠ 5분 10초=510초
> ㉡ 200초=3분 20초
> ㉢ 45 mm=4 cm 5 mm
> ㉣ 2 km 200 m=2200 m

( )

16 은수는 3시 20분에 공원에서 친구를 만나기로 했습니다. 은수네 집에서 공원까지는 30분이 걸린다고 합니다. 은수는 집에서 늦어도 몇 시 몇 분에 출발해야 약속 시간에 늦지 않겠습니까?

( )

6 분수와 소수

17 세진이는 도화지 전체의 $\frac{3}{10}$에 노란색을 칠하고, $\frac{4}{10}$에 파란색을 칠했습니다. 색칠하지 않은 부분은 전체의 몇 분의 몇입니까?

( )

18 1부터 9까지의 수 중 ⬜ 안에 들어갈 수 있는 수를 모두 구하려고 합니다. 풀이 과정을 쓰고 답을 구하세요.

$$\frac{2}{13} < \frac{⬜}{13} < \frac{5}{13}$$

_____

_____

_____

( )

19 직사각형의 가로와 세로는 각각 몇 cm인지 소수로 나타내어 보세요.

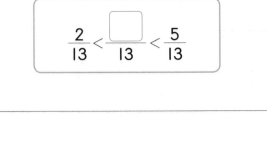

3 cm 5 mm

5 cm 8 mm

㉠ 가로: ( )

㉡ 세로: ( )

20 다음 수의 크기를 비교하여 작은 수부터 차례로 써 보세요.

$$\frac{8}{10}, \quad 0.4, \quad \frac{3}{10}, \quad 0.6, \quad 1$$

( )

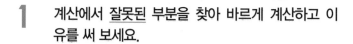

1 덧셈과 뺄셈

서술형

1 계산에서 <u>잘못된</u> 부분을 찾아 바르게 계산하고 이유를 써 보세요.

$$\begin{array}{r} 4\ 5\ 8 \\ +\ 6\ 5\ 4 \\ \hline 1\ 0\ 1\ 2 \end{array} \Rightarrow \begin{array}{r} 4\ 5\ 8 \\ +\ 6\ 5\ 4 \\ \hline \end{array}$$

_____

_____

2 보기 와 같이 계산하여 빈칸에 알맞은 수를 써넣으세요.

보기

742	
183	559

647	
159	

3 기차에 타고 있던 사람은 923명입니다. 이번 역에서 347명이 내리고 477명이 탔습니다. 지금 기차에 타고 있는 사람은 몇 명입니까?

(   )

2 평면도형

4 선분을 찾아 기호를 쓰세요.

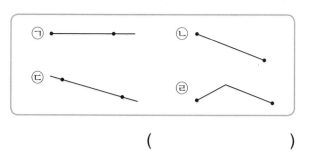

(   )

5 점 ㄱ을 꼭짓점으로 하는 각은 모두 몇 개입니까?

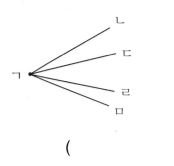

(   )

서술형

6 다음 도형의 안쪽과 바깥쪽에서 찾을 수 있는 직각은 모두 몇 개인지 풀이 과정을 쓰고 답을 구하세요.

_____

_____

(   )

7 그림에서 찾을 수 있는 크고 작은 직사각형은 모두 몇 개입니까?

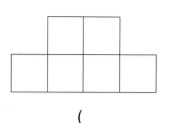

(   )

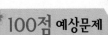 
 3 나눗셈

8 빈칸에 알맞은 수를 써넣으세요.

÷5

15	
25	
35	

9 연필 3타를 4사람에게 똑같이 나누어 주려고 합니다. 한 사람에게 몇 자루씩 줄 수 있습니까?

(   )

10 ☐ 안에 들어갈 수가 가장 큰 나눗셈식은 어느 것입니까? (   )

① 54÷6=☐   ② 18÷☐=9

③ 24÷4=☐   ④ 30÷☐=5

⑤ 49÷7=☐

 4 곱셈

11 빈칸에 알맞은 수를 써넣으세요.

×	32	43	17
3			

12 곱의 크기를 비교하여 ◯ 안에 >, =, <를 알맞게 써넣으세요.

$$51 \times 5 \bigcirc 74 \times 3$$

서술형

13 어떤 수에 8을 곱해야 할 것을 잘못하여 8을 뺐더니 13이 되었습니다. 바르게 계산하면 얼마인지 풀이 과정을 쓰고 답을 구하세요.

_____

_____

(   )

5 길이와 시간

14 길이가 같은 것을 찾아 기호를 쓰세요.

㉠ 62 m	㉡ 620 m
㉢ 6200 m	㉣ 6 km 200 m

(   )

15 ◯ 안에 >, =, <를 알맞게 써넣으세요.

8분 25초 ◯ 513초

16 미주네 가족은 지난 일요일에 등산을 했습니다. 9시 20분에 출발하여 12시 10분에 정상에 도착했다면 등산을 시작하여 정상에 도착할 때까지 걸린 시간은 몇 시간 몇 분입니까?

( )

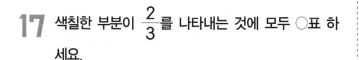

6 분수와 소수

17 색칠한 부분이 $\frac{2}{3}$를 나타내는 것에 모두 ◯표 하세요.

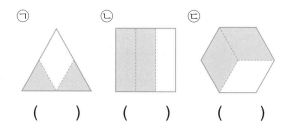

ㄱ ( ) ㄴ ( ) ㄷ ( )

18 ☐ 안에 들어갈 수 <u>없는</u> 수는 어느 것입니까?
( )

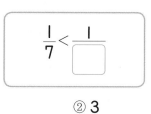

$$\frac{1}{7} < \frac{1}{\square}$$

① 2   ② 3
③ 5   ④ 6
⑤ 8

서술형

19 정은이는 빨간색 테이프를 155 mm, 분홍색 테이프를 16 cm 2 mm 가지고 있습니다. 어느 색 테이프의 길이가 더 긴지 풀이 과정을 쓰고 답을 구하세요.

_____

_____

_____

( )

20 0.1보다 크고 0.1이 7개인 수보다 작은 소수를 모두 찾아 써 보세요.

0.1, 0.3, 0.9, 0.5, 0.8

( )

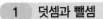
1 덧셈과 뺄셈

1 빈칸에 알맞은 수를 써넣으세요.

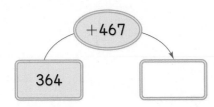

서술형

2 강호네 학교 운동장 한 바퀴는 344 m입니다. 강호는 아침마다 운동을 하려고 어제는 2바퀴 돌았고, 오늘은 1바퀴 돌았습니다. 강호는 이틀 동안 운동장을 몇 m 돌았는지 풀이 과정을 쓰고 답을 구하세요.

_____

_____

(   )

3 뺄셈식에서 15 가 실제로 나타내는 수는 얼마입니까?

$$
\begin{array}{r}
3\ \boxed{15}\ 10 \\
4\ \ 6\ \ 3 \\
-\ 2\ \ 7\ \ 4 \\
\hline
1\ \ 8\ \ 9
\end{array}
$$

(   )

4 계산 결과가 가장 큰 것을 찾아 기호를 쓰세요.

| ㉠ 464+567 | ㉡ 536−178 |
| ㉢ 875+139 | ㉣ 321−123 |

(   )

2 평면도형

5 그림에서 직각을 모두 찾아 읽어 보세요.

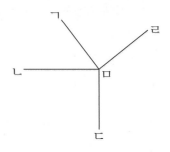

_____

6 점 종이에 모양과 크기가 다른 직각삼각형을 2개 그려 보세요.

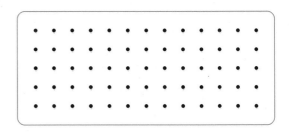

7 도형에서 찾을 수 있는 크고 작은 정사각형은 모두 몇 개입니까?

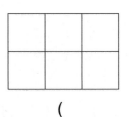

(   )

3 나눗셈

8 나눗셈식을 곱셈식으로 바꿔 보세요.

$$30 \div 6 = 5 \begin{cases} \boxed{} \times \boxed{} = \boxed{} \\ \boxed{} \times \boxed{} = \boxed{} \end{cases}$$

서술형

9 어머니께서 자두를 35개 사 오셨습니다. 7개를 남겨 두고 4명의 가족이 똑같이 나누어 먹으려고 합니다. 한 사람이 몇 개씩 먹을 수 있는지 풀이 과정을 쓰고 답을 구하세요.

_____

_____

_____

_____

(   )

10 어떤 수에 5를 곱해야 할 것을 잘못하여 5로 나누었더니 6이 되었습니다. 바르게 계산하면 얼마입니까?

(   )

4 곱셈

11 곱셈을 하여 답을 찾아 선으로 이어 보세요.

(1)   62×3 ·   ·㉠   280

(2)   40×7 ·   ·㉡   186

(3)   18×3 ·   ·㉢   54

서술형

12 농장에 소가 42마리, 닭이 30마리 있습니다. 소와 닭의 다리는 모두 몇 개인지 풀이 과정을 쓰고 답을 구하세요.

_____

_____

_____

(   )

100점 예상 문제

13 ☐ 안에 들어갈 수 있는 수를 찾아 모두 ◯표 하세요.

$$34 \times 3 < 17 \times \boxed{}$$

(6,   7,   8,   9)

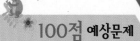
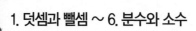

5 길이와 시간

14 길이가 가장 긴 것을 찾아 기호를 쓰세요.

> ㉠ 3 km 200 m   ㉡ 942 mm
> ㉢ 5245 m   ㉣ 170 cm

(   )

15 시계가 나타내는 시각에서 80분 후의 시각은 몇 시 몇 분 몇 초입니까?

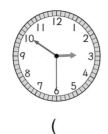

(   )

16 정은이는 어제 1시간 40분 동안 공부를 하고, 오늘 1시간 30분 동안 공부를 했습니다. 이틀 동안 공부한 시간은 모두 몇 시간 몇 분입니까?

(   )

6 분수와 소수

17 은교는 피자 한 판을 똑같이 6조각으로 나누어 현아와 윤미에게 각각 1조각씩 주고, 나머지를 모두 먹었습니다. 은교가 먹은 피자는 전체의 몇 분의 몇입니까?

(   )

18 소하네 집에서 병원까지의 거리는 $\frac{2}{6}$ km, 은행까지의 거리는 $\frac{5}{6}$ km입니다. 병원과 은행 중 소하네 집에서 더 가까운 곳은 어디인지 풀이 과정을 쓰고 답을 구하세요.

_____

_____

_____

(   )

19 어제는 12 cm의 눈이 내렸고, 오늘은 6 mm의 눈이 내렸습니다. 어제와 오늘 내린 눈은 모두 몇 cm입니까?

(   )

20 두 수의 크기를 비교하여 ◯ 안에 >, <를 알맞게 써넣으세요.

> 0.1이 88개인 수 ◯ 0.1이 95개인 수

1 덧셈과 뺄셈

1 가장 큰 수와 가장 작은 수의 합을 구해 보세요.

| 746 | 495 | 583 |

( )

2 계산 결과가 작은 것부터 차례대로 기호를 써 보세요.

㉠ 662+447　　㉡ 900-235
㉢ 832+195　　㉣ 743-365

( )

3 452명이 탈 수 있는 비행기에 175명이 타고 있습니다. 더 탈 수 있는 사람은 몇 명입니까?

( )

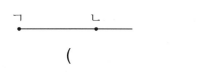

4 어떤 수에 356을 더해야 할 것을 잘못해서 뺐더니 529가 되었습니다. 바르게 계산하면 얼마인지 풀이 과정을 쓰고 답을 구하세요.

_____

_____

_____

( )

2 평면도형

5 도형의 이름을 써 보세요.

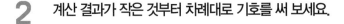

( )

6 도형을 보고 물음에 답하세요.

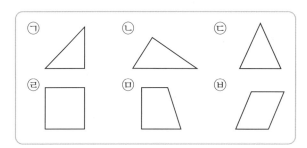

(1) 직각이 있는 도형을 모두 찾아 기호를 써 보세요.

( )

(2) ㉠, ㉡과 같은 도형의 이름을 써 보세요.

( )

100점
예상
문제

7 직사각형에 대한 설명으로 옳은 것을 모두 찾아 기호를 써 보세요.

㉠ 네 변의 길이가 같습니다.
㉡ 네 각의 크기가 같습니다.
㉢ 네 변과 네 각이 있습니다.
㉣ 직각인 각이 1개 있습니다.

( )

3 나눗셈

8 몫이 다른 하나는 어느 것입니까? (   )

① 21÷3   ② 49÷7
③ 42÷6   ④ 54÷6
⑤ 35÷5

서술형

9 사과가 73개 있습니다. 사과 19개는 낱개로 팔고 남은 사과는 6개씩 상자에 담아서 팔려고 합니다. 상자는 몇 개가 필요한지 풀이 과정을 쓰고 답을 구하세요.

_____

_____

(   )

10 두 자리 수 3◻가 4로 나누어지면서 몫이 가장 크도록 ◻ 안에 알맞은 수를 써넣으세요.

$$3\boxed{} ÷ 4$$

4 곱셈

11 곱이 가장 큰 것을 찾아 기호를 쓰세요.

㉠ 70×3   ㉡ 62×2
㉢ 53×5   ㉣ 27×3

(   )

서술형

12 보기 의 계산에서 잘못된 부분을 찾아 바르게 계산하고 이유를 써 보세요.

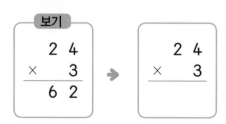

보기

$$\begin{array}{r} 2\ 4 \\ \times\quad 3 \\ \hline 6\ 2 \end{array} \Rightarrow \begin{array}{r} 2\ 4 \\ \times\quad 3 \\ \hline \end{array}$$

_____

_____

13 수 카드 [3], [4], [6] 을 한 번씩만 사용하여 곱이 가장 큰 (몇십몇)×(몇)의 곱셈식을 만들어 곱을 구해 보세요.

 식 _____

답 _____

5 길이와 시간

14 학교와 서점 중 집에서 더 가까운 곳은 어디입니까?

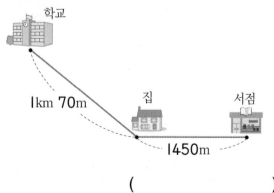

학교

1km 70m

집

서점

1450m

(   )

15 다음 중 옳은 것은 어느 것입니까? (　　　)

① 1분＝100초
② 360초＝7분
③ 2분 50초＝170초
④ 210초＝2분 10초
⑤ 1분 40초＝140초

18 $\frac{1}{14}$보다 크고 $\frac{1}{7}$보다 작은 분수를 모두 찾아 써 보세요.

$$\frac{1}{8} , \frac{1}{2} , \frac{1}{6} , \frac{1}{15} , \frac{1}{10}$$

(　　　　　　　)

16 기성이는 할머니 댁에 가는 데 버스를 2시간 40분 동안 타고, 기차를 1시간 30분 동안 탔습니다. 할 머니 댁에 가는 동안 버스와 기차를 탄 시간은 모두 몇 시간 몇 분입니까?

(　　　　　　　)

19 잘못 나타낸 것을 찾아 기호를 쓰세요.

㉠ 1 mm＝0.1 cm
㉡ 4 cm＝0.4 mm
㉢ 0.9 cm＝9 mm
㉣ 2.5 cm＝25 mm

(　　　　　　　)

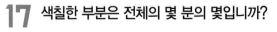

6 분수와 소수

17 색칠한 부분은 전체의 몇 분의 몇입니까?

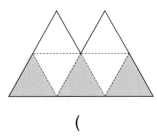

(　　　　　　　)

서술형

20 1부터 9까지의 수 중에서 □ 안에 들어갈 수 있는 수를 모두 구하려고 합니다. 풀이 과정을 쓰고 답을 구하세요.

$$8.6 > 8.\boxed{}$$

_____

_____

_____

(　　　　　　　)

100점 예상 문제

MEMO

10종 검정 교고서

완벽 분석
종합평가

수학

3-1

1. 덧셈과 뺄셈

1 수 모형을 보고 □ 안에 알맞은 수를 써넣으세요.

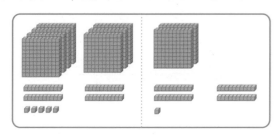

$$745+241=\boxed{}$$

2 계산해 보세요.

(1)
```
    2 1 3
  + 3 4 7
```

(2)
```
    3 6 4
  + 2 5 5
```

3 □ 안에 알맞은 수를 써넣으세요.

(1)
```
    □ □
    3 4 9
  + 1 7 5
```

(2)
```
    □ □
    7 3 6
  + 4 9 7
```

4 □ 안에 알맞은 수를 써넣으세요.

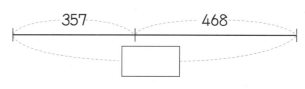

5 크기를 비교하여 ○ 안에 >, <를 알맞게 써넣으세요.

$784+678$ ◯ $868+583$

6 경복궁에 어제는 452명이 구경을 왔고 오늘은 325명이 구경을 왔습니다. 어제와 오늘 구경 온 사람은 모두 몇 명인가요?

( )

7 영철이네 가족은 과수원에서 오늘 사과를 425개 땄고, 배를 336개 땄습니다. 오늘 딴 사과와 배는 모두 몇 개인가요?

( )

8 다음 숫자 카드를 한 번씩만 사용하여 세 자리 수를 만들려고 합니다. 만든 수 중 가장 큰 수와 가장 작은 수의 합은 얼마인지 풀이 과정을 쓰고 답을 구해 보세요.

| 4 | 7 | 8 |

(   )

9 계산을 해 보세요.

(1)
$$
\begin{array}{r}
5\ 3\ 8 \\
-\ 2\ 1\ 7 \\
\hline
\end{array}
$$

(2)
$$
\begin{array}{r}
7\ 6\ 4 \\
-\ 1\ 5\ 1 \\
\hline
\end{array}
$$

10 빈 곳에 알맞은 수를 써넣으세요.

673 → − 490 → ▢

11 ▢ 안에 알맞은 수를 써넣으세요.

$$
\begin{array}{r}
5\ 2\ 6 \\
-\ \square\ 1\ \square \\
\hline
3\ 0\ 7 \\
\end{array}
$$

12 가장 큰 수와 가장 작은 수의 차를 구해 보세요.

279 457 896 608

(   )

13 서울의 63빌딩의 높이는 249 m이고 파리의 에펠탑의 높이는 320 m입니다. 63빌딩과 에펠탑의 높이의 차는 몇 m인가요?

(   )

14 산에 새집을 908개 설치하였습니다. 6개월 뒤에 살펴보니 155개가 망가져서 떼어 왔습니다. 남아 있는 새집은 몇 개인가요?

( )

· 서술형 ·

15 □ 안에 알맞은 수가 얼마인지 풀이 과정을 쓰고 답을 구해 보세요.

□+538=665

_____

_____

( )

[16~17] 어느 학교의 3학년과 4학년 학생 수를 나타낸 표입니다. 물음에 답하세요.

	3학년	4학년
남자	279명	312명
여자	265명	309명

16 3학년 학생은 모두 몇 명인가요?

( )

17 4학년 학생 수는 3학년 학생 수보다 몇 명 더 많은가요?

( )

18 영화관에 어제는 관객이 612명 입장하였고 오늘은 589명 입장하였습니다. 어제와 오늘 입장한 관객은 모두 몇 명인가요?

( )

[19~20] 우리나라의 땅 중 많은 부분이 산으로 되어 있어 지역별로 이름이 붙여진 산의 개수를 조사해 보았습니다. 물음에 답하세요.

서울특별시
경기·인천 199개
강원도 250개
충청북도 198개
충청남도 58개
경상북도 255개
전라북도 106개
경상남도 220개
전라남도 121개

19 충청북도와 충청남도를 합쳐 충청도라고 합니다. 충청도에는 산이 몇 개 있나요?

( )

· 서술형 ·

20 경상북도의 산의 수는 경기·인천의 산의 수보다 몇 개 더 많은지 풀이 과정을 쓰고 답을 구해 보세요.

_____

_____

_____

( )

1 곧은 선에 ○표, 굽은 선에 ×표 하세요.

(   ) (   ) (   )

2 관계있는 것끼리 선으로 이어 보세요.

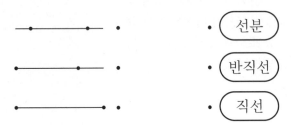

- 선분
- 반직선
- 직선

3 다음을 읽어 보세요.

ㄱ   ㄴ

(   )

4 선분 ㄱㄹ을 그려 보세요.

ㄱ·   ·ㄴ

ㄷ·   ·ㄹ

5 각이 있는 도형을 모두 고르세요. (,   )

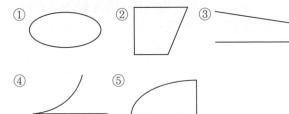

6 □ 안에 알맞은 말을 써넣으세요.

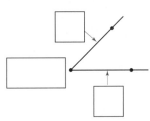

서술형

7 도형에서 직각을 ∟로 표시하고 네 각이 모두 직각인 도형을 찾아 기호를 쓰려고 합니다. 풀이 과정을 쓰고 답을 구해 보세요.

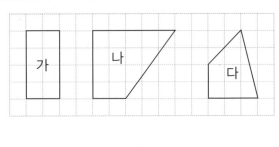

_____

_____

_____

(   )

8 도형에는 직각이 몇 개씩 있는지 쓰세요.

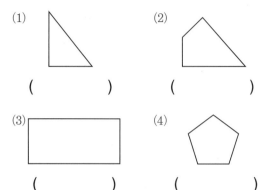

(1) (   )   (2) (   )

(3) (   )   (4) (   )

9 다음 중 직각삼각형은 어느 것인지 기호를 쓰세요.

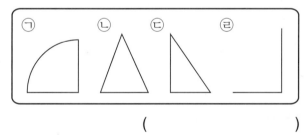

(   )

10 직각삼각형이 <u>아닌</u> 것은 어느 것인가요? (   )

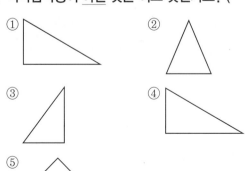

11 다음에서 설명하는 도형이 무엇인지 이름을 쓰세요.

- 꼭짓점이 3개 있습니다.
- 3개의 선분으로 둘러싸여 있습니다.
- 각 중 하나는 직각입니다.

(   )

12 도형에서 찾을 수 있는 직각삼각형은 모두 몇 개인지 구해 보세요.

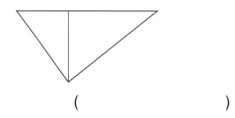

(   )

[13~14] 그림을 보고 물음에 답하세요.

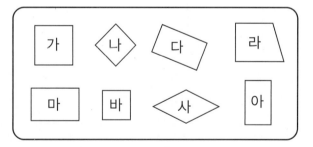

13 네 각이 직각인 사각형을 모두 찾아 기호를 쓰세요.

(   )

14 네 각이 모두 직각이고 네 변의 길이가 모두 같은 사각형을 찾아 기호를 쓰세요.

(   )

15 다음 중 직사각형에 대한 설명 중 잘못된 것은 어느 것인가요? ( )

① 각이 4개 있습니다.
② 변이 4개 있습니다.
③ 각이 모두 직각입니다.
④ 네 변의 길이가 모두 같습니다.
⑤ 마주 보는 두 변의 길이가 같습니다.

16 다음 중 정사각형을 모두 고르세요. (,)

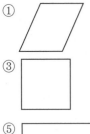
① ②

③ ④
⑤

17 주어진 선분을 이용하여 직사각형과 정사각형을 각각 그려 보세요.

18 도형이 정사각형이 아닌 이유를 쓰세요.

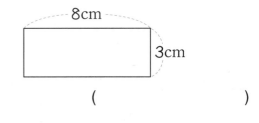

4cm 4cm
4cm 4cm

( )

19 도형은 직사각형입니다. 네 변의 길이의 합은 몇 cm 인가요?

8cm
3cm

( )

서술형

20 왼쪽 정사각형의 네 변의 길이의 합과 오른쪽 직사각형의 네 변의 길이의 합을 더하면 50 cm입니다. 직사각형의 가로는 몇 cm인지 풀이 과정을 쓰고 답을 구해 보세요.

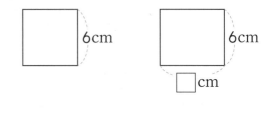

6cm 6cm
cm

_____

_____

_____

( )

[1~2] 닭 8마리를 2개의 우리에 똑같이 나누어 넣으려고 합니다. 물음에 답하세요.

1 8마리를 2개의 우리에 똑같이 나누어 보세요.

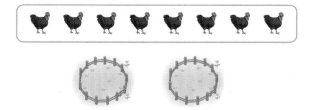

2 한 우리에 몇 마리씩 들어가나요?

(   )

3 같은 모양의 꽃병을 이용하여 꽃을 똑같이 나누어 모두 꽂으려고 합니다. 어느 꽃병에 꽂아야 하나요?

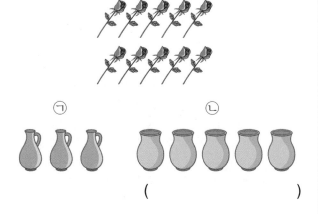

(   )

4 그림을 보고 □ 안에 알맞은 수를 써넣으세요.

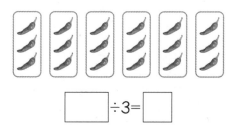

☐ ÷3= ☐

5 12개의 사탕을 매일 3개씩 먹으려고 합니다. 며칠 동안 먹을 수 있나요?

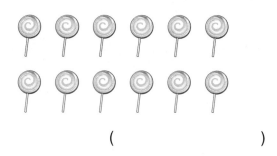

(   )

6 설명한 내용을 나눗셈식으로 바르게 표현한 것에 ○표 하세요.

> 45에서 9를 5번 빼면 0이 됩니다.

| 45÷9=5 | 45÷5=9 | 45÷9=0 |

(   ) (   ) (   )

·서술형·

7 승환이는 색연필 40자루를 친구 8명에게 똑같이 나누어 주려고 합니다. 한 명에게 몇 자루씩 나누어 줄 수 있는지 풀이 과정을 쓰고 답을 구해 보세요.

_____

_____

_____

(   )

[8~10] 그림을 보고 물음에 답하세요.

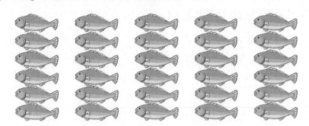

8 생선의 수를 곱셈식으로 나타내세요.

$$5 \times \boxed{} = \boxed{}$$

9 생선 30마리를 5개의 항아리에 똑같이 나누어 담으려면 항아리 1개에 몇 마리씩 담을 수 있나요?

$$30 \div \boxed{} = \boxed{}$$

10 생선 30마리를 6개의 항아리에 똑같이 나누어 담으려면 항아리 1개에 몇 마리씩 담을 수 있나요?

$$30 \div \boxed{} = \boxed{}$$

11 곱셈식을 보고 □ 안에 알맞은 수를 써넣으세요.

$$7 \times 6 = 42 \begin{cases} 42 \div \boxed{} = \boxed{} \\ 42 \div \boxed{} = \boxed{} \end{cases}$$

12 나눗셈식을 보고 □ 안에 알맞은 수를 써넣으세요.

$$15 \div 3 = 5 \begin{cases} 5 \times \boxed{} = \boxed{} \\ 3 \times \boxed{} = \boxed{} \end{cases}$$

13 다음 나눗셈의 몫을 구하려면 어떤 곱셈구구를 알아야 하나요? (　　　　)

$$42 \div 7$$

① 2단　　② 3단　　③ 5단
④ 7단　　⑤ 9단

14 관계있는 것끼리 선으로 이어 보세요.

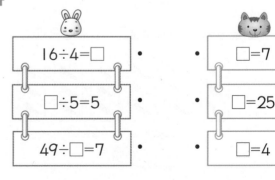

16÷4=□	•	•	□=7
□÷5=5	•	•	□=25
49÷□=7	•	•	□=4

15 빈칸에 알맞은 수를 써넣으세요.

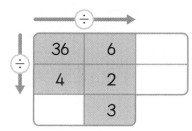

÷ →		
36	6	
4	2	
	3	

18 어느 농장에서 오리와 돼지를 키우고 있습니다. 동물들의 다리 수를 모두 세어 보니 46개였습니다. 돼지가 8마리 있다면 오리는 모두 몇 마리 있나요?

동물		
다리 수	2개	4개

( )

16 빈 곳에 알맞은 수를 써넣으세요.

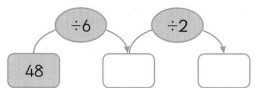

서술형

19 세윤이네 반 학생들이 실험을 하기 위해 모둠을 지었습니다. 남학생 12명은 4명씩 모둠을 지었고, 여학생 10명은 5명씩 모둠을 지었습니다. 모두 몇 모둠이 생겼는지 풀이 과정을 쓰고 답을 구해 보세요.

_____

_____

_____

( )

서술형

17 ㉠과 ㉡에 알맞은 수의 차는 얼마인지 풀이 과정을 쓰고 답을 구해 보세요.

$$32 \div 4 = ㉠ \qquad 27 \div 9 = ㉡$$

20 재석이가 가지고 있던 공책을 7명에게 5권씩 나누어 주려고 했더니 3권이 부족합니다. 이 공책을 8명에게 똑같이 나누어 주면 한 사람이 몇 권씩 가질 수 있나요?

_____

_____

( )

( )

1 곱셈을 하세요.

(1) $30 \times 2 =$ ☐   (2) $20 \times 4 =$ ☐

2 곱이 큰 순서대로 기호를 쓰세요.

> ㉠ 40×8 ㉡ 60×4
> ㉢ 90×2 ㉣ 70×3

(   )

3 버스 1대에 40명씩 탈 수 있습니다. 버스 2대에는 모두 몇 명이 탈 수 있는지 곱셈식으로 나타내세요.

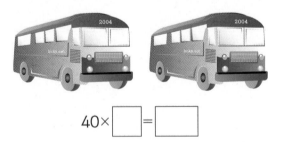

$40 \times$ ☐ $=$ ☐

4 어느 가게에서 오징어를 20마리씩 묶어서 1축으로 팔고 있습니다. 어머니께서 오징어를 4축 사 오셨습니다. 어머니께서 산 오징어는 모두 몇 마리인가요?

(   )

5 거북이 알을 낳은 구덩이를 3군데 발견하였습니다. 구덩이마다 알이 몇 개 있는지 세어 보았더니 23개씩 있었습니다. 알은 모두 몇 개인지 알아보세요.

(1) 일 모형은 모두 몇 개인가요?

(   )

(2) 십 모형은 모두 몇 개인가요?

(   )

(3) 알은 모두 몇 개인지 곱셈식으로 나타내세요.

☐ $\times$ ☐ $=$ ☐

6 곱셈을 하세요.

(1)
$$\begin{array}{r} 4\ 2 \\ \times \quad 2 \\ \hline \end{array}$$

(2)
$$\begin{array}{r} 3\ 4 \\ \times \quad 2 \\ \hline \end{array}$$

7 다음은 동물들의 다리 수를 나타낸 표입니다. 각 동물들의 전체 다리 수는 모두 몇 개인지 빈칸에 알맞은 수를 써넣으세요.

동물	다리 수(개)	동물 수(마리)	전체 다리 수(개)
오리	2	14	
강아지	4	22	

8 그림을 보고 □ 안에 알맞은 수를 써넣으세요.

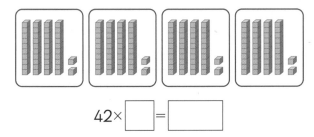

$42 \times$ □ $=$ □

9 곱셈을 하세요.

(1)
```
    6 3
  ×   2
```
□

(2)
```
    7 1
  ×   6
```
□

10 그림을 보고 □ 안에 알맞은 수를 써넣으세요.

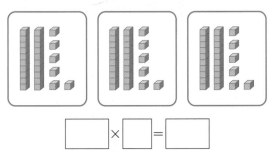

□ $\times$ □ $=$ □

11 관계있는 것끼리 선으로 이어 보세요.

13×7 ·	· 70
24×3 ·	· 91
35×2 ·	· 72

12 다음 곱셈에서 ④가 실제로 나타내는 수는 얼마인가요?

```
  ④
  1 9
× 5
─────
  9 5
```
(   )

13 곱의 크기를 비교하여 ○ 안에 >, =, <를 알맞게 써넣으세요.

31×3 ○ 23×4

서술형

14 31×4의 곱과 34×4의 곱 사이에 있는 자연수 중에서 가장 큰 수는 얼마인지 풀이 과정을 쓰고 답을 구해 보세요.

_____

_____

_____

(   )

15 두발자전거 17대와 세발자전거 35대가 있습니다. 자전거 바퀴는 모두 몇 개인가요?

(   )

16 •보기•와 같은 방법으로 곱셈을 해 보세요.

┌─ •보기• ─┐

```
    3 6
 ×    4
─────────
    2 4
  1 2 0
─────────
  1 4 4
```

```
    5 9
 ×    5
─────────
```

17 계산 결과가 300보다 큰 것을 모두 찾아 기호를 쓰세요.

```
 ㉠  8 0        ㉡  4 1
  ×   4         ×   7

 ㉢  9 3        ㉣  4 3
  ×   3         ×   7
```

(   )

18 다음 수 중에서 가장 큰 수와 가장 작은 수의 곱을 구해 보세요.

┌─────────────────────────┐
│   65   3   45   7   │
└─────────────────────────┘

(   )

19 연수는 매일 63쪽씩 책을 읽었습니다. 일주일 동안 모두 몇 쪽을 읽었는지 구해 보세요.

(   )

•서술형•

20 의자가 18개 있습니다. 이 중 16개 의자에는 8명씩 앉아 있고, 남은 의자 2개에는 4명씩 앉아 있습니다. 의자에 앉아 있는 사람은 모두 몇 명인지 풀이 과정을 쓰고 답을 구해 보세요.

_____

_____

_____

(   )

5. 길이와 시간

1 1 cm를 작은 눈금 10칸으로 똑같이 나누었습니다.
□ 안에 알맞은 수를 써넣으세요.

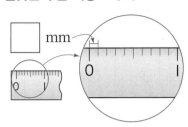

☐ mm

2 다음을 읽어 보세요.

(1) 6 mm   (   )

(2) 9 mm   (   )

(3) 3 cm 4 mm   (   )

(4) 5 cm 7 mm   (   )

3 □ 안에 알맞은 수를 써넣으세요.

(1) 103 mm = ☐ mm + 3 mm

         = ☐ cm + 3 mm

         = ☐ cm 3 mm

(2) 98 mm = ☐ cm ☐ mm

4 길이를 비교하여 ○ 안에 >, =, <를 알맞게 써넣으세요.

102 mm ◯ 12 cm

5 2000 m를 다른 단위로 표현할 때 알맞은 것은 어느 것인가요? (   )

① 2 kg   ② 2 km   ③ 2 mm

④ 2 L   ⑤ 2 cm

6 그림을 보고 □ 안에 알맞은 수를 써넣으세요.

☐ km ☐ m

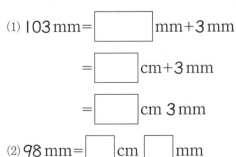

0   1 km 2 km 3 km 4 km 5 km 6 km 7 km

7 □ 안에 알맞은 수를 써넣으세요.

(1) 3 km 200 m = ☐ m

(2) 7300 m = 7 km ☐ m

8 길이가 가장 긴 것과 가장 짧은 것을 찾아 기호를 쓰려고 합니다. 풀이 과정을 쓰고 답을 구해 보세요.

> ㉠ 4 km 350 m   ㉡ 4010 m
>
> ㉢ 4802 m   ㉣ 4 km 3 m

_____

_____

가장 긴 것 (   )

가장 짧은 것 (   )

9 1 cm보다 작은 것을 모두 찾아 기호를 쓰세요.

> ㉠ 종이 1장의 두께   ㉡ 내 팔의 길이
>
> ㉢ 쌀 한 톨의 길이   ㉣ 내 짝의 키

(   )

10 거리에 알맞은 단위를 찾아 ○표 하세요.

> 서울에서 부산까지 거리는
>   450(mm, cm, m, km)입니다.

11 시계를 보고 초바늘이 움직이는 회수를 세어 보았더니 420번 움직였습니다. 시계의 초바늘은 몇 바퀴 돌았나요?

(   )

12 3명의 어린이가 3장의 카드를 뽑았습니다. 이 중 한 가지 카드가 거짓일 때, 누가 거짓인 카드를 가지고 있나요?

유빈	설아	윤채
시계의 초바늘이 1바퀴 돌면 1분입니다.	시계의 초바늘이 숫자 6을 가리키면 6초입니다.	1초는 1분보다 짧습니다.

(   )

13 다음 시각을 읽어 보세요.

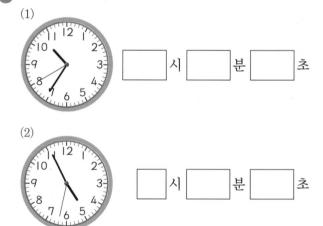

(1) [ ]시 [ ]분 [ ]초

(2) [ ]시 [ ]분 [ ]초

14 □ 안에 알맞은 수를 써넣으세요.

(1) 95초= [ ]초+35초= [ ]분+35초

= [ ]분 35초

(2) 3분 15초=1분+1분+1분+15초

= [ ]초+ [ ]초+ [ ]초+15초

= [ ]초

15 □ 안에 알맞은 수를 써넣으세요.

(1)
```
    4 분  30 초
 +  2 분  20 초
 ──────────────
    □ 분  □ 초
```

(2)
```
    7 분  50 초
 -  2 분  30 초
 ──────────────
    □ 분  □ 초
```

16 계산을 하세요.

(1)
```
   14 분  34 초
 +  4 분  42 초
```

(   )

(2)
```
   16 분  17 초
 -  6 분  20 초
```

(   )

17 호중이와 민영이의 1000 m 달리기 기록입니다. 호중이와 민영이의 기록의 합과 차를 구해 보세요.

이름	기록
호중	4분 58초
민영	5분 24초

합 (   )

차 (   )

18 축구는 전반전이 45분, 후반전이 45분이고 전반전과 후반전 사이에 15분을 쉽니다. 6시 정각에 축구 경기가 시작되었다면 끝나는 시각은 몇 시 몇 분인가요?

(   )

19 세령이가 영화를 봤습니다. 영화 상영 시간이 1시간 27분이고, 영화가 끝난 시각이 오후 3시 20분이었다면 영화를 시작한 시각은 몇 시 몇 분인지 풀이 과정을 쓰고 답을 구해 보세요.

_____

_____

(   )

20 병국이는 1시간 25분 40초 동안 수학 공부를 하였습니다. 수학 공부를 끝낸 시각이 그림과 같을 때 수학 공부를 시작한 시각은 몇 시 몇 분 몇 초인가요?

(   )

1 똑같이 셋으로 나누어진 도형을 찾아 기호를 쓰세요.

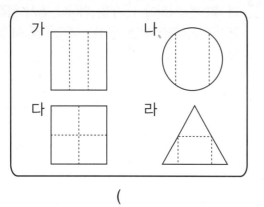

( )

2 도형을 똑같이 둘로 나누어 보세요.

(1) (2)

3 전체를 똑같이 6으로 나눈 것 중의 5를 색칠한 것의 기호를 쓰세요.

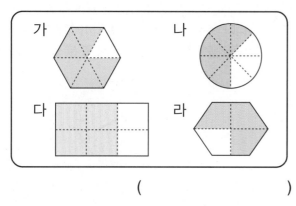

( )

4 그림을 보고 □ 안에 알맞은 수를 써넣으세요.

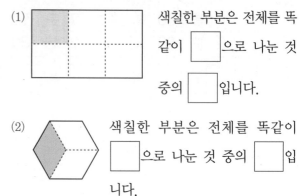

(1) 색칠한 부분은 전체를 똑같이 □으로 나눈 것 중의 □입니다.

(2) 색칠한 부분은 전체를 똑같이 □으로 나눈 것 중의 □입니다.

5 그림이 나타내는 분수가 잘못된 것은 어느 것인가요?
( )

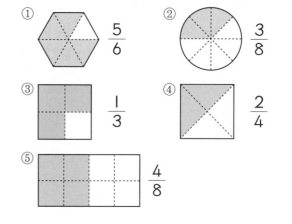

① $\frac{5}{6}$ ② $\frac{3}{8}$ ③ $\frac{1}{3}$ ④ $\frac{2}{4}$ ⑤ $\frac{4}{8}$

6 □ 안에 알맞은 수를 써넣으세요.

지호는 과자를 똑같이 3으로 나눈 것 중의 1만큼 먹었습니다. 남은 과자는 똑같이 3으로 나눈 것 중의 □입니다. 이것을 분수로 나타내면 $\frac{□}{□}$입니다.

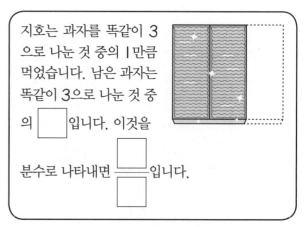

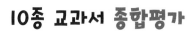

7 □ 안에 알맞은 수를 써넣으세요.

(1) $\frac{3}{7}$ 은 $\frac{1}{7}$ 이 □ 개입니다.

(2) $\frac{7}{9}$ 은 $\frac{1}{9}$ 이 □ 개입니다.

8 분수만큼 색칠하고, ○ 안에 >, <를 알맞게 써넣으세요.

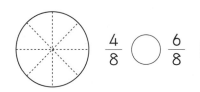

$\frac{4}{8}$ ○ $\frac{6}{8}$

9 두 분수의 크기를 비교하여 ○ 안에 >, <를 알맞게 써넣으세요.

(1) $\frac{3}{7}$ ○ $\frac{5}{7}$ (2) $\frac{8}{10}$ ○ $\frac{4}{10}$

10 다음 분수 중 가장 큰 분수를 찾아 쓰세요.

$\frac{6}{14}$ $\frac{1}{14}$ $\frac{7}{14}$ $\frac{9}{14}$ $\frac{12}{14}$

(   )

•서술형•

11 1부터 9까지의 수 중에서 □ 안에 들어갈 수 있는 수는 모두 몇 개인지 풀이 과정을 쓰고 답을 구해 보세요.

$\frac{4}{9} > \frac{\square}{9}$

_____

_____

_____

(   )

12 피자 한 판이 있습니다. 유빈이는 전체의 $\frac{1}{3}$ 만큼 먹고, 재욱이는 전체의 $\frac{1}{4}$ 만큼 먹었습니다. 누가 피자를 더 많이 먹었나요?

(   )

13 □ 안에 알맞은 분수나 소수를 써넣으세요.

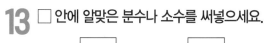

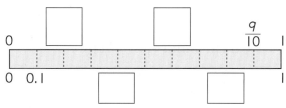

14 들어 있는 물은 전체의 얼마인지 소수로 나타내세요.

(   )

15 □ 안에 알맞은 수를 써넣으세요.

(1) 2.7은 0.1이 ☐ 개인 수입니다.

(2) 0.1이 ☐ 개인 수는 1.8입니다.

16 화살표가 나타내는 길이를 잘못 나타낸 것은 어느 것 인가요? (   )

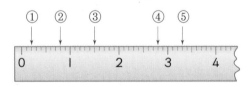

① 0.2 cm   ② 0.8 cm   ③ 1.6 cm
④ 2.8 cm   ⑤ 3.3 cm

17 □ 안에 알맞은 수를 써넣으세요.

(1) 8 cm 7 mm = ☐ cm

(2) 10 cm 6 mm = ☐ cm

18 그림에 소수만큼 색칠하고 ○ 안에 >, <를 알맞게 써넣으세요.

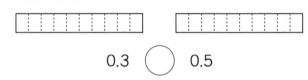

0.3 ◯ 0.5

서술형

19 가장 큰 수와 가장 작은 수를 각각 찾아 쓰려고 합니다. 풀이 과정을 쓰고 답을 구해 보세요.

6.4   4.3   7.9

_____

_____

_____

가장 큰 수 (   )
가장 작은 수 (   )

20 1부터 9까지의 수 중 □ 안에 들어갈 수 있는 수를 모두 쓰세요.

4.5 < 4.☐

(   )

1 수 모형을 보고 계산해 보세요.

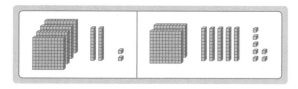

422+257= ☐

2 ☐ 안의 숫자 1이 나타내는 수는 얼마인가요?

(   )

```
   ☐
   6 5 1
 + 6 6 3
 1 3 1 4
```

① 1   ② 10   ③ 100
④ 110   ⑤ 1000

3 빈 곳에 두 수의 합을 써넣으세요.

(1)
256	392

(2)
463	159

4 관계있는 것끼리 선으로 이어 보세요.

(1) 516+884 ·   · ㉠ 1390

(2) 516+874 ·   · ㉡ 1400

⟨서술형⟩

5 북한산의 높이는 837 m이고 인왕산의 높이는 338 m입니다. 두 산의 높이의 합은 몇 m인지 풀이 과정을 쓰고 답을 구해 보세요.

_____

_____

_____

(   )

6 어느 과수원에서 어제는 사과를 417개 땄고, 오늘은 어제보다 263개 더 땄습니다. 오늘 딴 사과는 몇 개인가요?

(   )

7 어떤 수에서 376을 더해야 할 것을 잘못하여 빼었더니 452가 되었습니다. 어떤 수는 얼마인지 풀이 과정을 쓰고 답을 구해 보세요.

_____

_____

_____

(   )

8 ☐ 안에 알맞은 수를 써넣으세요.

(1)
```
    8 7 6
  - 4 1 3
  ☐ ☐ ☐
```

(2)
```
    9 4 5
  - 5 4 2
  ☐ ☐ ☐
```

(3) 653−141 = ☐

(4) 597−386 = ☐

9 빈 곳에 두 수의 차를 써넣으세요.

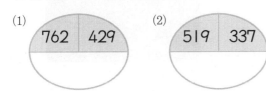

(1) 762   429

(2) 519   337

10 계산 과정에서 잘못된 곳을 찾아 바르게 고쳐 보세요.

```
    7 3 5
  - 3 5 8
    3 8 7
```
➡

11 계산 결과의 크기를 비교하여 ○ 안에 >, =, <를 알맞게 써넣으세요.

489−121 ○ 752−448

12 빈 곳에 알맞은 수를 써넣으세요.

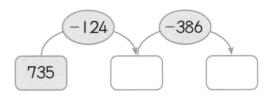

735 →(−124)→ ☐ →(−386)→ ☐

13 꽃 가게에 장미가 492송이, 백합이 385송이 있습니다. 장미는 백합보다 몇 송이 더 많이 있나요?

(   )

14 3장의 숫자 카드를 한 번씩만 사용하여 가장 큰 세 자리 수와 가장 작은 세 자리 수를 만들었습니다. 만든 두 수의 차는 얼마인지 풀이 과정을 쓰고 답을 구해 보세요.

$$\boxed{2} \quad \boxed{8} \quad \boxed{5}$$

_____

_____

( )

15 □ 안에 알맞은 수를 써넣으세요.

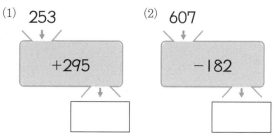

⑴ 253 → +295 → □

⑵ 607 → −182 → □

[16~17] 도형의 수를 보고 물음에 답하세요.

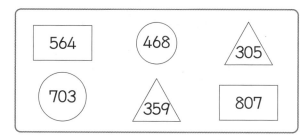

564   468   305
703   359   807

16 원 안의 수의 합을 구해 보세요.

( )

17 사각형 안의 수의 차를 구해 보세요.

( )

18 오늘 점심에는 라면을 먹으려고 합니다. 라면을 끓인 후 무게를 재어 보았더니 800 g이었습니다. 냄비의 무게가 200 g이고 라면의 무게가 115 g일 때, 라면을 끓이기 위해 넣은 물은 몇 g인가요? (단, 끓여서 줄어든 물은 없습니다.)

( )

[19~20] 어느 도서관에서 어린이들의 책이 있는 곳을 보니 동화책이 568권, 위인전이 310권, 과학 도서가 774권 꽂혀 있습니다. 물음에 답하세요.

19 동화책과 위인전을 합치면 모두 몇 권인가요?

( )

20 과학 도서는 동화책보다 몇 권 더 많이 있나요?

( )

1 곧은 선과 굽은 선을 모두 찾아 보세요.

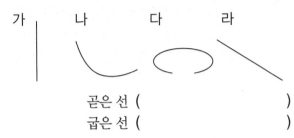

가   나   다   라

곧은 선 (   )

굽은 선 (   )

2 직선에는 ○표, 반직선에는 △표, 선분에는 □표 하세요.

(1)   •———•———   (   )

(2)   ———•———•—   (   )

(3)   •———————•   (   )

3 점들을 이용하여 직선 ㄴㄷ을 그려 보세요.

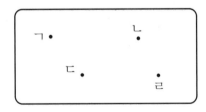

4 도형을 읽어 보세요.

(   )

5 도형에는 각이 각각 몇 개 있는지 쓰세요.

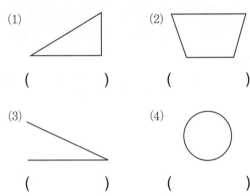

(1)   (2)

(   )   (   )

(3)   (4)

(   )   (   )

6 각을 읽어 보세요.

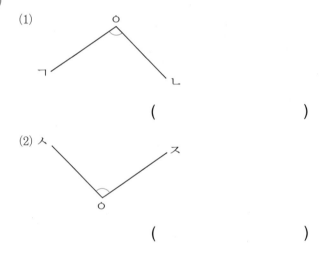

(1)

(   )

(2)

(   )

7 직각을 찾아 ○표 하세요.

(   ) (   ) (   )

8 도형에서 직각은 모두 몇 개 있는지 구해 보세요.

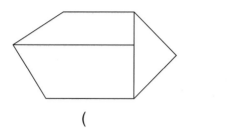

( )

9 다음 중 직각삼각형은 어느 것인가요? ( )

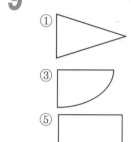

10 직각삼각형이 <u>아닌</u> 도형을 찾아 기호를 쓰려고 합니다. 풀이 과정을 쓰고 답을 구해 보세요.

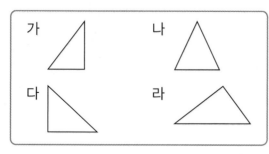

가   나

다   라

_____

( )

11 다음 선분의 양 끝 점과 어느 점을 연결해야 직각삼각형이 되는지 쓰세요.

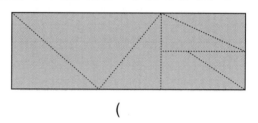

( )

12 도화지에 다음과 같이 점선을 긋고 자르려고 합니다. 잘랐을 때 직각삼각형은 모두 몇 개 생기나요?

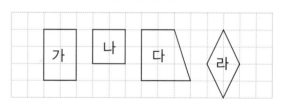

( )

[13~14] 도형을 보고 물음에 답하세요.

가   나   다   라

13 직사각형을 모두 골라 기호를 쓰세요.

( )

14 정사각형은 어느 것인가요?

( )

15 도형에 대한 설명으로 <u>잘못된</u> 것은 어느 것인가요?
( )

① 네 각이 모두 직각입니다.
② 네 변의 길이가 모두 같습니다.
③ 네 각의 크기가 모두 다릅니다.
④ 네 개의 선분으로 둘러싸인 도형입니다.
⑤ 꼭짓점이 4개 있습니다.

16 직사각형과 정사각형을 각각 1개씩 그려 보세요.

17 빈칸에 알맞은 수를 써넣으세요.

	꼭짓점의 수(개)	변의 수(개)	직각의 수(개)
직각삼각형			
직사각형			
정사각형			

18 도형은 직사각형입니다. □ 안에 알맞은 수를 써넣으세요.

6cm
2cm [ ] cm
[ ] cm

19 도형에서 크고 작은 직사각형은 모두 몇 개인지 구해 보세요.

( )

서술형

20 왼쪽 도형은 정사각형이고 오른쪽 도형은 직사각형입니다. 두 도형의 네 변의 길이의 합의 차는 몇 cm인지 풀이 과정을 쓰고 답을 구해 보세요.

40 cm

36 cm
20 cm

( )

[1~2] 쌀 12가마니를 2대의 수레에 똑같이 나누어 실으려고 합니다. 물음에 답하세요.

1 쌀 가마니를 수레 2대에 똑같이 나누어 보세요.

2 수레 한 대에 쌀이 몇 가마니씩 실려 있는지 세어 보세요.

(   )

3 꽃들을 꽃병에 똑같이 꽂으려고 합니다. 그림을 보고 □ 안에 알맞은 수를 써넣으세요.

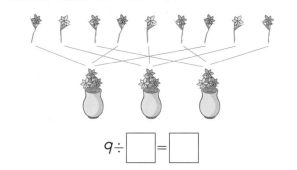

9÷□=□

[4~5] 수민이는 주먹밥 12개를 만들었습니다. 물음에 답하세요.

4 주먹밥을 2개씩 친구들에게 나누어 주려고 합니다. 주먹밥을 2개씩 묶어 보세요.

5 주먹밥을 몇 명의 친구에게 나누어 줄 수 있나요?

(   )

6 바나나 20개를 원숭이 한 마리에게 5개씩 나누어 주려고 합니다. 몇 마리에게 나누어 줄 수 있는지 □ 안에 알맞은 수를 써넣으세요.

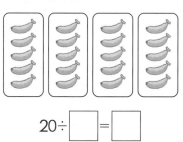

20÷□=□

•서술형•

7 은민이네 모둠 학생 28명이 현장 학습을 가려고 합니다. 승합차 4대에 똑같이 나누어 타려면 한 대에 몇 명씩 타면 되는지 풀이 과정을 쓰고 답을 구해 보세요.

_____

_____

(   )

8 나눗셈 $8 \div 2 = 4$를 보고 ☐ 안에 알맞은 수를 써넣으세요.

• 8 나누기 ☐ 는 ☐ 와 같습니다.

• 8에서 ☐ 씩 ☐ 번 덜어 내면 0이 됩니다.

• $8 - 2 - 2 - 2 - 2 =$ ☐

[9~10] 그림을 보고 물음에 답하세요.

9 갓을 6개씩 묶고 곱셈식으로 나타내세요.

$$6 \times \boxed{} = 24$$

10 갓을 6개씩 1상자에 담으려면 상자가 몇 개가 필요한지 나눗셈식으로 나타내세요.

$$24 \div 6 = \boxed{}$$

11 곱셈식을 보고 ☐ 안에 알맞은 수를 써넣으세요.

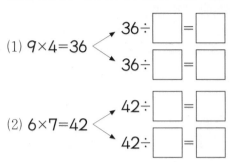

(1) $9 \times 4 = 36$ $36 \div \boxed{} = \boxed{}$
             $36 \div \boxed{} = \boxed{}$

(2) $6 \times 7 = 42$ $42 \div \boxed{} = \boxed{}$
             $42 \div \boxed{} = \boxed{}$

12 나눗셈식을 보고 ☐ 안에 알맞은 수를 써넣으세요.

(1) $24 \div 3 = 8$ $8 \times \boxed{} = \boxed{}$
             $3 \times \boxed{} = \boxed{}$

(2) $63 \div 7 = 9$ $9 \times \boxed{} = \boxed{}$
             $7 \times \boxed{} = \boxed{}$

13 연필 36자루를 6자루씩 친구들에게 똑같이 나누어 주려고 합니다. 몇 명의 친구들에게 나누어 줄 수 있는지 아래 곱셈구구표에서 필요한 식을 찾아 ○표 하고 답을 구해 보세요.

×	1	2	3	4	5	6	7	8	9
6	6	12	18	24	30	36	42	48	54

(   )

14 빈칸에 6으로 나눈 몫을 써넣으세요.

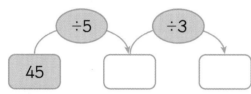

÷6	18	30	42

15 빈 곳에 알맞은 수를 써넣으세요.

45 → ÷5 → [ ] → ÷3 → [ ]

16 몫의 크기를 비교하여 ○ 안에 >, =, <를 알맞게 써넣으세요.

64÷8 ◯ 54÷9

17 몫이 같은 것끼리 선으로 이어 보세요.

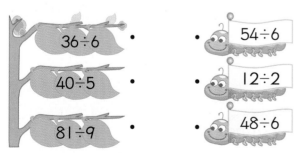

36÷6 •   • 54÷6

40÷5 •   • 12÷2

81÷9 •   • 48÷6

18 굴비를 세는 단위로 '두름'을 사용합니다. '한 두름'은 20마리를 뜻합니다. 굴비 2두름을 5명이 똑같이 나누어 가진다면 한 사람이 몇 마리를 가지게 되나요?

(   )

서술형

19 소연이는 쿠키 64개를 만들어 한 봉지에 8개씩 모두 담은 후 그중에서 3봉지를 팔았습니다. 팔고 남은 쿠키는 몇 봉지인지 풀이 과정을 쓰고 답을 구해 보세요.

_____

_____

_____

_____

(   )

20 철사 72 cm를 이용하여 정사각형 9개를 만들려고 합니다. 정사각형의 한 변의 길이를 몇 cm로 해야 하나요?

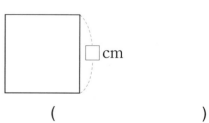

(   )

1 곱셈을 하세요.

(1) $60 \times 2 =$ ☐   (2) $20 \times 7 =$ ☐

2 곱이 같은 것끼리 선으로 이어 보세요.

 30×4 ・   ・ 20×3

30×2 ・   ・ 60×2

3 달걀 한 판에 달걀이 30개 있습니다. 달걀이 3판 있으면 달걀은 모두 몇 개인지 곱셈식으로 나타내세요.

$30 \times$ ☐ $=$ ☐

4 곱셈을 하세요.

(1)
```
    4 3
  ×   2
  ─────
```

(2)
```
    1 4
  ×   2
  ─────
```

5 1타에 연필이 12자루 들어 있습니다. 연필이 2타 있습니다. 연필은 모두 몇 자루인지 곱셈으로 나타내세요.

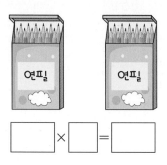

☐ $\times$ ☐ $=$ ☐

6 어항 속에 '구피' 4마리를 키우고 있습니다. '구피'가 각각 새끼를 32마리씩 낳아서 더 큰 어항으로 옮겨야 합니다. 어항 속에 새끼는 모두 몇 마리인지 알아보세요.

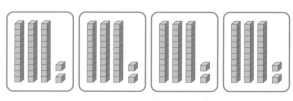

(1) 일 모형은 모두 몇 개인가요?

(   )

(2) 십 모형은 모두 몇 개인가요?

(   )

(3) 새끼는 모두 몇 마리인지 곱셈식으로 나타내세요.

☐ $\times$ ☐ $=$ ☐

7 곱셈을 하세요.

(1) $72 \times 4 =$ ☐   (2) $54 \times 2 =$ ☐

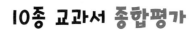

8 빈칸에 알맞은 수를 써넣으세요.

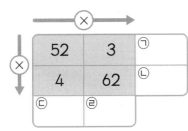

9 4명의 학생에게 리본 끈을 62 cm씩 나누어 주었습니다. 학생들에게 나누어 준 리본 끈은 모두 몇 cm인가요?

식 _____

답 _____

10 수 모형을 보고 곱셈식으로 나타내세요.

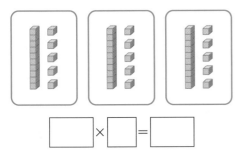

☐ × ☐ = ☐

11 곱셈을 하세요.

(1)
```
   4 7
 ×   2
 ─────
```

(2)
```
   1 8
 ×   4
 ─────
```

12 다음 곱셈에서 ②가 실제로 얼마를 나타내는지 구해 보세요.

```
  ②
   1 8
 ×   3
 ─────
   5 4
```
(   )

13 빈 곳에 알맞은 수를 써넣으세요.

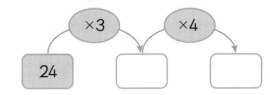

서술형

14 1부터 9까지의 수 중에서 ☐ 안에 들어갈 수 있는 가장 큰 수는 얼마인지 풀이 과정을 쓰고 답을 구해 보세요.

$$15 \times \boxed{} < 75$$

_____

_____

_____

(   )

•서술형•

15 사과는 한 상자에 30개씩 들어 있고 배는 한 상자에 25개씩 들어 있습니다. 사과 3상자와 배 3상자가 있다면 사과와 배는 모두 몇 개 있는지 풀이 과정을 쓰고 답을 구하세요.

_____

_____

_____

(   )

16 •보기•와 같은 방법으로 곱셈을 하세요.

┌─ 보기 ─┐
```
    3 6
  ×   4
─────────
    2 4
  1 2 0
─────────
  1 4 4
```

```
    6 8
  ×   5
```

17 곱이 큰 순서대로 기호를 쓰세요.

┌─────────────────────┐
│ ㉠ 15×8   ㉡ 22×5 │
│ ㉢ 31×4   ㉣ 39×3 │
└─────────────────────┘

(   )

18 지네는 보통 다리가 15쌍~17쌍 정도라고 합니다. 다리가 17쌍인 지네 6마리의 다리는 모두 몇 쌍인가요?

(   )

19 숫자 카드 3 , 5 , 8 을 한 번씩만 사용하여 곱이 가장 큰 곱셈식을 만들고 그 곱을 구하세요.

```
  □ □
×   □
───────
□ □ □
```

•서술형•

20 미르는 연필 9타를 사서 그중에서 49자루는 동생 초은이에게 주었습니다. 초은이에게 주고 남은 연필은 몇 자루인지 풀이 과정을 쓰고 답을 구해 보세요.

_____

_____

_____

(   )

1 화살표가 가리키는 곳의 길이를 쓰세요.

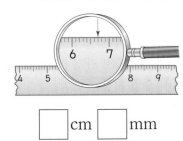

☐ cm ☐ mm

2 ☐ 안에 알맞은 수를 써넣으세요.

94 mm = ☐ mm + 4 mm

= ☐ cm + 4 mm

= ☐ cm 4 mm

3 ☐ 안에 알맞은 수를 써넣으세요.

(1) 4 cm 5 mm = ☐ mm

(2) 63 mm = ☐ cm ☐ mm

4 다음 중 길이가 가장 긴 것은 어느 것인가요?

( )

① 8 mm   ② 6 cm   ③ 65 mm

④ 11 cm   ⑤ 12 mm

5 1 m짜리 끈이 몇 개 있어야 1000 m짜리 끈이 되나요?

( )

6 다음을 읽어 보세요.

(1) 2 km   ➡ ( )

(2) 4 km 800 m ➡ ( )

(3) 7 km 190 m ➡ ( )

7 다음 중 옳지 않은 것은 무엇인가요? ( )

① 7 cm 3 mm = 73 mm

② 118 mm = 11 cm 8 mm

③ 4 km 300 m = 4300 m

④ 5320 m = 5 km 320 m

⑤ 2 km 23 m = 2230 m

서술형

8 다음은 세윤이와 인성이가 자전거를 탄 거리입니다. 누가 더 많이 탔는지 풀이 과정을 쓰고 답을 구해 보세요.

이름	세윤	인성
거리	5600 m	5 km 60 m

_____

_____

_____

( )

9 알맞은 단위에 ○표 하세요.

그림에서 연필 끝에 달린 지우개의 길이는

7(cm, mm, m, km)입니다.

10 km를 사용하여 길이를 나타내기에 알맞은 것에 모두 ○표 하세요.

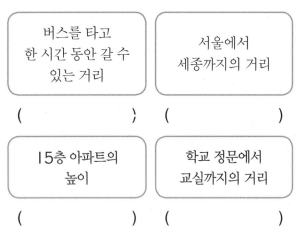

버스를 타고 한 시간 동안 갈 수 있는 거리	서울에서 세종까지의 거리
( )	( )
15층 아파트의 높이	학교 정문에서 교실까지의 거리
( )	( )

11 ☐ 안에 알맞은 수를 써넣으세요.

초바늘이 시계를 한 바퀴 도는 데 걸리는 시간은 ☐ 초입니다. ➡ 1분= ☐ 초

12 1초 동안 할 수 있는 일로 적절한 것은 어느 것인가요? (   )

① 100 m 달리기   ② '고마워'라고 말하기
③ 집에서 학교까지 가기 ④ 내 방 청소하기
⑤ 2교시 수업 시간

13 시각을 읽어 보세요.

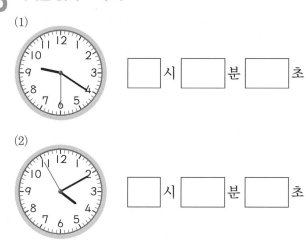

(1) ☐ 시 ☐ 분 ☐ 초

(2) ☐ 시 ☐ 분 ☐ 초

14 ☐ 안에 알맞은 수를 써넣으세요.

(1) 105초= ☐ 초+45초= ☐ 분+45초

= ☐ 분 45초

(2) 2분 25초=1분+1분+25초

= ☐ 초+ ☐ 초+25초

= ☐ 초

15 계산을 하세요.

(1)　　　 6 분 32 초
　　 + 4 분 11 초
　　(　　　　　　)

(2)　　　 12 분 47 초
　　 − 3 분 12 초
　　(　　　　　　)

16 □ 안에 알맞은 수를 써넣으세요.

(1)　　□ 분　□ 초
　　 23 분 26 초
　 + 8 분 48 초
　　□ 분 □ 초

(2)　　□ 분　□ 초
　　 32 분 14 초
　 − 7 분 30 초
　　□ 분 □ 초

서술형

17 윤호가 3일 동안 봉사 활동을 한 시간입니다. 3일 동안 봉사 활동을 한 시간은 모두 몇 시간 몇 분인지 풀이 과정을 쓰고 답을 구해 보세요.

목요일	금요일	토요일
35분	1시간 25분	1시간 55분

　　　　　　　　　　　　　(　　　　　　)

18 스파게티를 만드는 데 조리 시간이 다음과 같이 걸렸습니다. 9시 30분에 스파게티를 만들기 시작했습니다. 스파게티를 다 만든 시각은 몇 시 몇 분인가요?

면 삶기 8분

소스 만들기 11분

면과 소스 볶기 4분

　　　　　　　　　(　　　　　　)

19 문영이가 기차를 타고 할머니 댁을 가는데 1시간 14분이 걸렸습니다. 할머니 댁으로 출발한 시각이 오후 1시 50분이었다면 할머니 댁에 도착한 시각은 오후 몇 시 몇 분인가요?

　　　　　　　　　(　　　　　　)

20 공부를 시작한 시각과 끝낸 시각입니다. 공부를 한 시간은 몇 시간 몇 분 몇 초인가요?

시작한 시각　　　끝낸 시각

　　　　　　　　　(　　　　　　)

1 기훈이가 새벽이와 피자를 나누어 먹기 위해 똑같이 나누었습니다. 몇 조각으로 나누었나요?

(   )

2 도형을 밑에 쓰여진 수로 똑같이 나누어 보세요.

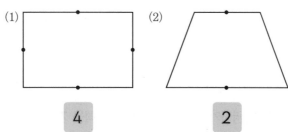

(1)   (2)

4   2

3 전체를 똑같이 4로 나눈 것 중의 3을 색칠한 것은 어느 것인가요? (   )

①   ②

③   ④

⑤

4 부분은 전체의 얼마인지 ☐ 안에 알맞은 수나 말을 써넣으세요.

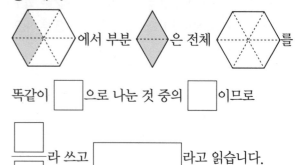

에서 부분 ◈ 은 전체 ⬡ 를

똑같이 ☐ 으로 나눈 것 중의 ☐ 이므로

$\dfrac{☐}{☐}$ 라 쓰고 ☐ 라고 읽습니다.

5 전체에 대하여 색칠한 부분의 크기를 분수로 쓰세요.

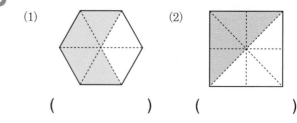

(1)   (2)

(   )   (   )

6 ☐ 안에 알맞은 수를 써넣으세요.

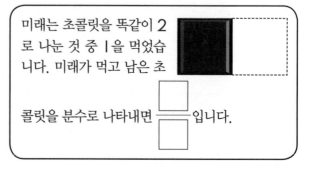

미래는 초콜릿을 똑같이 2로 나눈 것 중 1을 먹었습니다. 미래가 먹고 남은 초콜릿을 분수로 나타내면 $\dfrac{☐}{☐}$ 입니다.

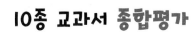

7 그림에 분수만큼 색칠하고, ○ 안에 >, <를 알맞게 써넣으세요.

 $\dfrac{5}{6}$ ○ $\dfrac{3}{6}$

8 두 분수의 크기를 비교하여 ○ 안에 >, <를 알맞게 써넣으세요.

(1) $\dfrac{3}{8}$ ○ $\dfrac{5}{8}$ (2) $\dfrac{7}{12}$ ○ $\dfrac{6}{12}$

(3) $\dfrac{2}{5}$ ○ $\dfrac{4}{5}$ (4) $\dfrac{4}{9}$ ○ $\dfrac{8}{9}$

〈서술형〉

9 $\dfrac{6}{10}$ 보다 큰 분수는 어느 것인지 풀이 과정을 쓰고 답을 구해 보세요.

$\dfrac{3}{10}$ $\dfrac{5}{10}$ $\dfrac{8}{10}$ $\dfrac{2}{10}$

_____

_____

_____

( )

10 리본을 덕수는 $\dfrac{1}{6}$ m, 일남이는 $\dfrac{5}{6}$ m, 상우는 $\dfrac{3}{6}$ m 가지고 있습니다. 가지고 있는 리본의 길이가 짧은 순서대로 이름을 쓰세요.

( )

11 큰 분수부터 차례로 쓰세요.

$\dfrac{1}{5}$ $\dfrac{1}{2}$ $\dfrac{1}{4}$ $\dfrac{1}{7}$

( )

12 2부터 9까지의 수 중에서 □ 안에 들어갈 수 있는 수를 모두 쓰세요.

$\dfrac{1}{5}$ < $\dfrac{1}{\square}$

( )

13 관계있는 것끼리 선으로 이어 보세요.

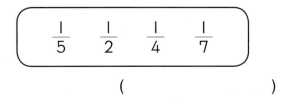

0.6 ·   · $\dfrac{2}{10}$

0.2 ·   · $\dfrac{7}{10}$

0.7 ·   · $\dfrac{6}{10}$

14 보기와 같이 소수를 읽어 보세요.

보기

0.2 ➡ 영 점 이

(1) 0.4 ➡ (   )

(2) 0.7 ➡ (   )

15 □ 안에 알맞은 수를 써넣으세요.

(1) 2.4는 0.1이 [   ] 개인 수입니다.

(2) 0.1이 [   ] 개인 수는 3.6입니다.

16 그림을 보고 물음에 답해 보세요.

(1) 1 cm는 몇 mm인가요?

(   )

(2) 1 mm는 분수로 [   ] cm이고,

소수로 [   ] cm입니다.

17 다음 중 잘못된 것은 어느 것인가요? (   )

① 8 mm=0.8 cm

② 2 cm 3 mm=2.3 cm

③ 3 cm 5 mm=35 mm

④ 6 cm 7 mm=6.7 cm

⑤ 90 cm 6 mm=9.6 cm

18 소수의 크기만큼 색칠하고 ○ 안에 >, <를 알맞게 써넣으세요.

1.6 ◯ 1.2

19 현빈이의 몸무게는 32.5 kg이고 예진이의 몸무게는 32.7 kg입니다. 더 무거운 사람은 누구인가요?

(   )

서술형

20 1부터 9까지의 수 중 □ 안에 들어갈 수 있는 수를 모두 구하려고 합니다. 풀이 과정을 쓰고 답을 구해 보세요.

0.3 < 0.□ < 0.7

_____

_____

_____

(   )

정답과 풀이

1회　1. 덧셈과 뺄셈

1~3쪽

1 986　**2** (1) 560　(2) 619　**3** (1) 1, 1 ; 5, 2, 4
(2) 1, 1 ; 1, 2, 3, 3　**4** 825　**5** >　**6** 777명
7 761개　**8** 예 가장 큰 수는 874이고, 가장 작은
수는 478입니다. 따라서 두 수의 합은
874+478=1352입니다 ; 1352
9 (1) 321　(2) 613　**10** 183　**11** 2, 9　**12** 617
13 71 m　**14** 753개　**15** 예 덧셈과 뺄셈의 관계를
이용하면 665−538=□입니다. 따라서 □=127입
니다. ; 127　**16** 544명　**17** 77명　**18** 1201명
19 256개
20 예 경상북도의 산 255개에서 경기·인천 지역의
산 199개를 뺍니다. → 255−199=56(개) ; 56개

◆풀이◆

2 (1)
```
    1
  2 1 3
+ 3 4 7
-------
  5 6 0
```
(2)
```
    1
  3 6 4
+ 2 5 5
-------
  6 1 9
```

4 357+468=825

5 784+678=1462, 868+583=1451
→ 784+678 > 868+583

6 (어제 구경 온 사람 수)+(오늘 구경 온 사람 수)
　=452+325=777(명)

7 (사과의 수)+(배의 수)=425+336=761(개)

10
```
  5 10
  6 7 3
− 4 9 0
-------
  1 8 3
```

11 일의 자리의 계산 : 10+6−□=7 → □=9
　　백의 자리의 계산 : 5−□=3 → □=2

12 가장 큰 수는 896이고, 가장 작은 수는 279입니다.
　　따라서 두 수의 차는 896−279=617입니다.

13 더 높은 건물에서 낮은 건물의 높이를 빼면 알 수 있
　　습니다.
　　에펠탑이 320 m이고 63빌딩이 249 m이므로
　　320−249=71(m)입니다.

14 (남아 있는 새집 수)
　　=(설치한 새집의 수)−(떼어 온 새집의 수)
　　=908−155=753(개)

16 (남학생 수)+(여학생 수)=279+265=544(명)

17 (4학년 학생 수)=312+309=621(명)
　　(4학년 학생 수)−(3학년 학생 수)=621−544
　　　　　　　　　　　　　　　　　=77(명)

18 (어제 입장한 관객 수)+(오늘 입장한 관객 수)
　　=612+589=1201(명)

19 충청북도는 198개이고, 충청남도는 58개입니다.
　　→ 198+58=256(개)

1회　2. 평면도형

4~6쪽

1 (○)(×)(○)　**2**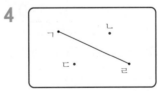
3 직선 ㄱㄴ 또는 직선 ㄴㄱ
4 풀이 참조　**5** ②, ⑤
6 (왼쪽에서부터) 꼭짓점, 변, 변
7 예 직각을 찾아보면 가는 4개, 나는 2개, 다는 1개입
니다. → 네 각이 모두 직각인 도형은 가입니다. ; 가
8 (1) 1개　(2) 2개　(3) 4개　(4) 0개　**9** ㉢　**10** ②
11 직각삼각형　**12** 3개　**13** 가, 나, 다, 마, 바, 아
14 가, 나, 바　**15** ④　**16** ③, ④　**17** 풀이 참조
18 예 네 각이 직각이 아닙니다.　**19** 22 cm
20 예 (정사각형의 네 변의 길이의 합)=6×4=24(cm)
(직사각형의 네 변의 길이의 합)=50−24=26(cm)
직사각형은 마주 보는 변의 길이가 같으므로
□+6+□+6=26, □+□=14, □=7(cm) ; 7 cm

◆풀이◆

4

점 ㄱ과 점 ㄹ을 지나는 선분을 그립니다.

5 ① 굽은 선으로 이루어져 있으므로 각이 없습니다.
　　③ 두 직선이 만나지 않으므로 각이 아닙니다.
　　④ 직선과 굽은 선이 만났기 때문에 각이라고 할 수
　　　있습니다.

6 한 점에서 그은 두 반직선을 '변'이라고 하며 한 점을
　　'꼭짓점'이라고 합니다.

8 직각삼각자나 색종이 등 직각이 있는 물건을 이용하
　　면 직각을 쉽게 찾을 수 있습니다.

10 직각이 없는 삼각형은 ②번입니다.

11 꼭짓점이 3개이고, 3개의 선분으로 둘러싸인 도형은 삼각형입니다. 한 각이 직각이므로 직각삼각형입니다.

12 직각을 먼저 찾아봅니다.

13 직사각형을 모두 찾습니다. 정사각형은 직사각형입니다.

14 네 각이 모두 직각이고 네 변의 길이가 모두 같은 사각형은 정사각형입니다.

15 네 변의 길이가 같고, 네 각이 모두 직각인 사각형은 정사각형입니다.

16 정사각형의 네 변의 길이가 모두 같고, 네 각이 모두 직각입니다.

17

직사각형은 마주 보는 변의 길이가 같고 정사각형은 네 변의 길이가 모두 같습니다.

18 정사각형은 네 각이 모두 직각이고, 네 변의 길이가 모두 같아야 하는데 주어진 도형은 네 각이 모두 직각이 아닙니다.

19 직사각형은 마주 보는 변의 길이가 같으므로 $8\,cm+3\,cm+8\,cm+3\,cm=22\,cm$입니다.

1회 **3. 나눗셈**

7~9쪽

1 풀이 참조 **2** 4마리 **3** ⓒ **4** 18, 6 **5** 4일
6 (○)( )( ) **7** 예 $40-8-8-8-8-8=0$
이므로 승환이는 친구 1명에게 5자루씩 나누어 줄 수 있습니다. ; 5자루 **8** 6, 30 **9** 5, 6 **10** 6, 5
11 7, 6 ; 6, 7 **12** 3, 15 ; 5, 15 **13** ④
14 **15** (위에서부터) 6, 2, 9
16 8, 4
17 예 $32÷4=ⓐ → ⓐ=8$, $27÷9=ⓑ → ⓑ=3$
$→ ⓐ-ⓑ=8-3=5$; 5
18 7마리
19 예 (남학생의 모둠 수)$=12÷4=3$(모둠)
(여학생의 모둠 수)$=10÷5=2$(모둠)
따라서 모두 $3+2=5$(모둠)이 생겼습니다. ; 5모둠
20 4권

· **풀이** ·

1

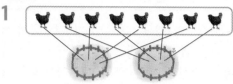

닭을 차례로 번갈아가며 우리에 연결해 봅니다.

3 장미 10송이를 5개의 꽃병에 똑같이 나누어 꽂으면 $10÷5=2$(송이)씩 꽂을 수 있습니다.

5 3개씩 묶어 보면 4묶음이므로 4일 동안 먹을 수 있습니다.

6 $45-9-9-9-9-9=0$이고 식으로 나타내면 $45÷9=5$입니다.

8 5마리씩 6묶음 → $5×6=30$입니다.

11 $7×6=42$　　$7×6=42$
$42÷7=6$　　$42÷6=7$

12 $15÷3=5$　　$15÷3=5$
$5×3=15$　　$3×5=15$

14 $16÷4=4$, $□÷5=5 → 5×5=□ → □=25$
$49÷□=7 → 49÷7=□ → □=7$

15 $36÷6=6$, $4÷2=2$, $36÷4=9$

16 $48÷6=8$, $8÷2=4$

18 (돼지의 다리 수)$=4×8=32$(개)
(오리의 다리 수)$=46-32=14$(개)
(오리 수)$=14÷2=7$(마리)

20 공책을 7명에게 5권씩 나누어 주려면 $7×5=35$(권)이 있어야 하는데 3권이 부족하므로 $35-3=32$(권)이 있습니다. 32권을 8명에게 똑같이 나누어 주면 $32÷8=4$(권)씩 줄 수 있습니다.

1회 **4. 곱셈**

10~12쪽

1 (1) 60 (2) 80 **2** ⓐ, ⓒ, ⓔ, ⓑ **3** 2, 80
4 80마리 **5** (1) 9개 (2) 6개 (3) 23, 3, 69
6 (1) 84 (2) 68 **7** 28, 88 **8** 4, 168

9 (1) 126 (2) 426　**10** 26, 3, 78　**11**

12 40　**13** >

14 예 31×4=124이고 34×4=136입니다.
따라서 124보다 크고 136보다 작은 자연수 중에서
가장 큰 수는 135입니다. ; 135

15 139개　**16** 풀이 참조　**17** ㉠, ㉣　**18** 195

19 441쪽

20 예 남은 의자에 앉은 4명을 모두 합치면 한 의자에
8명이 앉습니다. 따라서 8명씩 앉은 의자가 17개 있으
므로 17×8=136(명)입니다. ; 136명

◉ 풀이

2 ㉠ 320　㉡ 240　㉢ 180　㉣ 210

4 1축이 20마리이므로 4축은 20×4=80(마리)입니
다.

7 (오리 다리 수)=2×14=14×2=28(개)
　(강아지 다리 수)=4×22=22×4=88(개)

11 13×7=91, 24×3=72, 35×2=70

12 4 는 9와 5의 곱 45에서 받아올림한 수이므로 40
을 나타냅니다.

13
```
  3 1        2 3
×   3      ×   4
─────      ─────
  9 3  ⊃   9 2
```

15 (두발자전거의 바퀴 수)=17×2=34(개)
　(세발자전거의 바퀴 수)=35×3=105(개)
　따라서 자전거 바퀴는 모두 34+105=139(개)입
니다.

16
```
    5 9
×     5
───────
    4 5
  2 5 0
───────
  2 9 5
```

17 ㉠ 80×4=320
　㉡ 41×7=287
　㉢ 93×3=279
　㉣ 43×7=301

18 가장 큰 수는 65이고 가장 작은 수는 3입니다.
　→ 65×3=195

19 일주일은 7일이므로 곱셈식으로 나타내면
63×7=441(쪽)입니다.

1회　**5. 길이와 시간**
13~15쪽

1 1　**2** (1) 6 밀리미터 (2) 9 밀리미터 (3) 3 센티미
터 4 밀리미터 (4) 5 센티미터 7 밀리미터

3 (1) 100, 10, 10 (2) 9, 8　**4** <　**5** ②

6 6, 300　**7** (1) 3200 (2) 300

8 예 ㉡ 4010 m=4 km 10 m
㉢ 4802 m=4 km 802 m이므로 길이가 가장 긴 것
은 ㉢, 가장 짧은 것은 ㉣입니다. ; ㉢, ㉣

9 ㉠, ㉢　**10** km에 ○표　**11** 7바퀴　**12** 설아

13 (1) 10, 35, 40 (2) 4, 55, 32

14 (1) 60, 1, 1 (2) 60, 60, 60, 195

15 (1) 6, 50 (2) 5, 20

16 (1) 19분 16초 (2) 9분 57초

17 10분 22초 ; 26초　**18** 7시 45분

19 예 (영화를 시작한 시각)
=(영화가 끝난 시각)−(영화 상영 시간)
=3시 20분−1시간 27분=1시 53분 ; 1시 53분

20 2시 24분 55초

◉ 풀이

4 102 mm=100 mm+2 mm=10 cm+2 mm
　　　　　=10 cm 2 mm
→ 10 cm 2 mm< 12 cm

5 m보다 큰 단위로 km를 씁니다.
1 km=1000 m이므로 2000 m=2 km입니다.

6 작은 사각형 한 칸은 100 m를 나타냅니다.

7 (1) 3 km 200 m=3 km+200 m
　　　　　　　=3000 m+200 m
　　　　　　　=3200 m
　(2) 7300 m=7000 m+300 m
　　　　　=7 km 300 m

9 종이 1장의 두께는 1 cm보다 얇고, 쌀 한 톨의 길이
도 1 cm보다 짧습니다.

10 서울에서 부산까지 거리는 km 단위를 사용합니다.

11 420초=60초+60초+60초+60초+60초+60초
+60초입니다.
60초는 초바늘이 1바퀴 돈 시간이므로 7바퀴 돌았
습니다.

12 초바늘이 한 바퀴 돌면 60초=1분이 됩니다.
초바늘이 숫자 6을 가리키면 30초입니다.

13 (1) 초바늘이 숫자 8을 가리키므로 40초입니다.

(2) 초바늘이 숫자 6에서 2칸 더 간 곳을 가리키므로 32초입니다.

14 (1) 95초=60초+35초입니다.

(2) 3분=1분+1분+1분입니다.

17 합:

$$\begin{array}{r} \overset{1}{4}\text{분 }58\text{초} \\ +\ 5\text{분 }24\text{초} \\ \hline 10\text{분 }22\text{초} \end{array}$$

차:

$$\begin{array}{r} \overset{4}{\cancel{5}}\text{분 }\overset{60}{24}\text{초} \\ -\ 4\text{분 }58\text{초} \\ \hline 26\text{초} \end{array}$$

18 축구 경기를 한 시간은 45분+15분+45분=105분=1시간 45분입니다. 따라서 경기가 끝난 시각은 6시+1시간 45분=7시 45분입니다.

20 (공부를 시작한 시각)
=(공부를 끝낸 시각)−(공부한 시간)
=3시 50분 35초−1시간 25분 40초
=2시 24분 55초

1회 6. 분수와 소수 16~18쪽

1 가 **2** 풀이 참조 **3** 가 **4** (1) 6, 1 (2) 3, 1 **5** ③

6 2, $\dfrac{2}{3}$ **7** (1) 3 (2) 7 **8** 풀이 참조 ; <

9 (1) < (2) > **10** $\dfrac{12}{14}$

11 ⑩ $\dfrac{4}{9} > \dfrac{\square}{9}$ 이므로 4>□입니다. 따라서 □ 안에 들어갈 수 있는 수는 1, 2, 3입니다. → 3개 ; 3개

12 유빈 **13** (위에서부터) $\dfrac{2}{10}$, $\dfrac{6}{10}$; 0.4, 0.8

14 0.6 **15** (1) 27 (2) 18 **16** ③

17 (1) 8.7 (2) 10.6 **18** 풀이 참조 ; <

19 ⑩ 소수점 왼쪽의 수를 비교해 보면 4<6<7입니다. 따라서 7.9가 가장 크고 4.3이 가장 작습니다. ; 7.9, 4.3

20 6, 7, 8, 9

풀이

2 (1) 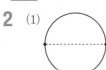 (2)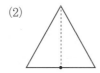

---

3 전체를 똑같이 6으로 나눈 것은 가, 다이고 그중에서 5를 색칠한 것은 가입니다.

5 ③은 $\dfrac{3}{4}$입니다.

8 ⑩

$\dfrac{4}{8}$ 는 전체를 똑같이 8로 나눈 것 중 4를 색칠하고,

$\dfrac{6}{8}$ 은 전체를 똑같이 8로 나눈 것 중 6을 색칠합니다.

9 (1) 3<5이므로 $\dfrac{3}{7} < \dfrac{5}{7}$

(2) 8>4이므로 $\dfrac{8}{10} > \dfrac{4}{10}$

10 분모가 모두 같으므로 분자를 비교하면 12>9>7>6>1이므로 $\dfrac{12}{14}$가 가장 큽니다.

12 3<4이고, 단위분수이므로 $\dfrac{1}{3} > \dfrac{1}{4}$입니다. 따라서 유빈이가 더 많이 먹었습니다.

14 전체를 똑같이 10으로 나눈 것 중의 6이므로 $\dfrac{6}{10}$ 입니다. → $\dfrac{6}{10}$=0.6

16 ③이 나타내는 길이는 1.5 cm입니다.

17 (1) 8 cm 7 mm=8 cm+0.7 cm=8.7 cm

(2) 10 cm 6 mm=10 cm+0.6 cm=10.6 cm

18 ⑩

0.3은 0.1이 3개인 수이고 0.5는 0.1이 5개인 수입니다.

20 소수점 왼쪽의 수가 같으므로 소수점 오른쪽의 수를 비교하면 5<□이어야 합니다.

2회 1. 덧셈과 뺄셈 19~21쪽

1 679 **2** ③ **3** (1) 648 (2) 622

4 (1) − ⓒ (2) − ⑤

5 ⑩ (북한산의 높이)+(인왕산의 높이)=837+338=1175(m) ; 1175 m

6 680개

7 ⑩ 어떤 수를 □라 하면 □−376=452이므로
452+376=□, □=828 따라서 어떤 수는 828입
니다. ; 828

8 ⑴ 4, 6, 3 ⑵ 4, 0, 3 ⑶ 512 ⑷ 211

9 ⑴ 333 ⑵ 182

10 풀이 참조　**11** >　**12** 611, 225

13 107송이　**14** ⑩ 가장 큰 수는 852이고 가장 작
은 수는 258입니다. (두 수의 차)=852−258=594
; 594　**15** ⑴ 548 ⑵ 425　**16** 1171

17 243　**18** 485 g　**19** 878권　**20** 206권

풀이

1 백 모형이 6개, 십 모형이 7개, 낱개 모형이 9개이므로
679입니다.

6 오늘은 어제보다 263개 더 땄으므로
(오늘 딴 사과 수)
=(어제 딴 사과 수)+(더 딴 사과 수)
=417+263=680(개)

9 ⑴
```
   5 10
  7 6 2
 − 4 2 9
 ───────
    3 3 3
```
⑵
```
   4 10
  5 1 9
 − 3 3 7
 ───────
    1 8 2
```

10
```
  6 12 10
  7 3 5
 − 3 5 8
 ───────
    3 7 7
```
십의 자리 계산에서 받아내림한 수를 빼지 않았습니
다.

11
```
  4 8 9
 − 1 2 1
 ───────
   3 6 8
```
```
        4 10
  7 5 2
 − 4 4 8
 ───────
   3 0 4
```

12
```
  7 3 5
 − 1 2 4
 ───────
   6 1 1
```
```
     5 10 10
  6 1 1
 − 3 8 6
 ───────
   2 2 5
```

13 (장미의 수)−(백합의 수)
=492−385
=107(송이)

14
```
  7 14 10
  8 5 2
 − 2 5 8
 ───────
   5 9 4
```

15 ⑴
```
    1
  2 5 3
 + 2 9 5
 ───────
   5 4 8
```
⑵
```
   5 10
  6 0 7
 − 1 8 2
 ───────
   4 2 5
```

16 468+703=1171

17 807−564=243

18 끓인 라면 무게 중 냄비의 무게 200 g을 빼면
800−200=600(g)입니다.
600 g 중 115 g이 라면의 무게이므로 물의 무게는
600−115=485(g)입니다.

19 동화책 568권과 위인전 310권을 합하면
568+310=878(권)입니다.

20 과학 도서 774권에서 동화책 568권을 빼면
774−568=206(권)입니다.

2회　**2. 평면도형**　22~24쪽

1 가, 라 ; 나, 다　**2** ⑴ △ ⑵ ○ ⑶ □　**3** 풀이 참조
4 반직선 ㄱㄴ　**5** ⑴ 3개 ⑵ 4개 ⑶ 1개 ⑷ 0개
6 ⑴ 각 ㄱㅇㄴ 또는 각 ㄴㅇㄱ
　　⑵ 각 ㅅㅇㅈ 또는 각 ㅈㅇㅅ
7 (○)(　)(　)　**8** 6개　**9** ②
10 ⑩ 한 각이 직각인 삼각형이 직각삼각형입니다. 직
각이 없는 삼각형은 나입니다. ; 나
11 ㉡　**12** 6개　**13** 가, 나　**14** 나　**15** ③
16 풀이 참조
17 (위에서부터) 3, 3, 1 ; 4, 4, 4 ; 4, 4, 4
18 (왼쪽에서부터) 6, 2　**19** 5개
20 ⑩ (정사각형의 네 변의 길이의 합)
=40+40+40+40=160(cm)
(직사각형의 네 변의 길이의 합)
=36+20+36+20=112(cm)
→ 160−112=48(cm) ; 48 cm

풀이

1 곧은 선은 곧게 뻗은 선이고 굽은 선은 휘어진 부분
이 있는 선입니다.

3 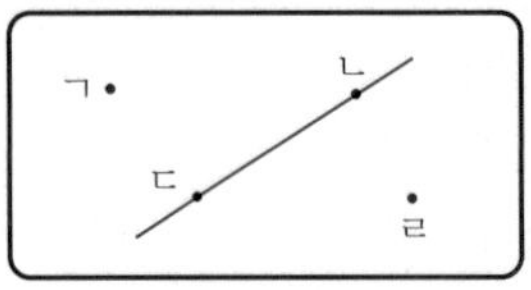

9 한 각이 직각인 삼각형을 찾습니다.

11 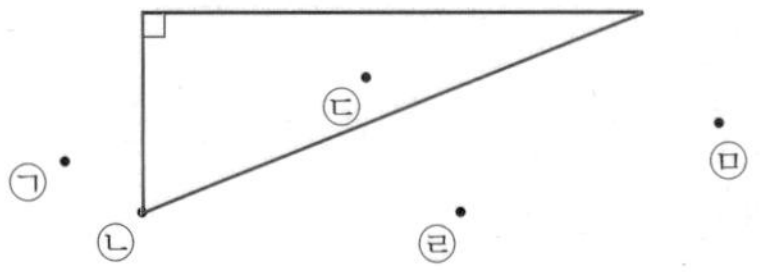

점 ㉡과 선분을 연결하여 삼각형을 그리면 직각이 생깁니다.

12 직각삼각형은 한 각이 직각인 삼각형입니다.
직각삼각형은 위의 그림과 같이 ①, ②, ③, ④, ⑤, ⑥의 6개가 생깁니다.

16 ㉮ 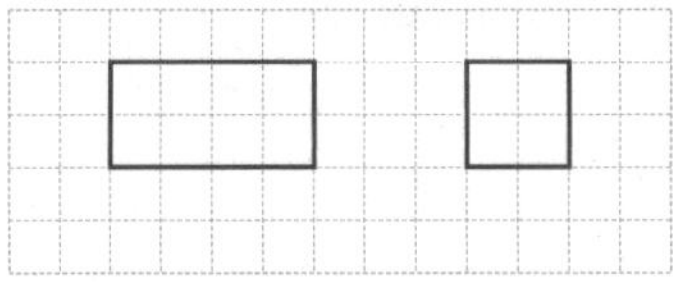

17 직사각형과 정사각형은 직각이 모두 4개씩 있습니다.

18 직사각형은 마주 보는 변의 길이가 같습니다.

19 직사각형 1개짜리 : 3개,
직사각형 2개짜리 : 1개,
직사각형 3개짜리 : 1개
→ 3+1+1=5(개)

2회 3. 나눗셈

25~27쪽

1 풀이 참조 2 6가마니 3 3, 3 4 풀이 참조
5 6명 6 5, 4
7 ㉮ 28명을 4명씩 묶으면 7묶음이 되므로 승합차 1대에 7명씩 타면 됩니다. → 28÷4=7(명) ; 7명
8 2, 4 ; 2, 4 ; 0 9 풀이 참조 ; 4 10 4
11 (1) 9, 4 ; 4, 9 (2) 6, 7 ; 7, 6
12 (1) 3, 24 ; 8, 24 (2) 7, 63 ; 9, 63
13 풀이 참조 ; 6명 14 3, 5, 7 15 9, 3
16 > 17 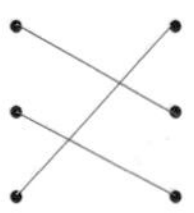 18 8마리
19 ㉮ (쿠키를 담은 봉지 수)
=(만든 쿠키 수)÷(한 봉지에 담은 쿠키 수)
=64÷8=8(봉지)
(남은 봉지 수)=8−3=5(봉지) ; 5봉지 20 2 cm

풀이

1 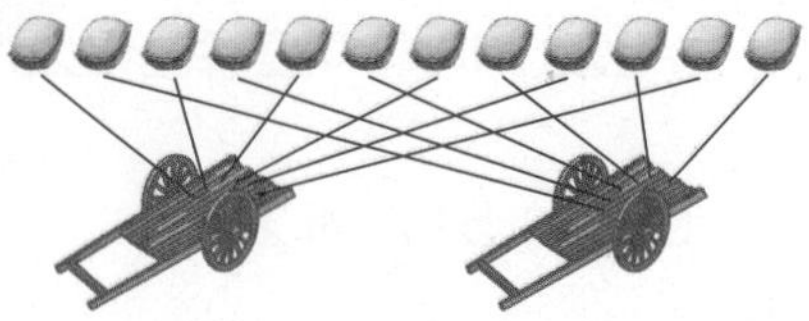

쌀가마니를 차례로 번갈아가며 수레 2대에 연결해 봅니다.

3 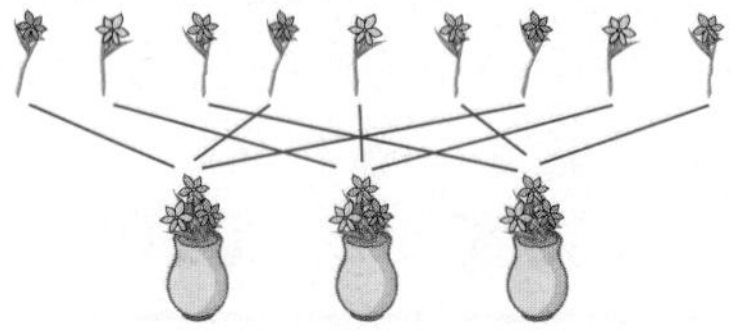

9송이 꽃을 꽃병 3개에 똑같이 나누었더니 꽃병 1개에 3송이씩 꽂혔습니다.

4 ㉮ 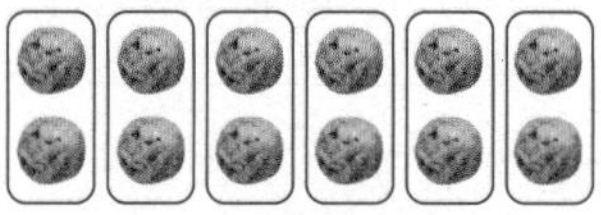

2개씩 묶으면 6묶음이 됩니다.

5 6묶음이면 6명의 친구에게 나누어 줄 수 있습니다.

6 바나나 20개를 5개씩 묶으면 4묶음이 생깁니다.

8 8÷2는 8에서 2를 4번 덜어내는 것입니다.

9 ㉮ 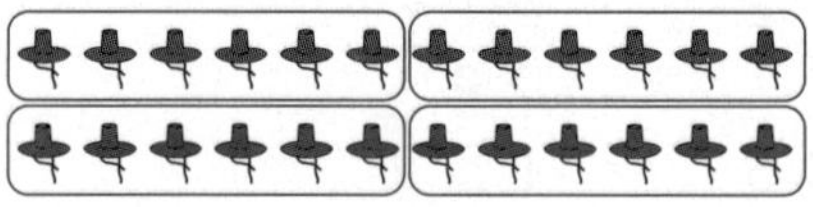

갓이 6개씩 4묶음 있으므로 6×4=24로 나타낼 수 있습니다.

10 갓 24개를 6개씩 상자에 담으면 4상자 필요합니다.

13

×	1	2	3	4	5	6	7	8	9
6	6	12	18	24	30	36	42	48	54

6단 곱셈구구에서 6×6=36이므로 36÷6=6(명)입니다.

14 18÷6=3, 30÷6=5, 42÷6=7

15 45÷5=9, 9÷3=3

16 64÷8=8, 54÷9=6 → 8>6

17 36÷6=6, 40÷5=8, 81÷9=9
54÷6=9, 12÷2=6, 48÷6=8

18 1두름이 20마리이므로 2두름은 20+20=40(마리)입니다. 40마리를 5명이 나누어 가지면 한 사람이 40÷5=8(마리)씩 가지게 됩니다.

20 (정사각형 1개를 만드는 데 필요한 철사의 길이)
=72÷9=8(cm)
→ (정사각형의 한 변의 길이)=8÷4=2(cm)

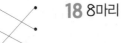

1 (1) 120 (2) 140   **2** ⤬   **3** 3, 90

4 (1) 86 (2) 28   **5** 12, 2, 24

6 (1) 8개 (2) 12개 (3) 32, 4, 128

7 (1) 288 (2) 108

8 ㉠ 156 ㉡ 248 ㉢ 208 ㉣ 186

9 62×4=248 ; 248 cm   **10** 15, 3, 45

11 (1) 94 (2) 72   **12** 20   **13** 72, 288

14 예 15×4=60, 15×5=75이므로 □ 안에 들어
갈 수 있는 가장 큰 수는 4입니다. ; 4

15 예 (사과의 수)=30×3=90(개)

(배의 수)=25×3=75(개)

→ 90+75=165(개) ; 165개   **16** 풀이 참조

17 ㉢, ㉠, ㉣, ㉡   **18** 102쌍

19 (위에서부터) 5, 3, 8, 424

20 예 연필 1타는 12자루입니다. 연필은 9타가 있으
므로 12×9=108(자루)입니다.
108자루 중 49자루를 동생에게 주었으므로 남은 연
필은 108-49=59(자루)입니다. ; 59자루

◦풀이◦

7 (1)   7 2   (2)   5 4
     ×   4   ×   2
     2 8 8   1 0 8

8 ㉠ 52×3=156 ㉡ 4×62=62×4=248
   ㉢ 52×4=208 ㉣ 3×62=62×3=186

10 15씩 3묶음 → 15×3=45

11 (1)   1   (2)   3
       4 7   1 8
     ×   2   ×   4
     9 4   7 2

12 ②는 8과 3의 곱 24에서 20을 올림한 것입니다.

13 24×3=72, 72×4=288

16   6 8
    ×   5
      4 0
    3 0 0
    3 4 0

17 ㉠ 15×8=120 ㉡ 22×5=110
   ㉢ 31×4=124 ㉣ 39×3=117

18 17쌍의 다리를 가진 지네가 6마리 있으므로 다리는
모두 17×6=102(쌍)입니다.

19 곱하는 수에 가장 큰 숫자를 쓰고, 나머지 숫자 카드
로 가장 큰 두 자리 수를 만듭니다.

1 6, 7   **2** 90, 9, 9   **3** (1) 45 (2) 6, 3   **4** ④

5 1000개   **6** (1) 2 킬로미터 (2) 4 킬로미터 800
미터 (3) 7 킬로미터 190 미터   **7** ⑤

8 예 5600 m=5 km 600 m이므로
5600 m>5 km 60 m입니다. 자전거를 더 많이 탄
사람은 세윤이입니다. ; 세윤

9 mm에 ○표   **10** (○)(○)   **11** 60, 60   **12** ②
               ( )( )

13 (1) 9, 20, 30 (2) 4, 10, 55

14 (1) 60, 1, 1 (2) 60, 60, 145

15 (1) 10분 43초 (2) 9분 35초

16 (위에서부터) (1) 1, 32, 14 (2) 31, 60, 24, 44

17 예 35분+1시간 25분=1시간 60분=2시간,
2시간+1시간 55분=3시간 55분이므로 봉사 활동을
한 시간은 3시간 55분입니다. ; 3시간 55분

18 9시 53분   **19** 오후 3시 4분

20 3시간 5분 5초

◦풀이◦

1 6 cm에서 작은 눈금 7칸을 더 간 곳을 가리키므로
6 cm 7 mm입니다.

4 ② 6 cm=60 mm이고 ④ 11 cm=110 mm입니다.

5 1000 m는 1 m가 1000개 모인 길이입니다.

6 'm'는 '미터', 'km'는 '킬로미터'라고 읽습니다.

7 ⑤ 2 km=2000 m이므로 2 km 23 m=2023 m
입니다.

10 15층 아파트의 높이나, 학교 정문에서 교실까지의
거리는 m를 사용하여 나타내기 알맞습니다.

11 초바늘은 한 바퀴를 돌면서 작은 눈금 60칸을 움직입니다.

따라서 1분=60초입니다.

12 '고마워'라는 말은 1초면 할 수 있습니다.

100 m 달리기를 선수들도 9초가 넘게 걸립니다.

13 ⑴ 초바늘이 6을 가리키므로 30초를 나타냅니다.

⑵ 초바늘이 11을 가리키므로 55초를 나타냅니다.

18 스파게티를 만드는 데 걸린 시간은

8+11+4=23(분)입니다.

9시 30분에 시작해서 23분이 걸렸으므로 다 만든 시각은 9시 30분+23분=9시 53분입니다.

19 (도착한 시각)=(출발한 시각)+(걸린 시간)

=1시 50분+1시간 14분=3시 4분

20 (공부한 시간)=(끝낸 시각)−(시작한 시각)

=5시 50분 40초−2시 45분 35초

=3시간 5분 5초

2회   6. 분수와 소수

1 2조각   **2** 풀이 참조   **3** ④   **4** 6, 2, $\frac{2}{6}$, 6분의 2

5 ⑴ $\frac{4}{6}$ ⑵ $\frac{4}{8}$ **6** $\frac{1}{2}$ **7** 풀이 참조 ; >

8 ⑴ < ⑵ > ⑶ < ⑷ <

9 예 분모가 모두 같으므로 분자가 클수록 더 큰 수입니다. 따라서 분자가 6보다 큰 수를 찾으면 $\frac{8}{10}$ 입니다.

; $\frac{8}{10}$ **10** 덕수, 상우, 일남

11 $\frac{1}{2}$, $\frac{1}{4}$, $\frac{1}{5}$, $\frac{1}{7}$ **12** 2, 3, 4   **13**

14 ⑴ 영 점 사 ⑵ 영 점 칠

15 ⑴ 24 ⑵ 36

16 ⑴ 10 mm ⑵ $\frac{1}{10}$, 0.1   **17** ⑤

18 풀이 참조 ; >   **19** 예진

20 예 소수점 왼쪽의 수가 모두 같으므로 소수점 오른쪽의 수를 비교하면 3<□<7입니다. 따라서 □ 안에 들어갈 수 있는 수는 4, 5, 6입니다. ; 4, 5, 6

풀이

2 ⑴   ⑵

3 전체를 똑같이 4로 나눈 것은 ④, ⑤이고 이 중에서 3만큼 색칠한 것은 ④입니다.

7 예

분모가 같은 분수는 분자가 큰 쪽이 더 큰 분수입니다.

8 ⑴ 3<5이므로 $\frac{3}{8}$ < $\frac{5}{8}$

⑵ 7>6이므로 $\frac{7}{12}$ > $\frac{6}{12}$

⑶ 2<4이므로 $\frac{2}{5}$ < $\frac{4}{5}$

⑷ 4<8이므로 $\frac{4}{9}$ < $\frac{8}{9}$

10 분모가 같을 때에는 분자가 작을수록 작은 분수입니다.

따라서 $\frac{1}{6}$ < $\frac{3}{6}$ < $\frac{5}{6}$ 입니다.

11 분자가 1로 모두 같을 때에는 분모가 작을수록 큰 분수입니다.

12 분자가 같을 때에는 분모가 작을수록 큰 분수입니다.

$\frac{1}{5}$ < $\frac{1}{□}$ 이므로 5>□입니다.

따라서 □ 안에 들어갈 수 있는 수는 2, 3, 4입니다.

13 0.6은 $\frac{6}{10}$ 과 같고, 0.2는 $\frac{2}{10}$ 와 같고, 0.7은 $\frac{7}{10}$ 과 같습니다.

14 소수점 왼쪽의 숫자를 읽은 후, 소수점은 '점'이라고 읽고, 소수점 오른쪽의 숫자를 읽습니다.

15 ■.▲는 0.1이 ■▲개입니다.

16 1 cm를 똑같이 10칸으로 나눈 것 중 1칸을 1 mm라 하고 1 mm는 $\frac{1}{10}$ cm 또는 0.1 cm입니다.

17 ⑤ 90 cm 6 mm=90.6 cm

18 예

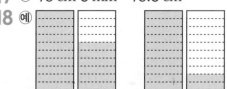

색칠한 부분을 비교하면 1.6>1.2입니다.

19 32.5<32.7이므로 예진이가 더 무겁습니다.

10종 검정 교과서 수학

완벽 분석 종합평가

정답과 풀이

1 덧셈과 뺄셈

수학 익힘 풀기

1 769   **2** (1) 778 (2) 889
3 ㉠ 749 ㉡ 696 ㉢ 678 ㉣ 767
4 (1) 583 (2) 997   **5** 483
6 569+114=683 ; 683개

풀이

1 ① 일의 자리: 8+1=9이므로 일의 자리에 9를 씁니다.
② 십의 자리: 4+2=6이므로 십의 자리에 6을 씁니다.
③ 백의 자리: 2+5=7이므로 백의 자리에 7을 씁니다.

2 (1) ① 일의 자리: 2+6=8이므로 일의 자리에 8을 씁니다.
② 십의 자리: 4+3=7이므로 십의 자리에 7을 씁니다.
③ 백의 자리: 5+2=7이므로 백의 자리에 7을 씁니다.
(2) ① 일의 자리: 2+7=9이므로 일의 자리에 9를 씁니다.
② 십의 자리: 5+3=8이므로 십의 자리에 8을 씁니다.
③ 백의 자리: 2+6=8이므로 백의 자리에 8을 씁니다.

3 ㉠ 236+513=749
㉡ 442+254=696
㉢ 236+442=678
㉣ 513+254=767

4 (1) ① 일의 자리: 5+8=13이므로 일의 자리에 3을 쓰고, 1은 십의 자리로 받아올림합니다.
② 십의 자리: 3+4=7이므로 7과 일의 자리에서 받아올림한 1을 더하여 8을 씁니다.
③ 백의 자리: 2+3=5이므로 백의 자리에 5를 씁니다.

5 수 모형이 나타내는 수: 248
(수 모형이 나타내는 수보다 235 더 큰 수)
=248+235=483

6 (올해 수확한 귤의 수)
=(작년에 수확한 귤의 수)+114
=569+114
=683(개)

수학 익힘 풀기

1 (1) ㉢ (2) ㉡ (3) ㉠   **2** (1) 7 ; 5 (2) 5 ; 7
3 1425   **4** (1) 245 (2) 365   **5** 551
6 359−235=124 ; 124쪽

풀이

1 (1) 326+198=524
(2) 198+387=585
(3) 657+244=901

2 (1) 일의 자리 계산: □+6=13 → □=7
십의 자리 계산: 1+4+□=10 → □=5
(2) 일의 자리 계산: 8+□=15 → □=7
십의 자리 계산: 1+□+8=14 → □=5

3
```
  1 1
  5 8 9
+ 8 3 6
───────
1 4 2 5
```

4 (1) ① 일의 자리: 8−3=5이므로 일의 자리에 5를 씁니다.
② 십의 자리: 8−4=4이므로 십의 자리에 4를 씁니다.
③ 백의 자리: 5−3=2이므로 백의 자리에 2를 씁니다.

5
```
  7 8 5
− 2 3 4
───────
  5 5 1
```

6 (더 읽어야 하는 동화책의 쪽수)
=(동화책의 전체 쪽수)−(지금까지 읽은 동화책의 쪽수)
=359−235
=124(쪽)

1 (1) 357 (2) 567   **2** 515   **3** 314
4 (1) 268 (2) 365   **5** 376 ; 179
6 애영, 459

1 (1) ① 일의 자리: 십의 자리에서 받아내림하면
　　　　12−5=7이므로 일의 자리에 7을 쓰고, 십
　　　　의 자리는 7임을 기억합니다.
　　② 십의 자리: 7−2=5이므로 십의 자리에 5를
　　　　씁니다.
　　③ 백의 자리: 6−3=3이므로 백의 자리에 3을
　　　　씁니다.

2
```
      5 10
    7 6 1
  − 2 4 6
    5 1 5
```

3 483−169=314

4 (1) ① 일의 자리: 십의 자리에서 받아내림하면
　　　　14−6=8이므로 일의 자리에 8을 쓰고, 십
　　　　의 자리는 1임을 기억합니다.
　　② 십의 자리: 백의 자리에서 받아내림하면
　　　　11−5=6이므로 십의 자리에 6을 쓰고, 백
　　　　의 자리는 4임을 기억합니다.
　　③ 백의 자리: 4−2=2이므로 백의 자리에 2를
　　　　씁니다.

5 852−476=376, 376−197=179

6 726>267이므로 애영이네 집이 더 가깝습니다.
　　(재경이네 집까지의 거리)−(애영이네 집까지의 거리)
　　=726−267=459(m)

1 395   **2** (1) 877 (2) 597   **3** 781   **4** 721
5 (왼쪽부터) 3, 4, 4   **6** 907명   **7** 1026
8 1304 m   **9** <   **10** (1) 524 (2) 231
11 478
12 풀이 참조 ; 예 십의 자리로 받아내림한 수를 백의
자리 계산에서 빼지 않고 계산했습니다.
13 120   **14** 389   **15** 465   **16** 128쪽

17 예 ㉠ 435+786=1221
　　㉡ 229+182=411 ㉢ 900−593=307
　　㉣ 976−268=708
　　따라서 계산 결과가 가장 작은 것은 ㉢입니다. ; ㉢
18 623개
19 예 (3학년 학생 수)=148+144=292(명)이
고 (4학년 학생 수)=167+159=326(명)입니다.
따라서 4학년이 326−292=34(명) 더 많습니다.
; 4학년, 34명
20 672

1 백 모형이 3개, 십 모형이 9개, 일 모형이 5개이므
　　로 232+163=395입니다.

2 (1)
```
    5 2 3
  + 3 5 4
    8 7 7
```
(2)
```
    4 6 2
  + 1 3 5
    5 9 7
```

3
```
      1
    3 4 3
  + 4 3 8
    7 8 1
```

4 □−267=454, □=454+267=721

5 일의 자리부터 차례로 계산합니다.
```
    2 6 5
  + ㉢ 8 ㉠
    6 ㉡ 9
```
5+㉠=9 ➡ ㉠=4
6+8=10+㉡ ➡ ㉡=4
1+2+㉢=6 ➡ ㉢=3

6 (오늘 동물원에 입장한 사람의 수)
　　=(어른의 수)+(어린이의 수)
　　=329+578=907(명)

7 □=558+468, □=1026

8 (학교에서 공원까지의 거리)
　　=(학교에서 서점까지의 거리)+(서점에서 공원까지
　　　의 거리)
　　=568+736=1304 (m)

9 375+468=843, 584+263=847

10 (1)
```
    8 7 6
  − 3 5 2
    5 2 4
```
(2)
```
    5 9 4
  − 3 6 3
    2 3 1
```

11 $726-248=478$

12

$$
\begin{array}{r}
\overset{4}{\cancel{5}}\overset{10}{\cancel{1}}4 \\
-\ 1\ 2\ 3 \\
\hline
3\ 9\ 1
\end{array}
$$

십의 자리 수끼리 뺄셈을 할 수 없으므로 백의 자리에서 받아내림하여 계산해야 합니다.

13 십의 자리에서 3은 일의 자리로 받아내림한 후 2를 썼고 2에서 6을 뺄 수 없으므로 백의 자리에서 받아내림하여 12를 썼습니다. 12는 120을 나타냅니다.

14 ▢=$946-557=389$

15 $624>547>256>159$이므로 가장 큰 수는 624이고 가장 작은 수는 159입니다.
➔ $624-159=465$

16 (더 읽어야 할 동화책의 쪽수)
  =(전체 동화책의 쪽수)-(읽은 동화책의 쪽수)
  =$304-176=128$(쪽)

18 판 사과의 수는 빼고 사 온 사과의 수는 더합니다.
  $658-269=389$, $389+234=623$(개)

20 ▢+$149=627$, ▢=$627-149=478$
  따라서 바르게 계산하면 $478+194=672$입니다.

2회 단원 평가 도전
17~19쪽

> **1** (1) 598 (2) 1122 **2** 797, 864 **3** 884번
> **4** 은형 **5** 10 **6** (1) ㉢ (2) ㉡ (3) ㉠ **7** 942
> **8** 1041
> **9** ⑩ 가장 큰 세 자리 수는 764, 가장 작은 세 자리 수는 346이므로, (가장 큰 세 자리 수)+(가장 작은 세 자리 수)=$764+346=1110$입니다. ; 1110
> **10** 0, 1, 2, 3, 4, 5 **11** (1) 721 (2) 394
> **12** 182, 249 **13** 466 **14** >
> **15** (순서대로) 359, 545 **16** 488 m
> **17** 559 cm
> **18** ⑩ (껌 한 통과 요구르트 한 병의 값)
> =$350+170=520$(원)이므로
> (남은 돈)=$700-520=180$(원)입니다. : 180원
> **19** 458명 **20** 병원, 39 m

풀이

1 각 자리 수의 합이 10이거나 10보다 크면 바로 윗자리로 받아올림합니다.

2 $172+625=797$
  $239+625=864$

3 (어제 넘은 줄넘기의 수)+(오늘 넘은 줄넘기의 수)
  =$442+442=884$(번)

4 은형: $574+197=771$

5 ▢ 안의 수 1은 $8+6=14$에서 10을 받아올림한 것이므로 실제로 나타내는 수는 10입니다.

6 (1) $548+286=834$
  (2) $385+487=872$
  (3) $495+497=992$

7 가장 큰 수: 574, 가장 작은 수: 368
  ➔ $574+368=942$

8 100이 7개, 10이 16개, 1이 8개인 수는 868입니다. 따라서 868보다 173 더 큰 수는
  $868+173=1041$입니다.

10 $48▢+749=1235$일 때 ▢=6입니다.
  $48▢+749<1235$이려면 ▢<6이어야 하므로 ▢ 안에 알맞은 수는 0, 1, 2, 3, 4, 5입니다.

11 (2) 십의 자리 수끼리 뺄 수 없는 때에는 백의 자리에서 10을 받아내림하여 계산합니다.

12 $327-145=182$, $714-465=249$

13 $369+▢=835$, ▢=$835-369=466$

14 $897-226=671$ ⃟> $738-145=593$

15 $618-259=359$,
  $359+▢=904$이므로
  ▢=$904-359=545$

16 (북한산의 높이)-(용마산의 높이)
  =$836-348=488$(m)

17 9 m=900 cm
  (남은 색 테이프)=$900-341=559$(cm)

19 (여학생의 수)=(전체 학생 수)-(남학생의 수)
  =$947-489=458$(명)

20 (예은이네 집 ~ 병원 ~ 학교)
  =$259+324=583$(m)
  (예은이네 집 ~ 우체국 ~ 학교)
  =$194+428=622$(m)
  따라서 병원을 지나는 길이 $622-583=39$(m) 더 가깝습니다.

정답과 풀이

3회 단원평가 20~22쪽

1 (1) 687 (2) 625
2 (순서대로) 487, 699, 982　**3** 688명
4 721
5 풀이 참조 ; 예 받아올림한 수를 십의 자리와 백의 자리 계산에 더하지 않고 계산했습니다.
6 ①　**7** 1339명　**8** 1312 m
9 (위에서부터) 8 ; 7 ; 2
10 예 (민호가 가지고 있는 돈)=(처음에 가지고 있던 돈)+(누나에게서 받은 돈)+(어머니에게서 받은 돈)
=450+280+390=730+390
=1120(원) ; 1120원
11 133　**12** (1) 442 (2) 466
13 예 (남은 사과의 수)=339−117=222(개)이고 (남은 귤의 수)=685−243=442(개)입니다. 그러므로 (남은 귤의 수)−(남은 사과의 수)
=442−222=220(개)입니다. ; 220개
14 ㉠　**15** (순서대로) 1721 ; 1395 ; 187 ; 139
16 (1) > (2) >
17 예 846>658이므로 학교에서 더 먼 곳에 살고 있는 사람은 재희입니다.
846−658=188이므로 재희가 은호보다 학교에서 188 m 더 먼 곳에 살고 있습니다. ; 재희, 188 m
18 ④　**19** 387 m　**20** 765

풀이

1 각 자리 수의 합이 10이거나 10보다 크면 바로 윗자리로 받아올림합니다.

2
```
  3 3 6      5 4 8      8 3 1
+ 1 5 1    + 1 5 1    + 1 5 1
───────    ───────    ───────
  4 8 7      6 9 9      9 8 2
```

3 (정희네 학교 전체 학생 수)
=(남학생 수)+(여학생 수)
=361+327=688(명)

4 457+264=721

5
```
    1 1
    5 3 7
 +  2 9 5
 ─────────
    8 3 2
```

6 ① 545+476=1021
7 (이틀 동안 누리집 방문자 수)
=(어제 방문자 수)+(오늘 방문자 수)
=764+575=1339(명)
8 (집~우체국)+(우체국~집)
=656+656=1312(m)
9 6+□=13 → □=13−6=7
1+5+6=10+□ → □=12−10=2
1+□+2=11 → □=11−3=8
11 347−214=133
12 같은 자리 수끼리 뺄 수 없을 때에는 바로 윗자리에서 받아내림하여 계산합니다.
14 ㉠
```
      7 10
    8 0 6
 −  2 3 5
 ─────────
    5 7 1
```
㉡
```
      6 10
    7 1 9
 −  1 7 4
 ─────────
    5 4 5
```
15 814+907=1721, 627+768=1395
814−627=187, 907−768=139
16 (1) 400−327=73 > 225−187=38
(2) 718−269=449 > 500−129=371
18 567>526>515>352>348
19 (㉠~㉢)+(㉡~㉣)−(㉡~㉢)
=286+295−194=581−194=387(m)
20 가장 큰 세 자리 수: 972
가장 작은 세 자리 수: 207
➔ (두 수의 차)=972−207=765

4회 단원평가 23~25쪽

1 758　**2** 559　**3** >　**4** (1) ㉡ (2) ㉠ (3) ㉢
5 642개　**6** 632　**7** 1022　**8** 931
9 1017장
10 예 가장 큰 세 자리 수는 954, 가장 작은 세 자리 수는 405, 두 번째로 작은 세 자리 수는 409입니다. 따라서 가장 큰 세 자리 수와 두 번째로 작은 세 자리 수의 합은 954+409=1363입니다. ; 1363
11 571　**12** 115 ; 406 ; 627　**13** 478
14 예 어떤 수를 □라 하면 □+239=893,
□=893−239, □=654입니다. 따라서 바르게 계산하면 654−239=415입니다. ; 415

15 624, 178 **16** 178명

17 ㉠ 199 ㉡ 180

18 예 (백합 수)=800−481=319(송이),

(튤립 수)=319−82=237(송이),

(장미 수)=481−237=244(송이)

; 244송이

19 175 m

20 예 (1학년 학생 수)+(6학년 학생 수)

=(2학년 학생 수)+(3학년 학생 수)이므로

446+408=428+(3학년 학생 수)입니다.

따라서 (3학년 학생 수)

=854−428=426(명)입니다. ; 426명

풀이

4 (1)
```
    1 1
    1 4 9
  + 8 3 6
    9 8 5
```
(2)
```
    1
    3 6 6
  + 5 4 2
    9 0 8
```
(3)
```
    1
    2 2 6
  + 5 4 4
    7 7 0
```

5 (올해 수확한 수박의 수)

=(작년에 수확한 수박의 수)+175

=467+175=642(개)

6 세로셈으로 자리를 맞추어 쓴 다음 받아올림에 주의

하여 계산합니다.
```
    1 1
    3 5 8
  + 2 7 4
    6 3 2
```

7 삼각형 안에 있는 수는 347과 675입니다.

➜ 347+675=1022

8 가장 큰 수는 573이고 가장 작은 수는 358입니다.

➜ 573+358=931

9 719+298=1017(장)

11
```
    7 8 7
  − 2 1 6
    5 7 1
```

12 (1)
```
    2 10 10
    3 ⁄1 2
  − 1 9 7
    1 1 5
```
(2)
```
    5 9 10
    6 0 3
  − 1 9 7
    4 0 6
```
(3)
```
    7 11 10
    8 2 4
  − 1 9 7
    6 2 7
```

13 453+□=547+384, 453+□=931,

□=931−453=478

---

15 803−178=625, 803−624=179,

624−178=446이므로 □ 안에 624, 178을 차

례로 써넣습니다.

16 (지금 운동을 하고 있는 사람 수)

=(처음에 있던 사람 수)−(집으로 돌아간 사람 수)

=342−164=178(명)

17 각 선분 위의 세 수의 합:

117+357+136=474+136=610

117+㉠+294=610

→ ㉠=610−294−117=316−117=199

136+㉡+294=610

→ ㉡=610−294−136=316−136=180

19 (㉡~㉢)=(㉠~㉢)+(㉡~㉣)−(㉠~㉣)

=318+484−627

=802−627

=175(m)

탐구 서술형 평가 26~29쪽

1 **1단계** 246개 **2단계** 373개 **3단계** 619개

1-1 예 혜성이가 한 줄넘기는 125번입니다. 유준이

가 한 줄넘기는 125+143=268(번)입니다.

따라서 두 사람이 넘은 줄넘기는 모두

125+268=393(번)입니다. ; 393번

2 **1단계** 853 **2단계** 358 **3단계** 1211

2-1 예 만들 수 있는 세 자리 수 중에서 가장 큰 수는

864이고, 가장 작은 수는 468입니다.

따라서 가장 큰 수와 가장 작은 수의 차는

864−468=396입니다. ; 396

3 **1단계** 505명 **2단계** 521명 **3단계** 4학년, 16명

3-1 예 (축구장에 입장한 사람 수)

=(남자 수)+(여자 수)

=562+354=916(명)이고

(야구장에 입장한 사람 수)

=(남자 수)+(여자 수)

=478+465=943(명)입니다.

916<943이므로 야구장에 입장한 사람이

943−916=27(명) 더 많습니다.

; 야구장, 27명

4 ⑩ (학교~공원)=(집~공원)−(집~학교)
=938−779=159 (m),
(서점~학교)=(서점~공원)−(학교~공원)
=438−159=279 (m)입니다. ; 279 m

5 ⑩ (정수가 9월까지 모은 우표 수)
=449+274=723(장)이고
(정수가 더 모아야 하는 우표 수)
=900−723=177(장)입니다.
따라서 앞으로 더 모아야 하는 우표 수는 177(장)입니다. ; 177장

풀이

1 **1단계** 정우가 주운 밤은 246개입니다.
2단계 246+127=373(개)
3단계 246+373=619(개)

2 **1단계** 세 수를 큰 수부터 차례로 쓰면 가장 큰 수가 됩니다.
2단계 세 수를 작은 수부터 차례로 쓰면 가장 작은 수가 됩니다.
3단계 853+358=1211

3 **1단계** (3학년 남학생 수)+(3학년 여학생 수)
=267+238=505(명)
2단계 (4학년 남학생 수)+(4학년 여학생 수)
=276+245=521(명)
3단계 521>505이므로 4학년 학생이 521−505
=16(명) 더 많습니다.

4 (집~학교)+(서점~공원)−(집~공원)
=(서점~학교)로도 구할 수 있습니다.
779+438=1217(m),
1217−938=279(m)

---

2   평면도형

수학 익힘 풀기   31쪽

1 ⓑ   2 ㉠   3 ㉢
4 (1) 직선 ㄱㄴ 또는 직선 ㄴㄱ
(2) 선분 ㄷㄹ 또는 선분 ㄹㄷ   (3) 반직선 ㅂㅁ
5 ⑤   6 풀이 참조   7 ㉡

풀이

1 선분은 ⓑ과 같이 두 점을 곧게 이은 선을 말합니다.

2 반직선은 ㉠과 같이 한 점에서 한쪽으로 끝없이 늘인 곧은 선을 말합니다.

3 직선은 ㉢과 같이 양쪽으로 끝없이 늘인 곧은 선을 말합니다.

4 (3) 점 ㅂ에서 시작하여 점 ㅁ을 지나는 반직선이므로 반직선 ㅂㅁ이라고 합니다.

5 ⑤와 같이 한 점에서 그은 두 반직선으로 이루어진 도형을 각이라고 합니다.

6

점 ㄴ에서 반직선 ㄴㄱ을 긋고, 다시 점 ㄴ에서 반직선 ㄴㄷ을 긋습니다.

7 ㉠ 4개 ㉡ 6개 ㉢ 3개 ㉣ 5개

수학 익힘 풀기   33쪽

1 풀이 참조   2 풀이 참조   3 3개   4 ㉡
5 5개   6 풀이 참조

풀이

1
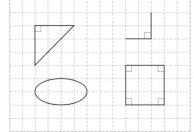

직각 삼각자의 직각 부분을 대었을 때 꼭 맞게 겹쳐지는 각을 찾습니다.

2 ⑩

직각 삼각자에서 직각이 있는 부분을 점 ㄱ에 대고 그려 봅니다.

3 각 ㄱㅅㄴ, 각 ㄴㅅㄹ, 각 ㄷㅅㅁ은 직각입니다.

4 ㉡과 같이 한 각이 직각인 삼각형을 직각삼각형이라고 합니다.

5
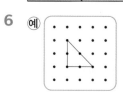

6 예

직각 삼각자를 이용하여 한 각이 직각인 삼각형을 그려 봅니다.

1 ㉡   **2** 직각   **3** 5개   **4** ㉠, ㉢, ㉤
5 ㉠, ㉣, ㉤   **6** ㉠, ㉤   **7** 직각

풀이

1 ㉡과 같이 네 각이 모두 직각인 사각형은 직사각형입니다.

2 ㉠ 사각형의 네 각 중에 직각이 아닌 각이 있습니다.

3

①	
②	③

직사각형 1개짜리: ①, ②, ③ → 3개
직사각형 2개짜리: (②+③) → 1개
직사각형 3개짜리: (①+②+③) → 1개

4 네 각이 모두 직각인 사각형은 ㉠, ㉢, ㉤입니다.

5 네 변의 길이가 모두 같은 사각형은 ㉠, ㉣, ㉤입니다.

6 네 각이 모두 직각이고 네 변의 길이가 모두 같은 정사각형은 ㉠과 ㉤입니다.

7 ㉣과 ㉤과 같이 네 변의 길이는 모두 같지만, 네 각이 모두 직각이 아닙니다.

1 ④   **2** 풀이 참조   **3** 은혜   **4** ③, ④
5 각 ㄹㅁㅂ 또는 각 ㅂㅁㄹ   **6** 풀이 참조

7 예 각의 개수를 세어 보면 ㉠ 4개, ㉡ 1개, ㉢ 3개, ㉣ 5개입니다. 따라서 각의 개수가 가장 많은 도형은 ㉣입니다. ; ㉣

8 3개   **9** 풀이 참조   **10** ②, ⑤   **11** 수호
12 풀이 참조
13 예 한 각이 직각이 아니기 때문입니다.
14 ㉡   **15** 4, 4, 4   **16** 6개   **17** ㉠, ㉢
18 정사각형
19 예 정사각형은 네 변의 길이가 모두 같습니다. 한 변을 □ cm라 하면 □+□+□+□=20입니다. 20=5+5+5+5이므로 정사각형의 한 변은 5 cm입니다. ; 5 cm
20 26 cm

풀이

1 두 점 ㄱ, ㄴ을 곧게 이은 선을 선분 ㄱㄴ이라고 합니다.
① 반직선 ㄱㄴ   ② 직선 ㄱㄴ 또는 직선 ㄴㄱ
③ 반직선 ㄴㄱ   ④ 선분 ㄱㄴ 또는 선분 ㄴㄱ

2
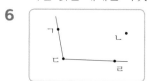
점 ㄱ에서 시작하여 점 ㄴ을 지나는 반직선을 그어 봅니다.
점 ㄴ에서 시작하여 점 ㄱ을 지나는 반직선은 반직선 ㄴㄱ이라고 합니다.

3 선분은 두 점을 곧게 이은 선입니다.

4 곧은 선이 없는 ③, ④에서는 각을 찾을 수 없습니다.

5 각을 읽을 때에는 꼭짓점이 가운데에 오도록 읽습니다.

6

각의 꼭짓점이 점 ㄷ이 되도록 그립니다.

8 종이를 반듯하게 두 번 접었을 때 생기는 각을 직각이라고 합니다.

9 예

직각 삼각자에서 직각을 이루는 한 변을 주어진 직선에 맞춘 후, 직각을 이루는 나머지 한 변을 따라 선을 그어 직각을 그립니다.

10 한 각이 직각인 삼각형을 찾습니다.

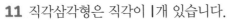

11 직각삼각형은 직각이 1개 있습니다.

12 예 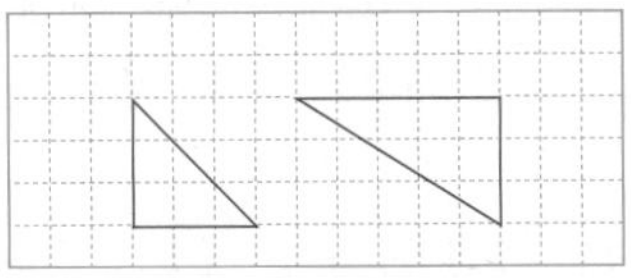

한 각이 직각인 삼각형을 그립니다.

13 직각삼각형은 한 각이 직각인 삼각형입니다.

14 직사각형은 네 각이 모두 직각이어야 합니다.

15 직사각형은 변이 4개, 꼭짓점이 4개, 직각이 4개입니다.

16 그림과 같이 점선을 따라 자르면 네 각이 모두 직각인 직사각형이 6개 만들어집니다.

17 정사각형은 네 변의 길이가 같고 네 각이 모두 직각인 사각형입니다.

18 변이 4개이므로 사각형입니다.
네 각이 직각이고 네 변의 길이가 모두 같은 사각형은 정사각형입니다.

20 직사각형은 마주 보는 변의 길이가 같으므로 네 변의 길이의 합은 $8+8+5+5=26$(cm)입니다.

2회 단원 평가 (도전) 39~41쪽

1 ③, ④ **2** (1) 풀이 참조 (2) 6개 **3** 6개
4 ㉡ **5** 각 ㄱㄴㄷ 또는 각 ㄷㄴㄱ **6** 6개
7 ㉡ **8** ①, ④ **9** ㉣ **10** ㉡ **11** ①, ②
12 ② **13** ㉠, ㉡, ㉣, ㉥ **14** ㉠, ㉣, ㉥
15 예 직각삼각형은 직각이 1개이므로 ㉠은 1입니다. 직사각형은 직각이 4개이므로 ㉡은 4입니다. 따라서 ㉠+㉡=1+4=5입니다. ; 5
16 풀이 참조
17 예 □+8+□+8=38, □+□=22, 11+11=22이므로 □=11(cm)입니다. ; 11
18 ③, ④ **19** 풀이 참조 **20** 20 cm

풀이

1 직선은 양쪽으로 끝없이 늘인 곧은 선이므로 ③, ④입니다. ①은 선분이고 ②는 반직선입니다.

2 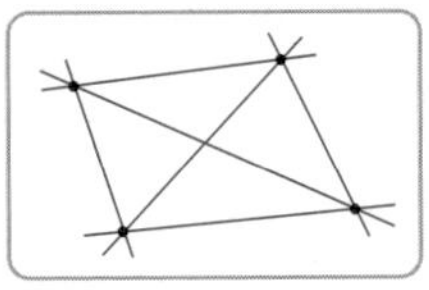 양쪽으로 끝없이 늘인 곧은 선을 직선이라고 합니다.

3 도형은 6개의 선분으로 이루어져 있습니다.

4 한 점에서 그은 두 반직선으로 이루어진 도형을 찾습니다.

5 각의 꼭짓점 ㄴ이 가운데 오도록 읽습니다.
➔ 각 ㄱㄴㄷ 또는 각 ㄷㄴㄱ

6 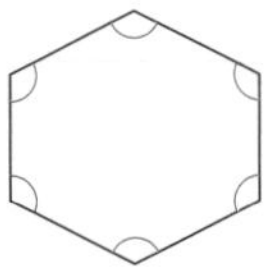 도형에서 찾을 수 있는 각은 6개입니다.

8 직각 삼각자의 직각 부분을 대었을 때 꼭 맞게 겹쳐지는 각을 찾습니다.

9 직각을 찾아보면 ㉠은 2개, ㉡은 1개, ㉢은 0개, ㉣은 4개입니다.

10 직각삼각형은 한 각이 직각인 삼각형이므로 ㉠과 ㉢은 직각삼각형입니다.

11 직각삼각형은 한 각이 직각이고 각이 모두 3개 있습니다.

12 점 ㄷ을 ②로 옮기면 각 ㄱㄴㄷ이 직각이 됩니다.

13 네 각이 모두 직각인 사각형을 찾습니다.

14 직사각형 중에서 네 변의 길이가 같은 사각형을 찾습니다.

16 예 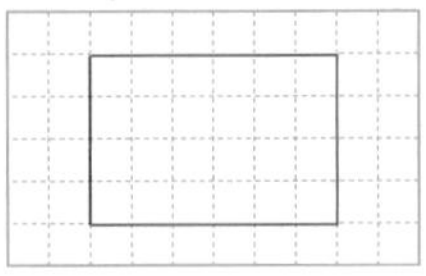 마주 보는 두 변의 길이가 같고 네 각이 모두 직각이 되도록 그립니다.

18 네 각이 직각이므로 직사각형이고, 네 변의 길이가 같으므로 정사각형입니다.

19 예  네 각이 직각이고 네 변의 길이가 같도록 사각형을 완성합니다.

20 정사각형의 네 변의 길이가 같으므로 굵은 선의 길이는 한 변의 길이의 10배입니다. 따라서 굵은 선의 길이는 20 cm입니다.

3회 단원 평가 (기출) 42~44쪽

1 반직선 ㄹㄷ
2 ㉠ 반직선 ㄹㄴ ㉡ 직선 ㅁㄹ 또는 직선 ㄹㅁ
3 ㉡ **4** 꼭짓점, 변
5 예 두 직선이 한 점에서 만나지 않습니다.
6 6개 **7** 직각 **8** 6개

9 예 직각의 수를 세어 보면 ㉠은 1개, ㉡은 1개, ㉢은 2개, ㉣은 3개입니다. 따라서 직각이 가장 많은 도형은 ㉣입니다. ; ㉣

10 2개

11 예 3개의 선분으로 둘러싸인 도형은 삼각형입니다. 삼각형 중에서 한 각이 직각인 도형은 직각삼각형입니다. ; 직각삼각형

12 풀이 참조 **13** 3개 **14** 풀이 참조

15 18개 **16** (1) 정사각형 (2) 5 cm **17** 15

18 ②, ④ **19** 8 cm

20 예 ☐: 10개, ☐☐☐☐: 4개입니다. 따라서 크고 작은 정사각형은 모두 10+4=14(개)입니다. ; 14개

1 점 ㄹ에서 시작하여 점 ㄷ을 지나는 반직선이므로 반직선 ㄹㄷ이라고 읽습니다.

2 ㉠은 한 점에서 한쪽으로 끝없이 늘인 곧은 선이므로 반직선이고, ㉡은 양쪽으로 끝없이 늘인 곧은 선이므로 직선입니다.

3 각은 한 점에서 그은 두 반직선으로 이루어진 도형이므로 ㉡입니다.

5 각은 한 점에서 그은 두 반직선으로 이루어진 도형입니다.

6 도형에서 찾을 수 있는 각은 모두 6개입니다.

7 각 ㅇㅈㅂ에 직각 삼각자의 직각 부분을 대어 보면 꼭 맞게 겹쳐지므로 직각입니다.

8 직각 삼각자의 직각 부분과 꼭 맞게 겹쳐지면 직각입니다.

10 직각삼각형은 ㉡과 ㉣로 모두 2개입니다.

12

한 각이 직각인 삼각형이 2개 생기도록 선분을 그어 봅니다.

13 작은 삼각형 1개짜리: 2개, 작은 삼각형 3개짜리: 1개
➡ 2+1=3(개)

14 예

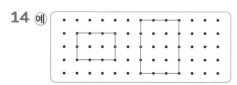

네 각이 직각인 사각형을 그려 봅니다.

15 1칸짜리: 6개, 2칸짜리: 7개, 3칸짜리: 2개, 4칸짜리: 2개, 6칸짜리: 1개 ➡ 6+7+2+2+1=18(개)

16 (1) 네 각이 모두 직각이고 네 변의 길이가 모두 같으므로 정사각형입니다.

(2) 사각형 ㅁㅂㄷㄹ은 정사각형이므로 선분 ㅁㄹ은 10 cm입니다.
(선분 ㄱㅁ)=(선분 ㄱㄹ)-(선분 ㅁㄹ)
=15-10=5(cm)

17 ☐+8+☐+8=46, ☐+☐+16=46,
☐+☐=46-16=30, ☐=15(cm)

18 정사각형은 네 각이 모두 직각이고 네 변의 길이가 모두 같은 사각형입니다.

19 정사각형은 네 변의 길이가 모두 같으므로
8+8+8+8=32(cm)입니다.

4회 단원평가 실전 45~47쪽

1 ㉢ **2** 선분 ㄱㄴ 또는 선분 ㄴㄱ **3** 10개

4 ㉠, ㉣ **5** ㉣

6 예 각 1개짜리: 3개, 각 2개짜리: 2개, 각 3개짜리: 1개입니다. 따라서 크고 작은 각은 모두
3+2+1=6(개)입니다. ; 6개

7 5개 **8** 각 ㄱㄷㄴ 또는 각 ㄴㄷㄱ **9** ⑤

10 2개 **11** ①, ⑤ **12** 직각삼각형

13 (1) 예 한 각이 직각입니다.

(2) 예 변의 길이가 다릅니다.

14 3개

15 예 네 각이 모두 직각이 아니기 때문입니다.

16 풀이 참조 **17** 9 **18** 5 **19** 13개

20 예 (철사의 길이)
=20+10+20+10=60(cm)입니다.
60=15+15+15+15이므로 정사각형의 한 변의 길이를 15 cm로 해야 합니다. ; 15 cm

1 ㉠ 선분 ㄱㄴ 또는 선분 ㄴㄱ
㉡ 직선 ㄱㄴ 또는 직선 ㄴㄱ ㉣ 반직선 ㄴㄱ

2 두 점을 곧게 이은 선이므로 선분입니다. 선분의 이름은 선분 ㄱㄴ 또는 선분 ㄴㄱ입니다.

3 번호를 붙여가며 세어 보면 모두 10개입니다.

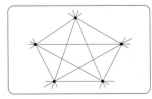

4 굽은 선과 곧은 선으로 이루어진 도형은 각이 아닙니다.

5 변은 반직선 ㄷㄴ과 반직선 ㄷㄹ입니다.

8 직각 삼각자의 직각 부분이 각의 두 변과 꼭 맞게 겹쳐지는 각을 찾아봅니다.

9 ①은 직각이 0개, ②는 직각이 1개, ③은 직각이 2개, ④는 직각이 0개, ⑤는 직각이 4개 있습니다.

11 직각삼각형은 3개의 변과 3개의 꼭짓점이 있고, 한 각이 직각입니다.

14 삼각형 ㄹㄴㅁ, 삼각형 ㄹㅁㄷ, 삼각형 ㄱㄹㄷ으로 모두 3개의 직각삼각형이 생깁니다.

15 네 각이 모두 직각인 사각형을 직사각형이라고 합니다.

16

네 각이 직각이 되도록 사각형을 완성합니다.

17 직사각형은 마주 보는 두 변의 길이가 같으므로 네 변의 길이의 합을 구하는 식을 세우면
13+□+13+□=44, 26+□+□=44,
□+□=44−26, □+□=18, □=9(cm)

18 직각삼각형은 직각이 1개, 정사각형은 길이가 같은 변이 4개 있습니다. 따라서 ㉠은 1, ㉡은 4이므로 ㉠과 ㉡의 합은 1+4=5입니다.

19 작은 직각삼각형 2개짜리: 8개,
작은 직각삼각형 4개짜리: 2개,
작은 직각삼각형 8개짜리: 3개
➜ 8+2+3=13(개)

 탐구 서술형 평가

48~51쪽

1 1단계 6개 2단계 5개 3단계 1개
1-1 예 ㉠ 도형에서 찾을 수 있는 직각은 5개입니다.
㉡ 도형에서 찾을 수 있는 직각은 3개입니다.
따라서 두 도형에서 찾을 수 있는 직각 개수의 차는
5−3=2(개)입니다. ; 2개
2 1단계 36 m 2단계 36 m 3단계 9 m

2-1 예 (직사각형의 네 변의 길이의 합)
=11+5+11+5=32(cm)입니다. 정사각형의 네 변의 길이의 합은 직사각형의 네 변의 길이의 합과 같으므로 32cm입니다. 정사각형의 한 변을 □cm라 하면 □×4=32이고, 8×4=32이므로
□=8(cm)입니다. ; 8 cm

3 1단계 ㉠ 8개 ㉡ 4개 ㉢ 4개 2단계 16개
3-1 예 작은 직각삼각형 1개로 이루어진 직각삼각형: 9개, 작은 직각삼각형 2개로 이루어진 직각삼각형: 6개, 작은 직각삼각형 4개로 이루어진 직각삼각형: 2개, 작은 직각삼각형 9개로 이루어진 직각삼각형: 1개, 따라서 크고 작은 직각삼각형은 모두
9+6+2+1=18(개)입니다. ; 18개

4 예 각 1개짜리: 각 ㄴㄱㄷ, 각 ㄷㄱㄹ, 각 ㄹㄱㅁ, 각 ㅁㄱㅂ ➜ 4개
각 2개짜리: 각 ㄴㄱㄹ, 각 ㄷㄱㅁ, 각 ㄹㄱㅂ ➜ 3개
각 3개짜리: 각 ㄴㄱㅁ, 각 ㄷㄱㅂ ➜ 2개
각 4개짜리: 각 ㄴㄱㅂ ➜ 1개
따라서 점 ㄱ을 꼭짓점으로 하는 크고 작은 각은 모두
4+3+2+1=10(개)입니다. ; 10개

5 예 첫째 도형의 둘레는 8 cm, 둘째 도형의 둘레는 20 cm, 셋째 도형의 둘레는 32 cm이므로 둘레는 12 cm씩 늘어납니다. 따라서 여섯째 도형의 둘레는
32+12+12+12=68(cm)입니다. ; 68 cm

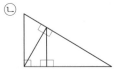 풀이

1 ㉠   ㉡

2 1단계 11+7+11+7=36(m)
2단계 네 변의 길이의 합은 변하지 않았으므로 36m입니다.
3단계 정사각형은 네 변의 길이가 모두 같으므로 한 변을 □m라고 하면 □×4=36입니다. 9×4=36이므로 □=9(m)입니다.

3 1단계 작은 직각삼각형 1개로 이루어진 직각삼각형: 8개, 작은 직각삼각형 2개로 이루어진 직각삼각형: 4개, 작은 직각삼각형 4개로 이루어진 직각삼각형: 4개
2단계 8+4+4=16(개)

3 나눗셈

 수학 익힘 풀기 53쪽

> 1 (1) 5 (2) 4 2 64÷8=8 ; 8일
> 3 18−3−3−3−3−3−3=0 ;
> 18÷3=6 ; 6명
> 4 (1) 9×3=27 ; 27개 (2) 27÷3=9 ; 9개
> (3) 27÷9=3 ; 3상자
> 5 32÷8=4

풀이

1 (1) 20÷4=5
  (2) 20÷5=4
2 64÷8=8(일)
3 방법1: 뺄셈으로 해결하기
   ➜ 18−3−3−3−3−3−3=0
   방법2: 나눗셈으로 해결하기
   ➜ 18÷3=6
4 (1) 9개씩 3줄 ➜ 9×3=27
5 32개의 빵을 8개씩 나누어 주려고 하므로
   32÷8=4로 나타낼 수 있습니다.

수학 익힘 풀기 55쪽

> 1 풀이 참조 2 45÷5=9 ; 9×5=45 ; 9개
> 3 36÷4=9 ; 9×4=36 ; 9자루
> 4 36÷4=9 ; 9상자 5 18÷2=9 ; 9개
> 6 30÷5=6 ; 6병

풀이

1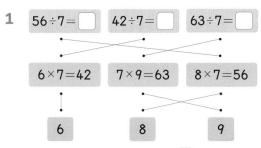

2 9×5=45 ➜ 45÷5= 9
   ⇨ 몫: 9

---

3 36÷4=9 ⬅ 9×4=36
4 곱셈표에서 가로의 4나 세로의 4 중 한 곳을 선택해서 36을 찾습니다.
5 곱셈표에서 가로의 2나 세로의 2 중 한 곳을 선택해서 18을 찾습니다.
6 곱셈표에서 가로의 5나 세로의 5 중 한 곳을 선택해서 30을 찾습니다.

1회 단원 평가  56~58쪽

> 1 6 2 (1) 56, 8, 7 (2) 36, 9, 4
> 3 (1) 45÷9=5 (2) 15÷5=3
> 4 (순서대로) 5, 20 ; 20, 5 ; 20, 4
> 5 21÷7=3, 21÷3=7
> 6 7, 6, 42 ; 6, 7, 42
> 7 32, 4, 8 ; 32, 8, 4
> 8 6, 6 ; 2, 2 9 ①, ③ 10 3
> 11 12, 24, 42
> 12 (1) 9 ; 2, 9, 18(또는 9, 2, 18)
> (2) 4 ; 6, 4, 24(또는 4, 6, 24)
> 13 8 14 > 15 7자루 16 8, 4
> 17 예 채연이네 반 학생은 모두 18+17=35(명)입니다. 35명을 5명씩 나누는 것을 나눗셈식으로 나타내면 45÷5=7입니다. 따라서 모두 7 모둠이 됩니다. ; 7모둠
> 18 4, 6, 8
> 19 (왼쪽부터) 9, 56, 3, 40
> 20 예 25÷5=5 ➜ ★=5,
> 2×7=14이므로 14÷7=2 ➜ ♥=7입니다.
> 따라서 ★+♥=5+7=12입니다. ; 12

풀이

1 30개를 5접시에 똑같이 나누면 한 접시에 6개씩 됩니다. ➜ 30÷5=6
3 (1) 똑같이 나누는 수가 나누는 수, 한 곳에 있는 수가 몫이 됩니다.
   (2) 묶는 수가 나누는 수, 묶음 수가 몫이 됩니다.
4 꽃의 개수를 곱셈식으로 나타내면 4×5=20입니다. 이것을 나눗셈식으로 바꾸면 20÷4=5 또는 20÷5=4로 나타낼 수 있습니다.

5 $7 \times 3 = 21$ ⟨ $21 \div 7 = 3$
$21 \div 3 = 7$

6 하나의 나눗셈식으로 두 개의 곱셈식을 만들 수 있습니다.

● ÷ ■ = ▲ ⟨ ■ × ▲ = ●
▲ × ■ = ●

7 $4 \times 8 = 32$ $4 \times 8 = 32$
$32 \div 4 = 8$ $32 \div 8 = 4$

8 2개씩 6줄이므로 $2 \times 6 = 12$ ⟷ $12 \div 6 = 2$
6개씩 2줄이므로 $6 \times 2 = 12$ ⟷ $12 \div 2 = 6$

■ × ▲ = ● ⟨ ● ÷ ■ = ▲
● ÷ ▲ = ■

9 $18 \div 6 = 3$ ⟨ $6 \times 3 = 18$
$3 \times 6 = 18$

10 $8 \times \boxed{1} = 8$, $8 \times \boxed{2} = 16$, $8 \times \boxed{3} = 24$이므로
$8 \times \boxed{3} = 24$ ⟷ $24 \div 8 = 3$입니다.
따라서 한 명이 3개씩 먹을 수 있습니다.

11 6의 단 곱셈구구를 생각하여 계산합니다.
$6 \times 2 = 12$, $6 \times 4 = 24$, $6 \times 7 = 42$이므로 12, 24, 42가 6으로 나누어지는 수입니다.

12 (1) 2의 단 곱셈구구에서 곱이 18인 곱셈식을 찾습니다.
(2) 6의 단 곱셈구구에서 곱이 24인 곱셈식을 찾습니다.

13 $72 \div 9 = 8$

14 $24 \div 4 = 6$, $15 \div 5 = 3$ ➜ $24 \div 4 \gt 15 \div 5$

15 $47 \div 7 = 7$(자루)

16 8의 단 곱셈구구를 이용하면 $8 \times 8 = 64$이므로 $64 \div 8 = 8$입니다.
2의 단 곱셈구구를 이용하면 $2 \times 4 = 8$이므로 $8 \div 2 = 4$입니다.

18 $12 \div 6 = 2$
$24 \div 6 = 4$
$36 \div 6 = 6$
$48 \div 6 = 8$

19 곱셈과 나눗셈의 관계를 생각하며 문제를 해결합니다.
$72 \div 8 = 9$,
$\boxed{} \div 8 = 7$ ➜ $7 \times 8 = \boxed{56}$,
$24 \div 8 = 3$,
$\boxed{} \div 8 = 5$ ➜ $5 \times 8 = \boxed{40}$

1 $24 \div 6 = 4$
2 (1) 2, 8 (2) 2, 8 (3) 몫
3 풀이 참조   **4** $20 \div 4 = 5$; 5명
5 15, 3, 5 ; 5개
6 (1) 6, 9, 54 (2) 54, 9, 6 (3) 54, 6, 9
7 (1) 7, 8, 56 ; 8, 7, 56
(2) 3, 9, 27 ; 9, 3, 27
8 $3 \times 4 = 12$; $12 \div 3 = 4$ 또는 $12 \div 4 = 3$
9 (1) 8, 8 (2) 8봉지
10 8, 8   **11** 6명
12 (1) 2 (2) 4 (3) 7 (4) 4
13 4, 3, 7
14 (1) ㉡ (2) ㉠ (3) ㉢   **15** ㉡
16 예 어떤 수를 ◻라고 하면 ◻ $\times 3 = 27$,
◻ $= 27 \div 3 = 9$
따라서 바르게 계산하면 $9 \div 3 = 3$입니다. ; 3
17 ②   **18** 9, 3
19 ㉠ 48 ㉡ 6 ㉢ 6 ㉣ 2 ㉤ 8
20 예 어떤 수를 ◻라고 하면 ◻ $\div 5 = ▲$,
▲ $\div 4 = 2$입니다.
▲ $\div 4 = 2$ ↔ ▲ $= 4 \times 2 = 8$,
◻ $\div 5 = ▲$, ◻ $\div 5 = 8$ ↔ ◻ $= 5 \times 8 = 40$; 40

풀이

1 '나누기' → ÷, '같다' → = 기호를 써서 나타냅니다.
2 $16 \div 2 = 8$에서 8은 몫입니다.
3 예

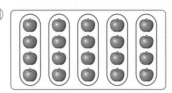

사과 20개를 4개씩 묶으면 5묶음이 됩니다.
4 20을 4씩 묶었으므로 나눗셈식은 $20 \div 4 = 5$입니다.
5 $15 - 3 - 3 - 3 - 3 - 3 = 0$
➜ $15 \div 3 = 5$(개)
9 곱셈식 : $6 \times \boxed{8} = 48$
나눗셈식 : $48 \div 6 = \boxed{8}$
10 나눗셈 $72 \div 9$의 몫을 구할 때, 9의 단 곱셈구구에서 필요한 식은 $9 \times 8 = 72$입니다.

12 (1) $6 \times 2 = 12 \rightarrow 12 \div 6 = 2$
　　(2) $7 \times 4 = 28 \rightarrow 28 \div 7 = 4$
　　(3) $5 \times 7 = 35 \rightarrow 35 \div 5 = 7$
　　(4) $9 \times 4 = 36 \rightarrow 36 \div 9 = 4$

13 $12 \div 3 = 4$, $15 \div 5 = 3$, $21 \div 3 = 7$

14 (1) $16 \div 4 = 4$　(2) $72 \div 8 = 9$　(3) $10 \div 2 = 5$
　　㉠ $18 \div 2 = 9$　㉡ $24 \div 6 = 4$　㉢ $35 \div 7 = 5$

15 ㉡ $28 \div 4 = 7$에서 몫은 7입니다.

17 ① $15 \div \boxed{3} = 5$　② $18 \div 2 = \boxed{9}$　③ $25 \div \boxed{5} = 5$
　　④ $32 \div 4 = \boxed{8}$　⑤ $64 \div \boxed{8} = 8$

18 $8 \times 9 = 72$이므로 $72 \div 8 = 9$,
　　$9 \div \square = 3$에서 $3 \times 3 = 9$이므로 $\square = 3$입니다.

19 ㉡ $\div 3 = 2 \leftrightarrow$ ㉡ $= 3 \times 2 = 6$
　　㉠ $\div 8 = 6 \leftrightarrow$ ㉠ $= 8 \times 6 = 48$
　　㉢ $\div 4 = 2 \leftrightarrow$ ㉢ $= 4 \times 2 = 8$
　　$48 \div$ ㉢ $= 8 \leftrightarrow 8 \times$ ㉢ $= 48$　㉢ $= 6$
　　$8 \div$ ㉣ $= 4 \leftrightarrow 4 \times$ ㉣ $= 8$　㉣ $= 2$

3회 단원평가 기출
62~64쪽

1 풀이 참조 ; 10, 2　　**2** $25 \div 5 = 5$
3 $36 \div 9 = 4$　　**4** 7　　**5** 27, 9, 3 ; 27, 3, 9
6 $5 \times 8 = 40$; $40 \div 5 = 8$ 또는 $40 \div 8 = 5$
7 (1) ㉡ (2) ㉢ (3) ㉠　　**8** (1) 8, 8 (2) 5, 5
9 7마리
10 ⑩ 동화책 32쪽을 4일 동안 매일 똑같이 나누어
읽으면 하루에 몇 쪽씩 읽습니까? ; ⑩ 8쪽
11 2, 4, 9, 5, 7　　**12** ㉣, ㉡, ㉢, ㉠　　**13** ③
14 (1) < (2) > (3) =　　**15** 42　　**16** ②
17 ⑩ (1분 동안 접을 수 있는 종이학의 수)
$= 12 \div 6 = 2$(마리),
(9분 동안 접을 수 있는 종이학의 수)
$= 2 \times 9 = 18$(마리) ; 18마리
18 4대
19 ⑩ 7의 단 곱셈구구 중에서 십의 자리 수가 4인
곱을 찾으면 $7 \times 6 = 42$, $7 \times 7 = 49$입니다. 이 중
에서 $4\square \div 7$의 몫이 가장 크게 되려면 $7 \times 7 = 49$
이므로 $\square$ 안에 알맞은 수는 9입니다. ; 9
20 48 ; 6

풀이

1 △ 10개를 5개의 칸에 똑같이 나누어 그리면 한 칸
에 2개씩 그릴 수 있습니다.

△△	△△	△△	△△	△△

2 ● 나누기 ▲는 ■와 같습니다. $\rightarrow$ ● $\div$ ▲ $=$ ■

3 '■개를 ▲개씩 묶어서 ●번 덜어 내면 0이 됩니다'는
■ $\div$ ▲ $=$ ●라고 나타냅니다.

4 풍선 21개를 3개씩 묶으면 7묶음입니다.

5 $9 \times 3 = 27$　　　　$9 \times 3 = 27$
　　$27 \div 9 = 3$　　　　$27 \div 3 = 9$

7 ■ $\div$ ▲ $=$ ●
　　▲ $\times$ ● $=$ ■
　　● $\times$ ▲ $=$ ■

8 (1) 곱하는 수가 나눗셈의 몫이 되는 경우입니다.
　　(2) 곱해지는 수가 나눗셈의 몫이 되는 경우입니다.

9 돼지 한 마리의 다리는 4개이므로 돼지를 $\square$마리라
고 하면 $4 \times \square = 28 \leftrightarrow \square = 28 \div 4$이므로 $\square = 7$
(마리)입니다.

10 $4 \times 8 = 32$이므로 하루에 $32 \div 4 = 8$(쪽)씩 읽습
니다.

11 $18 \div 9 = 2$, $36 \div 9 = 4$
　　$81 \div 9 = 9$, $45 \div 9 = 5$
　　$63 \div 9 = 7$

12 ㉠ 3　㉡ 5　㉢ 4　㉣ 8
몫이 큰 것부터 차례로 기호를 쓰면 ㉣, ㉡, ㉢, ㉠
입니다.

13 ① $14 \div 2 = 7$
　　② $49 \div 7 = 7$
　　③ $32 \div 4 = 8$
　　④ $35 \div 5 = 7$
　　⑤ $56 \div 8 = 7$

14 (1) $49 \div 7 = 7$ < $63 \div 7 = 9$
　　(2) $64 \div 8 = 8$ > $42 \div 6 = 7$
　　(3) $72 \div 9 = 8$ = $40 \div 5 = 8$

15 7의 단 곱셈구구에서 30보다 크고 50보다 작은 수
를 찾아봅니다.
$\rightarrow 7 \times 5 = 35$, $7 \times 6 = 42$, $7 \times 7 = 49$
세 수 중 십의 자리 수와 일의 자리 수의 합이 6인 수
는 42입니다.

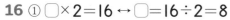
16 ① $\square \times 2=16 \leftrightarrow \square=16 \div 2=8$
② $4 \times \square=36 \leftrightarrow \square=36 \div 4=9$
③ $24 \div 8=\square$, $\square=3$
④ $32 \div \square=4 \leftrightarrow 4 \times \square=32$, $\square=8$
⑤ $42 \div \square=6 \leftrightarrow 6 \times \square=42$, $\square=7$

18 (두발자전거의 바퀴 수)$=2 \times 8=16$(개)
(세발자전거의 바퀴 수)$=28-16=12$(개)
따라서 세발자전거의 수는 $12 \div 3=4$(대)입니다.

20 $\heartsuit \div 2=4 \rightarrow \heartsuit=2 \times 4=8$,
$\blacktriangle + \heartsuit=56$, $\blacktriangle+8=56$, $\blacktriangle=56-8=48$,
$\blacktriangle \div \blacksquare = \heartsuit$, $48 \div \blacksquare=8$
➜ $8 \times \blacksquare=48$, $\blacksquare=6$

4회 단원 평가 〔실전〕 65~67쪽

1 (1) 3개 (2) $21 \div 7=3$
2 예 36 나누기 4는 9와 같습니다.
3 $56 \div 7=8$ **4** 풀이 참조 ; 2, 8
5 63, 7, 9 ; 63, 9, 7
6 $6 \times 2=12$; $12 \div 2=6$ 또는 $12 \div 6=2$
7 $5 \times 9=45$; $45 \div 5=9$ 또는 $45 \div 9=5$
8 (1) 5, 5 (2) 8, 8   **9** 5모둠
10 예 (남은 참외 수)$=72-8=64$(개)
➜ (상자 수)$=64 \div 8=8$(상자) ; 8상자
11 (1) > (2) =   **12** ㉡, ㉣, ㉢, ㉠
13 예 ㉠ $12 \div 3=4$, ㉡ $20 \div 4=5$,
㉢ $21 \div 7=3$, ㉣ $24 \div 6=4$; ㉠, ㉣
14 ①   **15** 9, 4, 6
16 예 (큰 버스를 타고 남은 학생 수)
$=420-357=63$(명),
(필요한 작은 버스 수)$=63 \div 9=7$(대)
따라서 작은 버스는 7대가 필요합니다. ; 7대
17 8, 8   **18** 81
19 예 ▲부터 먼저 구합니다.
$\blacktriangle \div 3=3 \leftrightarrow 3 \times 3 = \blacktriangle$이므로 $\blacktriangle=9$입니다.
$\bigstar \div 2=9 \leftrightarrow \bigstar=2 \times 9$이므로 $\bigstar=18$입니다. ; 18
20 ①, ②

풀이

1 야구공 21개를 똑같이 7곳으로 나누면 한 곳에 3개씩입니다. ➜ $21 \div 7=3$

---

2 '$\square \div \triangle = \bigcirc$는 $\square$ 나누기 $\triangle$는 $\bigcirc$와 같습니다.'라고 읽습니다.

3 뺀 수가 나누는 수, 뺀 횟수가 몫이므로 0이 될 때까지 몇 번 뺐는지를 세어 봅니다. 따라서 $56 \div 7=8$입니다.

4 예

6 6개씩 2묶음 ➜ $6 \times 2=12$
7 5송이씩 9묶음 ➜ $5 \times 9=45$
8 (1) $6 \times \square=30$에서 $\square$가 5가 될 때 $6 \times 5=30$이므로 $30 \div 6=5$입니다.
9 모둠 수를 $\square$라고 하면 $3 \times \square=15$
➜ $15 \div 3=\square$이므로 $\square=5$(모둠)입니다.
11 (1) $18 \div 2=9$ (>) $28 \div 7=4$
(2) $42 \div 6=7$ (=) $63 \div 9=7$
12 ㉠ $32 \div 8=4$
㉡ $5 \times \square=45 \leftrightarrow \square=45 \div 5=9$
㉢ $6 \times \square=36 \leftrightarrow \square=36 \div 6=6$
㉣ $56 \div 7=8$
14 $48 \div 8=6$에서 몫은 6입니다. 48은 나누어지는 수, 8은 나누는 수입니다.
15 6의 단 곱셈구구를 이용합니다.
$36 \div 6=6$, $24 \div 6=4$, $54 \div 6=9$
17 $\square \times 6=48 \leftrightarrow \square=48 \div 6=8$,
$48 \div \square=6 \leftrightarrow 6 \times \square=48$, $\square=8$
18 카드에 적혀 있는 수를 $\square$라고 하면 $\square \div 9=9$,
$\square=9 \times 9=81$입니다.
20 $40 \div 8=5$이므로 $24 \div \square$의 몫은 5보다 커야 합니다.
① $24 \div 3=8$ ② $24 \div 4=6$ ③ $24 \div 6=4$
④ $24 \div 8=3$ ⑤ $24 \div 12=2$이므로 $\square$ 안에 들어갈 수 있는 수는 3, 4입니다.

탐구 서술형 평가 68~71쪽

1 〔1단계〕 7 〔2단계〕 $42 \div 7=\square$ 〔3단계〕 6
1-1 예 먼저 $36 \div 9$의 몫을 구하면 $9 \times 4=36$이므로 $36 \div 9=4$입니다. $24 \div \square=4$이므로 $24 \div 4=\square$입니다. $4 \times 6=24$이므로 $24 \div 4=6$입니다. ; 6

2 1단계 30개 2단계 28개 3단계 7개

2-1 ⓔ (사 온 빵의 수)=$4 \times 7 = 28$(개),
(먹고 남은 빵의 수)=$28 - 1 = 27$(개)
(접시 한 개에 담아야 하는 빵의 수)
=$27 \div 3 = 9$(개)
따라서 접시 한 개에 빵을 9개씩 담아야 합니다.
; 9개

3 1단계 6개 2단계 7개 3단계 쿠키

3-1 ⓔ (한 줄에 서 있는 남학생 수)
=$42 \div 7 = 6$(명),
(한 줄에 서 있는 여학생 수)=$40 \div 5 = 8$(명),
$6 < 8$이므로 한 줄에 서 있는 학생 수가 더 많은 쪽은 여학생입니다. ; 여학생

4 ⓔ $36 - 9 - 9 - 9 - 9 = 0$이므로 36에서 9를 4번 빼면 0이 됩니다.
➡ ●$=4$
$35 \div$▲$=5$, $5 \times 7 = 35$이므로 $35 \div 7 = 5$
➡ ▲$=7$
■$\div$▲$=$●, ■$\div 7 = 4$
➡ ■$=7 \times 4 = 28$
; 28, 7

5 ⓔ 72 m 길이의 오솔길 한 쪽에 9 m 간격으로 나무를 심는다면 나무와 나무 사이의 간격 수는 $72 \div 9 = 8$(곳)입니다.
오솔길의 시작 지점에 심을 나무 한 그루를 더하면 한 쪽에 심을 나무의 수는 9 그루이고, 양쪽에 심을 나무의 수는 $9 \times 2 = 18$(그루)입니다.
따라서 나무는 모두 18그루가 필요합니다. ; 18그루

풀이

1 1단계 $4 \times 7 = 28$이므로 $28 \div 4 = 7$입니다.
2단계 $42 \div \square = 7$이므로 $42 \div 7 = \square$입니다.
3단계 $7 \times 6 = 42$이므로 $42 \div 7 = 6$입니다.

2 1단계 5개씩 6봉지이므로 $5 \times 6 = 30$(개)입니다.
2단계 $30 - 2 = 28$(개)
3단계 $28 \div 4 = 7$(개)

3 1단계 $24 \div 4 = 6$(개)
2단계 $35 \div 5 = 7$(개)
3단계 $7 > 6$이므로 한 봉지에 더 많이 들어 있는 것은 쿠키입니다.

---

4 곱셈

수학 익힘 풀기 73쪽

1 (1) 3, 6 (2) 6, 60 (3) 2, 60
2 (1) 60 (2) 80
3 (1) ⓒ (2) ⓐ (3) ⓑ
4 (1) 69 (2) 84   **5** (1) > (2) >
6 $21 \times 4 = 84$; 84개   **7** 13, 39

풀이

1 (1) 십 모형의 개수: $3 \times 2 = 6$(개)
(2) 십 모형 6개는 일 모형 60개와 같습니다.
(3) $30 \times 2 = 60$

2 (1) $2 \times 3 = 6$에서 6을 십의 자리에 쓰고, 일의 자리에 0을 씁니다. ➡ $20 \times 3 = 60$

3 (1) $10 \times 8 = 80$ ⓒ $40 \times 2 = 80$
(2) $10 \times 4 = 40$ ⓐ $20 \times 2 = 40$
(3) $10 \times 9 = 90$ ⓑ $30 \times 3 = 90$

4 (1) $3 \times 3 = 9$에서 9를 일의 자리에 쓰고, $2 \times 3 = 6$에서 6을 십의 자리에 씁니다.

5 (1) $12 \times 3 = 36$, $13 \times 2 = 26$
(2) $32 \times 3 = 96$, $22 \times 4 = 88$

7 재현이 누나의 나이는 $10 + 3 = 13$(살), 아버지의 나이는 $13 \times 3 = 39$(살)입니다.

수학 익힘 풀기 75쪽

1 21, 126
2 (1) 427 (2) 288
3 62, 248
4 (1) 1 (2) 7
5 ⓐ 64, ⓑ 80
6 $12 \times 7 = 84$; 84자루

풀이

1 딸기가 한 상자에 21개씩 6상자이므로 $21 \times 6 = 126$입니다.

2 (1) $1 \times 7 = 7$에서 7을 일의 자리에 쓰고, $6 \times 7 = 42$에서 2를 십의 자리에, 4를 백의 자리에 씁니다.

3

$$\begin{array}{r} 3\,1 \\ \times\ \ 2 \\ \hline 6\,2 \end{array}$$

$$\begin{array}{r} 6\,2 \\ \times\ \ 4 \\ \hline 2\,4\,8 \end{array}$$

4 (1) 일의 자리에서 올림한 수 3을 더한 값이 9이므로
　　□×6=6이 되어야 합니다. ➔ □=1
　(2) 십의 자리 계산: 일의 자리에서 올림한 수와
　　1×5=5를 더하여 8이 되는 수는 3입니다.
　　일의 자리 계산: □×5=35, □=7

5 ㉠
$$\begin{array}{r} 2 \\ 1\,6 \\ \times\ \ 4 \\ \hline 6\,4 \end{array}$$
　㉡
$$\begin{array}{r} 3 \\ 1\,6 \\ \times\ \ 5 \\ \hline 8\,0 \end{array}$$

수학 익힘 풀기 77쪽

1 (1) 7, 21　(2) 4, 12　(3) 3, 141
2 (1) 5 ; 4, 7, 6　(2) 2 ; 3, 0, 4　**3** (1) 8　(2) 9
4 (1) ㉡　(2) ㉢　(3) ㉠　**5** 448
6 55×6=330 ; 330명

풀이

1 (1) 일 모형의 개수: 7×3=21(개)
　(2) 십 모형의 개수: 4×3=12(개)
　(3) 47×3=141

2 일의 자리에서 받아올림한 수는 십의 자리 위에 작게
　쓰고, 십의 자리의 계산에 더합니다.

3 (1) 6×7=42에서 십의 자리로 올림한 수 4와 더
　했을 때 60이 되는 수는 56이므로 □×7=56
　에서 □=8입니다.
　(2) 십의 자리 계산에서 6×5=30이므로 일의 자
　리의 계산에서 □×5=45이어야 하므로 □
　=9입니다.

4 (1) 58×3=174
　(2) 65×9=585
　(3) 87×6=522

5
$$\begin{array}{r} 4 \\ 5\,6 \\ \times\ \ 8 \\ \hline 4\,4\,8 \end{array}$$

6 55×6=330(명)

---

1 60 ; 20, 3, 60　**2** ②　**3** ㉡
4 50×9=450 ; 450개
5 3, 39
6 (1) 69　(2) 84　**7** 2
8 풀이 참조
9 (1) <　(2) >
10 예 21×6=126(장) ;
　예 21+21+21+21+21+21=126(장)
11 56, 16, 40　**12** 45, 78
13 (계산 순서대로) 40, 240, 42, 282
14 174
15 풀이 참조 : 예 십의 자리 계산을 할 때 일의 자리
에서 올림한 수를 더하지 않았습니다.
16 (1) ㉡　(2) ㉢　(3) ㉠　**17** ⑤
18 364　**19** 성준, 10번
20 1, 2, 3

풀이

1 20씩 3묶음이므로 20×3=60입니다.

2 ② 30+30+30은 30씩 3묶음, 30의 3배, 30
　과 3의 곱, 30×3과 같습니다.

3 ㉠ 20×4=80
　㉡ 40×4=160
　㉢ 40×3=120
　㉣ 30×5=150
　따라서 곱이 가장 큰 것은 ㉡입니다.

4 50개씩 9봉지이므로 사탕은 모두
　50×9=450(개)입니다.

5 13씩 3번 뛰어 세었으므로 13×3=39입니다.

6 (1) $23×3=69$
　(2) $42×2=84$

7 4×□에서 일의 자리의 숫자가 8인 경우는
　4×2=8, 4×7=28입니다.
　34×2=68(○), 34×7=238(×)이므로
　□=2입니다.

8

```
  8 1
×   3
─────
2 4 0
    3
─────
2 4 3
```

보기는 70×2를 먼저 계산하고, 4×2를 계산하여 두 곱을 더한 것입니다.

9 (1) $94×2=188$ < $92×3=276$

(2) $61×6=366$ > $84×2=168$

11 $14=10+4$이므로 10과 4에 각각 4를 곱한 다음, 두 곱을 더합니다.

12 $15×3=45$, $26×3=78$

13 $47=40+7$이므로 40과 7에 각각 6을 곱한 다음, 두 곱을 더합니다.

14 $29×6=174$

15

```
    1
  2 4
×   4
─────
  9 6
```

$4×4=16$에서 올림한 1을 $2×4=8$과 더하여 십의 자리에 써야 합니다.

16 (1) $17×3=51$ (2) $15×3=45$

(3) $28×2=56$

17 ① $20×8=160$ ② $13×6=78$

③ $22×4=88$ ④ $52×3=156$

⑤ $24×9=216$

18 어떤 수를 □라고 하면 □÷7=52입니다.

➡ □=52×7, □=364

19 성준이는 하루에 $46×3=138$(번) 하였고, 수민이는 하루에 $32×4=128$(번) 하였으므로 성준이가 윗몸 일으키기를 $138-128=10$(번) 더 많이 했습니다.

20 $24×2=48$이고, $12×4=48$이므로 □ 안에 들어갈 수 있는 수는 4보다 작은 수인 1, 2, 3입니다.

2회 단원 평가 81~83쪽

1 2, 80 **2** (1) 160 (2) 250 (3) 270 (4) 120
3 60개 **4** 12, 3, 36 **5** (1) 96 (2) 48
6 34×2=68 ; 68 m
7 예 십 모형 4개의 2배인 80을 나타냅니다. ;
예 40×2=80을 나타냅니다.

---

8 216, 210, 6
9 (1) 486 (2) 455 (3) 284 (4) 248
10 53×4=212
11 (계산 순서대로) 50, 35, 85
12 (위에서부터) 81, 54 **13** 풀이 참조
14 36, 180 **15** ㉠, ㉢ **16** 2 **17** ②
18 (위에서부터) 6, 4
19 예 동우네 학교 3학년 학생은 21명씩 7개 반이므로 모두 21×7=147(명)입니다. 따라서 (필요한 공책 수)=147+147=294(권)입니다. ; 294권
20 53×8=424

풀이

1 40씩 2묶음이므로 $40×2=80$입니다.

2 (몇십)×(몇)의 계산에서는 (몇)×(몇)의 계산 결과 뒤에 0을 한 개 붙입니다.

3 (세발자전거의 바퀴 수)=$20×3=60$(개)

4 12씩 3묶음이므로 $12×3=36$입니다.

5 (1) $32×3=96$ (2) $24×2=48$

6 성민이가 걸어야 하는 거리는 34 m씩 2번이므로 $34×2=68$(m)입니다.

8 $72=70+2$이므로 70과 2에 각각 3을 곱한 다음, 두 곱을 더합니다.

9 (1) $81×6=486$ (2) $91×5=455$

10 $53+53+53+53=53×4=212$

11 $17=10+7$이므로 10과 7에 각각 5를 곱한 다음, 두 곱을 더합니다.

$17×5=(10×5)+(7×5)=50+35=85$

12

```
  2          1
  2 7        2 7
×   3      ×   2
─────      ─────
  8 1        5 4
```

13

```
    5
  7 6
×   9
─────
6 8 4
```

① $6×9=54$에서 5는 십의 자리 위에 작게 쓰고, 4는 일의 자리에 씁니다.

② $7×9=63$에 일의 자리에서 올림한 수 5를 더하여 8을 십의 자리에, 6을 백의 자리에 씁니다.

14 $12 \times 3 = 36$, $36 \times 5 = 180$

15 $62 \times 4 = 248$입니다.
㉠ $83 \times 3 = 249$ ㉡ $78 \times 2 = 156$
㉢ $37 \times 7 = 259$ ㉣ $75 \times 3 = 225$
따라서 248보다 큰 수는 ㉠, ㉢입니다.

16 $38 \times 2 = 76$, $38 \times 3 = 114$이므로
☐ 안에 들어갈 수 있는 가장 큰 자연수는 2입니다.

17 ② $24 \times 3 = 72$

18
$$\begin{array}{r} ㉡\,3 \\ \times\quad ㉠ \\ \hline 2\,5\,2 \end{array}$$
$3 \times ㉠$에서 일의 자리 숫자가 2인 경우는 $3 \times 4 = 12$이므로 ㉠$=4$입니다.
㉡$\times 4 + 1 = 25$이므로
㉡$\times 4 = 24$, ㉡$=6$입니다.

20 두 번 곱해지는 한 자리 수에 가장 큰 수를 쓰고, 그 다음 큰 수를 두 자리 수의 십의 자리에, 나머지 수를 두 자리 수의 일의 자리에 씁니다. ➔ $53 \times 8 = 424$

3회 단원평가 기출

84~86쪽

1 ㉠, ㉣ **2** 180, 420 **3** (1) $>$ (2) $=$
4 (위에서부터) 84, 4, 80 **5** ③
6 예 $12 \times 4 = 48$이므로 귤은 모두 48개입니다. ; 48개
7 풀이 참조
8 예 수아네 학교 3학년 학생은 $21 \times 5 = 105$(명)이고, 수아가 가지고 있는 연필은 $12 \times 9 = 108$(자루)입니다. 따라서 연필 수가 학생 수보다 더 많으므로 연필은 충분합니다.
9 129 **10** (1) ㉡ (2) ㉠ (3) ㉢ **11** (1) 8 (2) 3
12 426 **13** 풀이 참조 **14** 3, 1, 2
15 (위에서부터) 4, 48
16 예 어떤 수를 ☐라 하면 ☐$-3 = 24$에서
☐$= 24 + 3$, ☐$= 27$입니다. 따라서 바르게 계산하면 $27 \times 3 = 81$입니다. ; 81
17 58살
18 예 (토끼의 다리 수)$= 26 \times 4 = 104$(개),
(닭의 다리 수)$= 35 \times 2 = 70$(개)
따라서 동물의 다리 수는 모두 $104 + 70 = 174$(개)입니다. ; 174개
19 ㉠ 47 ㉡ 119 **20** 126 m

풀이 ▶

1 (70과 2의 합)$= 70 + 2 = 72$

2 $30 \times 6 = 180$, $70 \times 6 = 420$

3 (1) $40 \times 5 = 200$ ⟩ $20 \times 9 = 180$
(2) $60 \times 4 = 240$ ⟨=⟩ $30 \times 8 = 240$

4 $42 = 40 + 2$이므로 40과 2에 각각 2를 곱한 다음, 두 곱을 더합니다.

5 ① $22 \times 4 = 88$ ② $11 \times 7 = 77$
③ $31 \times 3 = 93$ ④ $23 \times 2 = 46$
⑤ $33 \times 2 = 66$

7
$$\begin{array}{r} 1\,4 \\ \times\quad 6 \\ \hline 6\,0 \\ 2\,4 \\ \hline 8\,4 \end{array}$$
보기 는 20×3을 먼저 계산하고, 6×3을 계산한 후 더한 것입니다.

9 $43 \times 3 = 129$

10 (1) $71 \times 9 = 639$ (2) $53 \times 3 = 159$
(3) $32 \times 4 = 128$

11 (1) ☐$\times 4 = 32$ ➔ ☐$= 32 \div 4$, ☐$= 8$
(2) $3 \times$☐$= 9$ ➔ ☐$= 9 \div 3$, ☐$= 3$

12 70보다 1만큼 더 큰 수는 71이므로 $71 \times 6 = 426$입니다.

13
$$\begin{array}{r} 1\quad \\ 3\,7 \\ \times\quad 2 \\ \hline 7\,4 \end{array}$$
① $7 \times 2 = 14$에서 1은 십의 자리 위에 작게 쓰고, 4는 일의 자리에 씁니다.
② $3 \times 2 = 6$에 일의 자리에서 올림한 수 1을 더한 값 7을 십의 자리에 씁니다.

14 $23 \times 4 = 92$, $20 \times 9 = 180$, $52 \times 3 = 156$이므로 곱이 큰 순서대로 쓰면 180, 156, 92입니다.

15 $16 \times$☐$= 64$에서 ☐$= 4$; $16 \times 3 = 48$

17 (승호의 나이)$= 10 + 2 = 12$(살),
(선생님의 나이)$= 12 \times 3 = 36$(살)
➔ $10 + 12 + 36 = 58$(살)

19 $23 \times 2 = 46$, $30 \times 4 = 120$이므로 46과 120 사이의 자연수 중에서 가장 작은 수는 47, 가장 큰 수는 119입니다.

20 나무 10그루를 심으면 나무와 나무 사이의 간격은 9곳이 생기므로 첫 번째 심은 나무와 마지막에 심은 나무 사이의 거리는 $14 \times 9 = 126$(m)입니다.

4회 단원평가

1 20+20+20+20+20=100 ;
20×5=100

2 (1) ⓒ (2) ⓑ (3) ㉠

3 (위에서부터) 124, 120, 4

4 (1) < (2) <   **5** 48, 124

6 ⓐ 21씩 3번 뛰어 센 것은 21×3=63만큼 뛰어 센 것입니다. 따라서 658에서 63만큼 뛰어 센 수는 658+63=721입니다. ; 721

7 (위에서부터) 156, 208   **8** 42, 126

9 ⓐ 가장 큰 수는 32이고 가장 작은 수는 4이므로 두 수의 곱은 32×4=128입니다. ; 128

10 (1) 9, 4 (2) 3, 8

11 19×5=95 ; 95포기

12 (1) ⓒ (2) ⓔ (3) ㉠   **13** ㉠, ㉣, ⓒ, ⓔ

14 144   **15** 96 cm

16 ⓐ (승우가 붙인 붙임 딱지 수)=27×5=135(장)이고, (기주가 붙인 붙임 딱지 수)=21×9=189(장)입니다. 따라서 기주가 승우보다 189-135=54(장) 더 붙였습니다. ; 기주, 54장

17 5개   **18** 79장   **19** 207

20 ⓐ 두 번 곱해지는 한 자리 수에 가장 큰 수를 쓰고, 그 다음 큰 수부터 두 자리 수의 십의 자리, 일의 자리에 차례로 씁니다. ➜ 32×5=160 ; 160

풀이

1 20씩 5묶음 ➜ 20을 5번 더한 수 ➜ 20과 5의 곱

2 (1) 20×4=80이므로 □=8입니다.
(2) 십의 자리의 계산에서 □×3=15이므로 □=5입니다.
(3) 70×2=140이므로 □=0입니다.

3 62=60+2이므로 60과 2에 각각 2를 곱한 다음, 두 곱을 더합니다.

4 (1) 14×2=28 ⓒ 12×3=36
(2) 34×2=68 ⓒ 11×8=88

5 12×4=48, 31×4=124

7 52×3=156, 52×4=208

8 (예한이가 가진 구슬 수)=21×2=42(개)
(지민이가 가진 구슬 수)=42×3=126(개)

10 (1)
```
    ⓒ 2
  ×  ㉠
  3 6 8
```
2×㉠의 일의 자리의 숫자가 8인 경우는 ㉠=4 또는 ㉠=9입니다.
㉠=4일 때, ⓒ×4=36, ⓒ=9
㉠=9일 때, ⓒ×9+1=36을 만족하는 ⓒ은 없습니다.

(2)
```
    2 7
  ×  ㉠
  ⓒ 1
```
7×㉠의 일의 자리의 숫자가 1인 경우는 7×3=21이므로 ㉠=3입니다.
2×3+2=8이므로 ⓒ=8입니다.

11 19포기씩 5줄 ➜ 19×5=95(포기)

12 (1) ㉠ 30×8=240 ⓒ 40×6=240
(2) ⓒ 62×4=248 ⓔ 31×8=248
(3) ⓒ 36×2=72 ㉠ 18×4=72

13 ㉠ 60×4=240 ⓒ 51×4=204
ⓔ 63×3=189 ⓕ 74×3=222

14 어떤 수를 □라 하면 □+6=30, □=24입니다.
바르게 계산하면 24×6=144입니다.

15 (전체 길이)=(막대 한 개의 길이)×(막대 수)
=12×8=96(cm)

17 34×2=68이고, 17×4=68이므로 □ 안에 들어갈 수 있는 수는 4보다 큰 수인 5, 6, 7, 8, 9의 5개입니다.

18 (여학생 수)=32-17=15(명)이므로
(여학생에게 나누어 주는 색종이 수)=15×3=45(장)
(남학생에게 나누어 주는 색종이 수)=17×2=34(장)
따라서 색종이는 모두 45+34=79(장) 필요합니다.

19 23⊙3=23×3×3=69×3=207

탐구 서술형 평가

1 1단계 210번 2단계 222번 3단계 동우, 12번

1-1 ⓐ 윤후는 39×5=195(쪽) 읽었고, 시연이는 24×7=168(쪽) 읽었습니다. 따라서 윤후가 195-168=27(쪽) 더 많이 읽었습니다. ; 윤후, 27쪽

2 1단계 104 2단계 4 3단계 1, 2, 3

2-1 ⓐ 62×3=186이고, 62×3=31×□에서 31×6=186이므로 □=6입니다. 따라서 □ 안에 들어갈 수 있는 수는 6보다 큰 수인 7, 8, 9입니다. ; 7, 8, 9

3 1단계 ⓒ 2단계 ⓒ, ㉠ 3단계 51×9=459

3-1 예 두 번 곱해지는 한 자리 수 ⓒ에 가장 작은 수 3을 놓습니다. 그 다음 작은 수 4를 두 자리 수의 십의 자리 ㉠에, 나머지 수 8을 두 자리 수의 일의 자리 ⓛ에 놓습니다. 따라서 곱이 가장 작은 곱셈식은 48×3=144입니다. ; 48×3=144

4 예 (농구를 좋아하는 학생 수)
=(배구를 좋아하는 학생 수)×3
=17×3=51(명),
(축구를 좋아하는 학생 수)
=(농구를 좋아하는 학생 수)×2
=51×2=102(명),
따라서 축구를 좋아하는 학생이 배구를 좋아하는 학생보다 102-17=85(명) 더 많습니다. ; 85명

5 예 곱이 가장 큰 곱셈식은 두 번 곱해지는 한 자리 수에 가장 큰 수를, 그 다음 큰 수부터 두 자리 수의 십의 자리, 일의 자리에 차례로 씁니다.
➜ 42×7=294,
곱이 가장 작은 곱셈식은 두 번 곱해지는 한 자리 수에 가장 작은 수를, 그 다음 작은 수부터 두 자리 수의 십의 자리, 일의 자리에 차례로 씁니다.
➜ 47×2=94,
따라서 가장 큰 곱과 가장 작은 곱의 차는 294-94=200입니다. ; 200

풀이

1 **1단계** 민겸이는 윗몸 일으키기를 42×5=210(번) 했습니다.
2단계 동우는 윗몸 일으키기를 37×6=222(번) 했습니다.
3단계 동우가 222-210=12(번) 더 많이 했습니다.

2 **1단계** 52×2=104입니다.
2단계 26×4=104이므로 □=4입니다.
3단계 □ 안에 들어갈 수 있는 수는 4보다 작은 수인 1, 2, 3입니다.

3 **1단계** 두 번 곱해지는 한 자리 수 ⓒ에 가장 큰 수 9를 놓습니다.
2단계 그 다음 큰 수 5를 두 자리 수의 십의 자리 ㉠에, 나머지 수 1을 두 자리 수의 일의 자리 ⓛ에 놓습니다.
3단계 곱이 가장 큰 곱셈식은 51×9=459입니다.

---

5 **길이와 시간**

수학 익힘 풀기 95쪽

1 풀이 참조   **2** (1) 6 (2) 56 (3) 17, 4
3 3, 7   **4** 500   **5** (1) ⓛ (2) ⓒ (3) ㉠
6 1 km 410 m

풀이

1
5 mm
자로 까만색 연필심의 길이를 재면 작은 눈금이 5칸입니다. 즉 5 mm입니다.

2 (1) 1 cm=10 mm이므로 6 cm=60 mm입니다.
(2) 5 cm 6 mm=5 cm+6 mm
=50 mm+6 mm
=56 mm
(3) 174 mm=170 mm+4 mm
=17 cm+4 mm
=17 cm 4 mm

3 머리핀의 길이는 3 cm보다 7 mm 더 긴 길이이므로 3 cm 7 mm입니다.

4 1 km를 10칸으로 나누었으므로 한 칸은 100 m입니다.

5 (1) 1 km=1000 m이므로 7 km=7000 m
(2) 5700 m=5000 m+700 m
=5 km+700 m
=5 km 700 m
(3) 6 km 300 m=6 km+300 m
=6000 m+300 m
=6300 m

6 1410 m=1000 m+410 m
=1 km+410 m
=1 km 410 m

수학 익힘 풀기 97쪽

1 (1) mm (2) cm (3) cm   **2** ②   **3** 병원
4 (2) (○)   **5** (1) 7, 35, 23 (2) 4, 52, 17
6 (1) 3 (2) 120, 150 (3) 4, 10

풀이

1 (1) 동화책의 긴 쪽의 길이는 약 260 mm이거나 26 cm입니다.

(2) 컴퓨터 화면 긴 쪽의 길이는 약 35 cm이거나 350 mm입니다.

(3) 내 키는 약 124 cm이거나 1 m 24 cm입니다.

2 한라산의 높이는 약 1 km 950 m이므로 1 km보다 깁니다.

3 1 km=1000 m이므로 250 m의 4배입니다. 학교에서 병원까지의 거리가 학교에서 버스 정류장까지의 거리의 약 4배이므로 학교에서 약 1 km 떨어진 곳은 병원입니다.

5 초바늘이 숫자 4(20초)에서 작은 눈금 3칸 더 간 곳에 있으므로 23초입니다.

6 (1) 180초=60초+60초+60초
  =1분+1분+1분
  =3분

(2) 2분 30초=1분+1분+30초
  =60초+60초+30초
  =120초+30초=150초

(3) 250초=60초+60초+60초+60초+10초
  =1분+1분+1분+1분+10초
  =4분 10초

수학 익힘 풀기
99쪽

1 (1) 14, 40 (2) 35, 30
2 1, 55, 50   **3** 2시간 50분
4 7, 26   **5** 4, 55
6 9시 11분

풀이

1 분은 분끼리, 초는 초끼리 더하거나 뺍니다.
2 시는 시끼리, 분은 분끼리, 초는 초끼리 더합니다.
3
```
   20 시   55 분
 − 18 시    5 분
    2 시간 50 분
```

---

4 60초=1분이므로
  7시 25분 55초+5초=7시 25분 60초
  =7시 26분입니다.

5 1시간=60분이므로
  5시 10분−15분=4시 70분−15분
  =4시 55분

6 8시 57분의 14분 후이므로
  8시 57분+14분=8시 71분
  =9시 11분

1회 단원 평가 **연습**
100~102쪽

1 풀이 참조 ; 4 센티미터 5 밀리미터
2 5, 6   **3** 4, 2   **4** 6, 250
5 5, 50, 5000, 50, 5050   **6** ㉡
7 ㉔ ㉡ 2420 m=2 km 420 m이므로 2 km 300 m<2420 m입니다. 따라서 길이가 더 긴 것은 ㉡입니다. ; ㉡
8 (1) cm (2) mm   **9** ②
10 6, 15, 24   **11** 210
12 (1) ㉡ (2) ㉠ (3) ㉢   **13** <
14 (1) 7, 55, 54 (2) 4, 35, 11
15 2시 5분
16 1, 40
17 ㉔ 9시 40분에서 20분 후는 10시이고, 10시에서 30분 후는 10시 30분입니다. 따라서 청소가 끝난 시각은 10시 30분입니다. ; 10시 30분
18 도서관
19 11시 15분
20 2시 48분

풀이

1

4 cm 5 mm

2 연필의 길이는 5 cm에서 6 mm만큼 더 긴 길이이므로 5 cm 6 mm입니다.

3 10 mm=1 cm이므로
  42 mm=40 mm+2 mm=4 cm+2 mm
  =4 cm 2 mm

5 1 km=1000 m임을 이용합니다.

정답과 풀이

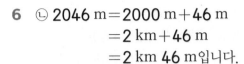

6 ㉡ 2046 m＝2000 m＋46 m
＝2 km＋46 m
＝2 km 46 m입니다.

9 지리산의 높이는 약 l km 9l5 m이므로 l km보다 깁니다.

10 짧은 바늘이 숫자 6과 7 사이에 있으므로 6시, 긴바늘이 숫자 3을 지났으므로 l5분, 초바늘이 숫자 4(20초)에서 작은 눈금 4칸 더 간 곳에 있으므로 24초입니다.

11 3분 30초＝l분＋l분＋l분＋30초
＝60초＋60초＋60초＋30초
＝210초

12 (1) l분 30초＝60초＋30초
＝90초
(2) l분 45초＝60초＋45초
＝105초
(3) 4분 30초＝240초＋30초
＝270초

13 400초＝6분 40초 ➜ 6분 40초 < 6분 50초

15 l시 50분＋l5분＝l시 65분
＝2시 5분

16 3시간 30분－l시간 50분
＝l시간 40분입니다.

18 l km 500 m＝l500 m이고 500 m의 3배이므로 학교에서 우체국까지의 거리의 약 3배인 곳을 찾으면 도서관입니다.

19 9시 55분＋l시간 20분＝l0시 75분
＝ll시 l5분

20 4시 5분－l시간 l7분＝3시 65분－l시간 l7분
＝2시 48분

2회 단원 평가 **도전**

103～105쪽

1 4, 5 **2** (1) ㉡ (2) ㉢ (3) ㉠ (4) ㉢
3 7, 8, 78 **4** >
5 3, 400 ; 3 킬로미터 400 미터 **6** 5, 420
7 ② **8** 한비 ; 예 에어컨의 높이는 약 2 m야.
9 ㉠ **10** 풀이 참조 **11** 분 **12** ㉠, ㉢
13 예나 **14** (1) 7, 55, 5l (2) 3, l6, 46
15 5, l0 **16** 4시 5분

---

17 예 재희: 2시 30분－l시＝l시간 30분,
윤서: 4시 50분－3시 30분＝l시간 20분입니다.
따라서 운동을 더 오래한 사람은 재희입니다.
; 재희
18 산장 **19** 5시간 30분
20 l0시 24분 58초

풀이

1 작은 눈금 한 칸은 l mm입니다. 4 cm에서 작은 눈금 5칸만큼 더 간 곳이므로 4 cm 5 mm입니다.

2 l cm＝l0 mm입니다.
(1) 20 mm＝2 cm
(2) 50 mm＝5 cm
(3) 90 mm＝9 cm
(4) 30 mm＝3 cm

3 연필의 길이는 7 cm보다 8 mm 더 깁니다.
7 cm 8 mm＝7 cm＋8 mm
＝70 mm＋8 mm
＝78 mm

4 45 mm＝4 cm 5 mm
➜ 4 cm 6 mm > 45 mm

5 3 km보다 400 m 더 먼 거리이므로
3 km 400 m입니다.

6 1000 m＝l km이므로
5420 m＝5000 m＋420 m
＝5 km＋420 m
＝5 km 420 m

7 ② 2400 m＝2 km 400 m

9 ㉡, ㉢은 m 단위를 사용하여 길이를 나타내어야 합니다.

10  47초이므로 숫자 9(45초)에서 작은 눈금 2칸 더 간 곳에 초바늘을 그려 넣습니다.

12 ㉡ l분 40초＝100초 ㉢ 210초＝3분 30초

13 예나 : 7분 20초＝7분＋20초
＝420초＋20초＝440초
440>420이므로 예나가 색종이 접기를 더 오래 했습니다.

22 수학 3-1

15 3시 30분에서 1시간 40분 후는 5시 10분입니다.

16 3시 50분+15분=4시 5분
따라서 노래 연습을 마친 시각은 오후 4시 5분입니다.

18 11470 m=11000 m+470 m=11 km 470 m
이므로 11470 m>11 km 90 m입니다.
따라서 산꼭대기까지 더 먼 곳은 산장입니다.

19 3시간 35분+1시간 55분
　　=4시간 90분=5시간 30분

20 오후 1시 8분 14초=13시 8분 14초
(출발한 시각)=(도착한 시각)-(걸린 시간)
　　　　　　　=13시 8분 14초-2시간 43분 16초
　　　　　　　=10시 24분 58초

 **3회 단원평가**  기출

106~108쪽

1 4 cm 2 mm ; 4 센티미터 2 밀리미터
2 (1) 4, 5 (2) 78 (3) 236　**3** 가위
4 12 km 450 m　**5** 2600　**6** (1) > (2) <
7 서점　**8** (1) 12 m (2) 1 km 200 m
9 120초　**10** 1, 46, 19
11 (1) © (2) ② (3) ℃
12 예 1분은 60초이므로 9분 25초=565초입니다. 따라서 565초<612초이므로 희정이가 더 오래 달렸습니다. ; 희정
13 (1) 5, 52, 31 (2) 8, 26, 16　**14** 9분 26초
15 10시 7분　**16** 풀이 참조
17 예 1254초=20분 54초이므로 숙제를 끝낸 시각은 4시 50분 48초+20분 54초=5시 11분 42초입니다. ; 5시 11분 42초
18 병원　**19** 2시 20분
20 예 기차가 서울에서 출발하여 울산까지 가는 데 걸리는 시간을 구해 보세요. ;
예 16시 4분-13시 54분=2시간 10분입니다. 따라서 서울에서 출발하여 울산까지 가는 데 2시간 10분이 걸립니다.

풀이

1 4 cm보다 2 mm 더 긴 것을 4 cm 2 mm라 쓰고, 4 센티미터 2 밀리미터라고 읽습니다.
2 (1) 45 mm=40 mm+5 mm
　　　　　　=4 cm 5 mm

(2) 7 cm 8 mm=70 mm+8 mm
　　　　　　　=78 mm

(3) 23 cm 6 mm=230 mm+6 mm
　　　　　　　　=236 mm

3 134 mm=13 cm 4 mm이므로 길이가 가장 긴 것은 가위입니다.

4 12 km보다 450 m 더 먼 거리는 12 km 450 m 입니다.

5 작은 눈금 한 칸이 100 m를 나타내므로 화살표가 가리키는 부분은 2 km보다 600 m 더 간 거리인 2 km 600 m이고 2600 m와 같습니다.

6 (1) 540 mm=54 cm > 50 cm 4 mm
(2) 2260 m=2 km 260 m < 2 km 270 m

7 3450 m=3 km 450 m이므로
4 km 300 m>3450 m입니다.
따라서 미소네 집에서 더 가까운 곳은 서점입니다.

9 시계에서 초침이 1바퀴 돌면 60초이므로 2바퀴 돌면 120초입니다.

11 (1) 170초=60초+60초+50초
　　　　　　=1분+1분+50초
　　　　　　=2분 50초

(2) 4분 10초=1분+1분+1분+1분+10초
　　　　　　=60초+60초+60초+60초+10초
　　　　　　=250초

(3) 200초=60초+60초+60초+20초
　　　　　=1분+1분+1분+20초
　　　　　=3분 20초

14 35분 40초-26분 14초=9분 26초

15 9시 54분의 13분 후이므로
9시 54분+13분=9시 67분
　　　　　　　=10시 7분입니다.

16 　8시 5분-25분
　　　　=7시 65분-25분
　　　　=7시 40분

18 학교에서 우체국까지의 거리는 약 2 km입니다. 약 2 km만큼 떨어진 곳에는 병원이 있습니다.

19 (영화 시작 시각)=(끝난 시각)-(상영 시간)
　　　　　　　　　=4시 15분-1시간 55분
　　　　　　　　　=2시 20분

정답과 풀이

4회 단원 평가 실전 109~111쪽

1 5 cm 8 mm ; 5 센티미터 8 밀리미터

2 25 cm 7 mm　　**3** 27　　**4** 450 m　　**5** ㉡

6 ⑳ 212 mm=21 cm 2 mm이므로
18 cm 3 mm<212 mm입니다. 따라서 끈을 더
많이 사용한 사람은 예원입니다. ; 예원

7 ⑤　　**8** ㉡ ; mm ; cm

9 ⑳ 시계가 가리키는 시각은 7시 45분 20초입니
다. 초침이 시계를 1바퀴 도는 데 걸리는 시간은 60
초=1분이므로 초침이 5바퀴 돌면 5분입니다. 따라
서 5분 후의 시각은 7시 50분 20초입니다.
; 7시 50분 20초

10 (1) ㉡ (2) ㉢ (3) ㉠

11 (1) 5시간 59분 56초 (2) 5시 28분 25초

12 3시 15분 40초　　**13** 40　　**14** 3시간 20분

15 2, 25

16 ⑳ (가) 모둠은 1분 10초+1분 39초=2분 49
초이고, (나) 모둠은 1분 23초+1분 15초=2분 38
초입니다. 따라서 (나) 모둠이 이겼습니다. ; (나) 모둠

17 5분 43초　　**18** 풀이 참조　　**19** (나) 길

20 ⑳ 출발한 시각이 8시 30분이고, 도착한 시각이
10시 10분이므로 걸린 시간은 10시 10분−8시 30
분=1시간 40분입니다. ; 1시간 40분

풀이

1 색 테이프의 길이는 5 cm보다 8 mm 더 긴 길이이
므로 5 cm 8 mm이고, 5 센티미터 8 밀리미터라
고 읽습니다.

2 작은 눈금 1칸은 1 mm이므로 7칸은 7 mm입니다.
➔ 25 cm 7 mm

3 클립의 길이는 2 cm 7 mm=27 mm입니다.

4 1 km=1000 m이므로
2450 m=2000 m+450 m=2 km 450 m
따라서 2 km보다 450 m 더 멉니다.

5 ㉡ 407 mm=40 cm 7 mm

7 ① 1103 m=1 km 103 m ⊘ 11 km 3 m
② 5 cm 6 mm=56 mm ⊘ 50 mm
③ 10 cm 7 mm=107 mm ⊘ 110 mm
④ 2 km 220 m=2220 m ⊘ 2202 m

10 (1) 2분 15초=60초+60초+15초=135초
(2) 1분 50초=60초+50초=110초
(3) 3분 5초=60초+60초+60초+5초=185초

12 90분=1시간 30분이므로
1시 45분 40초+1시간 30분
=3시 15분 40초

14 (3일 동안 공부한 시간)
=1시간 10분+50분+1시간 20분
=2시간+1시간 20분=3시간 20분

15 2시 55분=14시 55분이므로
14시 55분−12시 30분=2시간 25분

17 종로3가역에서 출발한 시각은
1시 5분 2초+10초=1시 5분 12초입니다.
(걸리는 시간)=(서대문역에 도착한 시각)
−(종로3가역에서 출발한 시각)
=1시 10분 55초−1시 5분 12초
=5분 43초

18
(가) 길
2 km 100 m　　300 m

(나) 길
900 m　1 km　200 m

19 (가) 길은 2 km 400 m, (나) 길은 2 km 100 m
이므로 (나) 길이 더 가깝습니다.

탐구 서술형 평가 112~115쪽

1 **1단계** 3 km 975 m　**2단계** <　**3단계** 도서관

1-1 ⑳ 1200 m=1 km 200 m입니다. 거리를 비
교하면 1 km 200 m > 1 km 50 m > 940 m
입니다. 따라서 집에서 가장 멀리 떨어진 곳은 야구장
입니다. ; 야구장

2 **1단계** 3시 15분 45초　**2단계** 20분 59초
3단계 3시 36분 44초

2-1 ⑳ 그림 그리기를 시작한 시각은 7시 34분 52
초입니다. 60초=1분이므로 2425초=40분 25
초입니다. 7시 34분 52초+40분 25초=8시 15
분 17초이므로 그림 그리기를 끝낸 시각은 8시 15분
17초입니다. ; 8시 15분 17초

3 **1단계** 52분 **2단계** 45분 **3단계** 민우

3-1 예 예나가 달린 시간은 3시 20분 57초−2시 56분 45초=24분 12초,

호석이가 달린 시간은 2시 34분 14초−2시 12분 25초=21분 49초입니다.

따라서 달리기 기록이 더 좋은 사람은 호석입니다.

; 호석

4 예 1회 차 영화가 끝나는 시각은 9시+1시간 15분 20초=10시 15분 20초입니다.

520초=8분 40초이므로 2회 차 영화가 시작하는 시각은 10시 15분 20초+8분 40초=10시 24분입니다.

따라서 2회 차 영화가 끝나는 시각은 10시 24분+1시간 15분 20초=11시 39분 20초입니다.

; 11시 39분 20초

5 예 하지의 낮의 길이는 19시 45분−5시 10분=14시간 35분입니다.

동지의 낮의 길이는 17시 15분−7시 32분=9시간 43분입니다.

따라서 하지의 낮의 길이가 14시간 35분−9시간 43분=4시간 52분 더 깁니다.

; 하지, 4시간 52분

풀이

1 **1단계** 1000 m=1 km이므로

3975 m=3000 m+975 m
     =3 km+975 m
     =3 km 975 m입니다.

2단계 3 km 975 m < 4 km 700 m입니다.

3단계 집에서 더 가까운 곳은 도서관입니다.

2 **2단계** 60초=1분이므로

1259초=20분 59초입니다.

3단계 3시 15분 45초+20분 59초=3시 36분 44초이므로 피아노 연습을 끝낸 시각은 3시 36분 44초입니다.

3 **1단계** 2시 17분−1시 25분=52분

2단계 4시 5분−3시 20분=45분

3단계 민우가 공부를 더 오래했습니다.

---

6 **분수와 소수**

수학 익힘 풀기　　　　　　　　　117쪽

1 ㉡　**2** (1) 4 (2) 7　**3** ㉠, ㉣

4 (1) $\frac{1}{4}$　(2) $\frac{2}{4}$ 또는 $\frac{1}{2}$　**5** ㉡

6 $\frac{3}{7}$; 7분의 3

풀이

2 (1) 크기와 모양이 같은 조각이 4개 있습니다.

(2) 크기와 모양이 같은 조각이 7개 있습니다.

3 ㉡, ㉢은 나누어진 조각의 크기와 모양이 다릅니다.

4 (1) 전체를 똑같이 4로 나눈 것 중의 1입니다.

(2) 전체를 똑같이 4로 나눈 것 중의 2입니다.

　　(전체를 똑같이 2로 나눈 것 중의 1입니다.)

5 전체를 똑같이 5로 나눈 것 중의 3을 색칠한 것을 찾습니다.

㉠과 ㉢은 전체를 똑같이 5로 나눈 것 중의 2를 색칠한 것입니다.

6 전체를 똑같이 7로 나눈 것 중의 3만큼 색칠하였으므로 $\frac{3}{7}$입니다.

수학 익힘 풀기　　　　　　　　　119쪽

1 (1) $\frac{5}{8}$ (2) $\frac{3}{8}$　**2** (1) $\frac{5}{6}$, $\frac{1}{6}$ (2) $\frac{6}{9}$, $\frac{3}{9}$

3 ㉠, ㉢　**4** 풀이 참조 ; >　**5** <　**6** ②, ③

풀이

2 (2) 전체를 똑같이 9로 나눈 것 중 6만큼 색칠하고 3만큼 색칠하지 않은 것입니다.

3 ㉡, ㉣은 전체를 똑같이 4로 나눈 것입니다.

4 예

$\frac{5}{6}$가 $\frac{3}{6}$보다 더 넓으므로 $\frac{5}{6} > \frac{3}{6}$입니다.

수학 익힘 풀기

1 풀이 참조 ; >   2 (1) > (2) <   3 $\dfrac{1}{5}$

4 (1) 0.3, 영 점 삼 (2) 0.5, 영 점 오
(3) 0.8, 영 점 팔

5 ㉠ $\dfrac{4}{10}$ ㉡ $\dfrac{7}{10}$ ㉢ 0.2 ㉣ 0.5 ㉤ 0.8

6 ㉠ 0.2 m ㉡ 0.3 m ㉢ 0.5 m

풀이

1 예

색칠하는 부분의 넓이가 $\dfrac{1}{4}$이 $\dfrac{1}{8}$보다 더 넓으므로

$\dfrac{1}{4}$ > $\dfrac{1}{8}$입니다.

2 단위분수는 분모가 작을수록 더 큰 수입니다.

3 분모가 4보다 큰 단위분수는 $\dfrac{1}{5}$, $\dfrac{1}{6}$……이고, 그중에

서 $\dfrac{1}{6}$보다 큰 분수는 분모가 6보다 작은 $\dfrac{1}{5}$입니다.

4 $\dfrac{■}{10}$는 0.■이고 영 점 ■라고 읽습니다.

5 $\dfrac{2}{10}$=0.2, 0.4=$\dfrac{4}{10}$, $\dfrac{5}{10}$=0.5,

0.7=$\dfrac{7}{10}$, $\dfrac{8}{10}$=0.8

6 $\dfrac{2}{10}$=0.2, $\dfrac{3}{10}$=0.3, $\dfrac{5}{10}$=0.5

수학 익힘 풀기

1 6.2   2 (1) 2.3 (2) 47 (3) 2.5 (4) 53
3 2.4판   4 풀이 참조 ; <   5 2.8, <, 3.6
6 8, 9

풀이

1 1 mm=0.1 cm이고 62 mm는 0.1이 62개이므
로 6.2 cm입니다.

2 (3) 1 mm=0.1 cm이므로
  2 cm 5 mm=2 cm+0.5 cm
        =2.5 cm

(4) 0.1 cm가 53개이므로 5.3 cm=53 mm입니다.

3 피자 1판을 10개로 나눈 것 중의 1개는 0.1판입니다.
피자 2판과 0.4만큼은 2.4판입니다.

4   1.4
0 1 2

1.8
0 1 2

작은 눈금 한 칸은 0.1입니다.
1.4는 1에서 작은 눈금 4칸 더 간 곳까지 표시합니다.
1.8은 1에서 작은 눈금 8칸 더 간 곳까지 표시합니다.
➜ 1.4<1.8

5 0.1이 28개인 수는 2.8이고, $\dfrac{1}{10}$이 36개인 수는

3.6입니다.
➜ 2.8<3.6

6 자연수가 같으므로 소수점 오른쪽 수를 비교하면
7<□이어야 합니다. 따라서 □ 안에 들어갈 수 있
는 수는 8, 9입니다

1회 단원 평가 **연습**

1 ㉠, ㉢, ㉤, ㉥   2 ㉢, ㉥   3 6, 4, 4, 6

4 1, 3   5 $\dfrac{3}{5}$, $\dfrac{2}{5}$ 6 (1) $\dfrac{6}{11}$ (2) $\dfrac{8}{9}$

7 풀이 참조   8 ㉢   9 풀이 참조 ; <

10 7, 4   11 (1) < (2) <   12 2개

13 예 분모가 같으므로 분자의 크기를 비교하면

$\dfrac{3}{8}$<$\dfrac{5}{8}$이므로 민수가 피자를 더 많이 먹었습니다.

; 민수

14 $\dfrac{1}{3}$ 15 0.1 ; 영 점 일   16 ㉠ $\dfrac{3}{10}$ ㉡ 0.8

17 예 0.5는 0.1이 5개이므로 ㉠=5,
4.8은 0.1이 48개이므로 ㉡=48입니다.
따라서 ㉠+㉡=5+48=53입니다. ; 53

18 (1) 3.8 (2) 9.2   19 풀이 참조 ; <

20 성종

풀이 ▶

1 나누어진 조각의 크기와 모양이 같은 것을 찾습니다.

2 자른 4조각의 크기와 모양이 같은 것을 찾습니다.

4 빨간색 부분은 전체를 똑같이 3으로 나눈 것 중의 1 이므로 전체의 $\frac{1}{3}$입니다.

5 색칠한 부분은 전체를 똑같이 5로 나눈 것 중의 3이 므로 전체의 $\frac{3}{5}$이고, 색칠하지 않은 부분은 전체를 똑 같이 5로 나눈 것 중의 2이므로 전체의 $\frac{2}{5}$입니다.

6

7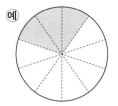

전체를 똑같이 10으로 나눈 것 중의 3을 색칠합니다.

8 ㉠, ㉡: $\frac{1}{4}$ ㉢: $\frac{1}{5}$

9

색칠한 부분의 넓이가 더 넓은 쪽이 더 큰 분수입니다.

10 $\frac{4}{7}$는 $\frac{1}{7}$이 4개인 수입니다.

11 (1) 분모가 같은 분수는 분자가 클수록 더 큰 수입 니다.
(2) 단위분수는 분모가 작을수록 더 큰 수입니다.

12 분모가 같으므로 분자가 3보다 큰 분수를 찾으면 $\frac{6}{7}$, $\frac{4}{7}$의 2개입니다.

14 단위분수는 분모가 작을수록 더 큰 수입니다.
3<4<7이므로 가장 큰 분수는 $\frac{1}{3}$입니다.

15 $\frac{1}{10}$을 소수로 0.1이라 쓰고 영 점 일이라 읽습니다.

16 ㉠ 0.3=$\frac{3}{10}$ ㉡ $\frac{8}{10}$=0.8

18 (1) 1 mm=0.1 cm이므로
3 cm 8 mm=3 cm+0.8 cm=3.8 cm

19 1.2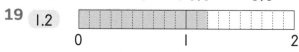

1.7

색칠한 부분의 길이를 비교하면 1.7이 1.2보다 더 길므로 1.2<1.7입니다.

20 1.3은 0.1이 13개인 수, 2.2는 0.1이 22개인 수, 1.9는 0.1이 19개인 수이므로 성종이가 가지고 있 는 색 테이프가 가장 깁니다.

2회 단원평가 〔도전〕

127~129쪽

1 ㉢, ㉣ **2** (1) ㉡ (2) ㉠ **3** 6, 1, 1, 6
4 풀이 참조 ; 5분의 4 **5** 풀이 참조
6 $\frac{1}{8}$ **7** $\frac{7}{11}$ **8** 풀이 참조
9 예 (가) $\frac{1}{11}$이 7개인 수 ➡ $\frac{7}{11}$,

(나) $\frac{1}{11}$이 9개인 수 ➡ $\frac{9}{11}$,

$\frac{7}{11}$<$\frac{9}{11}$이므로 더 큰 수는 $\frac{9}{11}$입니다. ; (나)

10 $\frac{7}{8}$ **11** 사과 **12** ③, ⑤

13 $\frac{1}{5}$, $\frac{1}{10}$, $\frac{1}{20}$, $\frac{1}{100}$

14 (1) 0.3, 영 점 삼 (2) 0.7, 영 점 칠
(3) 0.5, 영 점 오
15 0.3 **16** 3.6 cm **17** 74, 칠 점 사
18 < **19** ㉡, ㉣, ㉠, ㉢
20 예 $\frac{4}{10}$=0.4이므로 0.4<0.5입니다. 따라서
정현이가 학교에 먼저 도착합니다. ; 정현

풀이 ▶

4 예   전체를 똑같이 5로 나눈 것 중의 4를 색칠합니다.

5 예

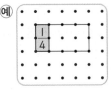

$\frac{1}{4}$은 전체를 똑같이 4로 나눈 것 중의 1이므로 색칠된 부분만큼을 3개 더 그립니다.

6 ➡ $\frac{1}{8}$

7 ▲ ← 부분의 수
■ ← 전체를 똑같이 나눈 수

8 예

왼쪽 도형의 색칠한 부분이 나타내는 분수는 $\frac{4}{6}$이므로 오른쪽 도형을 똑같이 6으로 나눈 후 그중 4를 색칠합니다.

10 케이크 8조각 중 한 조각을 먹었으므로 남은 케이크는 7조각입니다. 따라서 남은 케이크는 전체의 $\frac{7}{8}$입니다.

11 $\frac{5}{6} > \frac{3}{6}$이므로 사과가 감보다 더 무겁습니다.

12 분모가 10으로 같으므로 분자가 3보다 크고 7보다 작은 분수를 고릅니다.

13 단위분수는 분모가 작을수록 큰 수이므로 큰 수부터 차례로 쓰면 $\frac{1}{5}$, $\frac{1}{10}$, $\frac{1}{20}$, $\frac{1}{100}$입니다.

15 전체를 똑같이 10으로 나눈 것 중의 3을 분수로 나타내면 $\frac{3}{10}$이므로 소수로 0.3입니다.

16 연필은 3 cm보다 6 mm 더 깁니다.
6 mm=0.6 cm이므로 연필의 길이는 3.6 cm입니다.

18 4는 0.1이 40개인 수입니다.

19 모두 cm 단위로 나타내어 길이를 비교합니다.
㉠ 1.5 cm ㉡ 3 cm ㉢ 1 cm ㉣ 2.1 cm
➡ ㉡>㉣>㉠>㉢

20 걸린 시간이 적을수록 먼저 도착합니다.

3회 단원평가

1 ②, ④ **2** 풀이 참조 **3** 6, 4, 4, 6 **4** ㉡

5 $\frac{2}{9}$ **6** 4, 8

7 예 (사용하고 남은 색 테이프)=14-3-2=9 (조각)입니다. 따라서 남은 색 테이프는 전체의 $\frac{9}{14}$입니다. ; $\frac{9}{14}$

8 미나 **9** (1) (위에서부터) 5, 6 (2) 4

10 예 사용한 철사는 7조각 중 6조각이므로 $\frac{6}{7}$이고, 사용하고 남은 철사는 7-6=1(조각)이므로 $\frac{1}{7}$입니다. $\frac{6}{7}$은 $\frac{1}{7}$이 6개인 수이므로 $\frac{1}{7}$의 6배입니다. ; 6배

11 $\frac{2}{7}$, <, $\frac{5}{7}$ **12** ⑤

13 $\frac{1}{2000}$, $\frac{1}{500}$, $\frac{1}{100}$, $\frac{1}{50}$, $\frac{1}{15}$ **14** 참고서

15 (1) 0.1, 영 점 일 (2) 0.5, 영 점 오

16 (1) 5 cm 3 mm, 5.3 cm
(2) 3 cm 7 mm, 3.7 cm (3) 2 cm 8 mm, 2.8 cm

17 ④ **18** ㉢

19 예 3.4<3.□에서 □는 4보다 큰 수이므로 5, 6, 7, 8, 9입니다. 0.□>0.7에서 □는 7보다 큰 수이므로 8, 9입니다. 따라서 □ 안에 공통으로 들어갈 수 있는 수는 8, 9입니다. ; 8, 9

20 ㉠ 8.3 ㉡ 0.9

풀이

1 똑같이 나누어진 것은 나누어진 조각의 크기와 모양이 같습니다.

2 예 주어진 점을 이용하여 똑같이 넷으로 나누어 봅니다.

3 전체를 똑같이 6으로 나누었고 그중에서 색칠한 부분은 4입니다.

4 주어진 도형과 같은 도형 3개로 이루어진 도형을 찾습니다.

5 ■분의 ▲ ➔ $\frac{▲}{■}$

6 부분은 전체를 똑같이 8로 나눈 것 중의 4이므로 $\frac{4}{8}$입니다.

8 분모가 클수록 똑같이 나눈 조각의 수가 많습니다.

9 (1) $\frac{1}{■}$이 ●개이면 $\frac{●}{■}$입니다.

(2) $\frac{●}{■}$는 $\frac{1}{■}$이 ●개입니다.

11 1을 똑같이 7로 나눈 것이므로 눈금 한 칸은 $\frac{1}{7}$을 나타냅니다.
수직선에서는 오른쪽에 있을수록 큰 수입니다.

12 분모가 같은 분수는 분자가 클수록 더 큰 수입니다.

13 분자가 1이므로 분모가 작을수록 더 큰 수입니다.
➔ $\frac{1}{2000} < \frac{1}{500} < \frac{1}{100} < \frac{1}{50} < \frac{1}{15}$

14 $\frac{1}{9} < \frac{1}{4}$이므로 참고서가 더 많이 꽂혀 있습니다.

15 (1) $\frac{1}{10}$=0.1이고 영 점 일이라고 읽습니다.

(2) $\frac{5}{10}$=0.5이고 영 점 오라고 읽습니다.

17 ④ 7.7은 칠 점 칠이라고 읽습니다.

18 ㉠ 16, ㉡ 21, ㉢ 8.3이므로 가장 작은 수는 ㉢입니다.

20 자연수의 크기를 비교합니다.

4회 단원 평가 실전

133~135쪽

1 예 ㉠은 점선을 따라 자른 후 조각을 겹쳐 보면 크기와 모양이 똑같지 않습니다. ; ㉠

2 5, 3 3 $\frac{5}{10}$ 4 풀이 참조

5 (1) $\frac{4}{5}$ (2) $\frac{3}{6}$ 6 2조각 7 $\frac{9}{12}$

8 ㉢ 9 4배 10 1, 2

11 예 $\frac{1}{8}$보다 크고 $\frac{1}{5}$보다 작은 단위분수는 분모가 5보다 크고 8보다 작아야 합니다. 따라서 $\frac{1}{6}$, $\frac{1}{7}$입니다. ; $\frac{1}{6}$, $\frac{1}{7}$

12 풀이 참조 ; >

13 인호

14 (1) 0.4, 영 점 사 (2) 0.5, 영 점 오
(3) 0.8, 영 점 팔

15 ㉠ $\frac{4}{10}$cm ㉡ 0.4 cm 16 ⑤ 17 3개

18 예 가로는 14 mm=1.4 cm,
세로는 1 cm 2 mm=1.2 cm입니다.
1.4>1.2이므로 가로의 길이가 더 깁니다.
; 가로

19 예 2.3은 0.1이 23개인 수이고, 3.1은 0.1이 31개인 수, 2.6은 0.1이 26개인 수입니다. 따라서 문어를 가장 많이 샀습니다. ; 문어

20 ㉡, ㉣

풀이

3 색칠한 부분은 전체를 똑같이 10으로 나눈 것 중의 5이므로 $\frac{5}{10}$입니다.

4 예

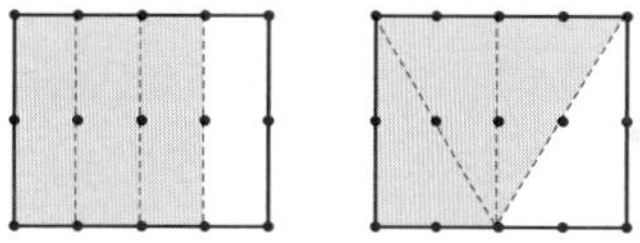

주어진 점을 이용하여 도형을 똑같이 4로 나눈 후 그 중의 3을 색칠합니다.

5 ■분의 ▲ ➔ $\frac{▲}{■}$

6 전체를 똑같이 4조각으로 나눈 후 전체의 $\frac{1}{2}$만큼 먹은 것이므로 2조각 먹은 것입니다.

7 (먹고 남은 초콜릿 조각 수)=12−3=9(조각)
따라서 남은 초콜릿은 전체를 똑같이 12로 나눈 것 중의 9이므로 $\frac{9}{12}$입니다.

10 $\frac{□}{7} < \frac{3}{7}$이므로 □ 안에는 3보다 작은 수인 1, 2가 들어가야 합니다.

12 예

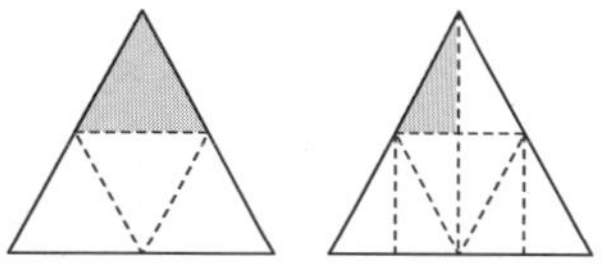

색칠한 부분의 넓이가 넓은 쪽이 더 큰 분수입니다.

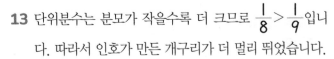

13 단위분수는 분모가 작을수록 더 크므로 $\frac{1}{8}>\frac{1}{9}$입니다. 따라서 인호가 만든 개구리가 더 멀리 뛰었습니다.

14 $\frac{\blacksquare}{10}$는 0.■라 쓰고 영 점 ■라고 읽습니다.

15 1 mm=0.1 cm이므로 4 mm=0.4 cm이고 분수로 $\frac{4}{10}$ cm입니다.

16 ① 0.1 ② 0.5 ③ 0.7 ④ 0.3 ⑤ 1

17 ☐ 안에 알맞은 수는 3보다 크고 7보다 작은 수이므로 4, 5, 6의 3개입니다.

20 ㉠ 8.9 ㉡ 9.4 ㉢ 7.9 ㉣ 9.1
8.9보다 크고 9.7보다 작은 수는 ㉡, ㉣입니다.

탐구 서술형 평가 136~139쪽

1 1단계 3조각 2단계 5조각 3단계 $\frac{5}{8}$

1-1 (예) 지수와 연하가 먹은 피자 조각의 수는 3+1=4(조각)입니다. 민주가 먹은 피자 조각의 수는 6-4=2(조각)입니다. 따라서 민주가 먹은 피자는 전체를 똑같이 6으로 나눈 것 중의 2이므로 전체의 $\frac{2}{6}$입니다 ; $\frac{2}{6}$

2 1단계 $\frac{1}{2}$, $\frac{1}{3}$, $\frac{1}{4}$, $\frac{1}{5}$, $\frac{1}{6}$
2단계 $\frac{1}{4}$, $\frac{1}{5}$, $\frac{1}{6}$ 3단계 3개

2-1 (예) 단위분수 중 $\frac{1}{5}$보다 작은 분수는 분모가 5보다 큰 $\frac{1}{6}$, $\frac{1}{7}$, $\frac{1}{8}$……입니다. 이 중에서 분모가 8보다 작은 수는 $\frac{1}{6}$, $\frac{1}{7}$입니다. 따라서 조건에 알맞은 분수는 $\frac{1}{6}$, $\frac{1}{7}$의 2개입니다. ; 2개

3 1단계 5.7 2단계 6.2 3단계 ㉢, ㉡, ㉠

3-1 (예) ㉠ 0.1이 95개인 수는 9.5입니다.
㉢ $\frac{1}{10}$=0.1이므로 $\frac{1}{10}$이 85개인 수는 8.5입니다.
8.1<8.5<9.5이므로 작은 수부터 차례대로 기호를 쓰면 ㉡, ㉢, ㉠입니다. ; ㉡, ㉢, ㉠

---

4 (예) 분모가 작을수록 전체를 적게 나누는 것이므로 분자가 모두 3으로 같고, 분모가 다르면 분모가 클수록 작은 분수입니다. 따라서 분자가 3인 분수 중 $\frac{3}{5}$보다 작은 분수는 분모가 5보다 큰 $\frac{3}{6}$, $\frac{3}{7}$, $\frac{3}{8}$, $\frac{3}{9}$……입니다. 이 중에서 분모가 9보다 작은 수는 $\frac{3}{6}$, $\frac{3}{7}$, $\frac{3}{8}$입니다. 따라서 조건에 알맞은 분수는 3개입니다. ; 3개

5 (예) $\frac{1}{10}$이 27개인 수는 2.7이므로 2.7보다 크고 4.9보다 작은 수를 찾습니다. ㉠ 0.1이 52개인 수는 5.2, ㉡ 1.8, ㉢ $\frac{1}{10}$이 34개인 수는 3.4, ㉣ 0.1이 48개인 수는 4.8입니다. 이 중에서 2.7보다 크고 4.9보다 작은 수는 ㉢ 3.4, ㉣ 4.8입니다. ; ㉢, ㉣

풀이

1 1단계 2+1=3(조각)
2단계 8-3=5(조각)
3단계 수아가 먹은 케이크는 전체를 똑같이 8로 나눈 것 중의 5이므로 전체의 $\frac{5}{8}$입니다.

2 1단계 단위분수 중 $\frac{1}{7}$보다 큰 분수는 분모가 7보다 작은 $\frac{1}{2}$, $\frac{1}{3}$, $\frac{1}{4}$, $\frac{1}{5}$, $\frac{1}{6}$입니다.
2단계 $\frac{1}{2}$, $\frac{1}{3}$, $\frac{1}{4}$, $\frac{1}{5}$, $\frac{1}{6}$ 중에서 분모가 3보다 큰 수는 $\frac{1}{4}$, $\frac{1}{5}$, $\frac{1}{6}$입니다.
3단계 조건에 알맞은 분수는 $\frac{1}{4}$, $\frac{1}{5}$, $\frac{1}{6}$의 3개입니다.

3 1단계 0.1이 57개인 수는 5.7입니다.
2단계 $\frac{1}{10}$=0.1이므로 $\frac{1}{10}$이 62개인 수는 6.2입니다.
3단계 6.2>5.9>5.7이므로 큰 수부터 차례대로 기호를 쓰면 ㉢, ㉡, ㉠입니다.

1 669, 843   **2** (1) > (2) <

3 276   **4** 1101

5 예 (기차에 남은 사람 수)=(처음에 타고 있던 사람 수)−(내린 사람 수)=452−175=277(명) ; 277명

6 (위에서부터) 4, 3, 5   **7** 495

8 직선   **9** ㉠, ㉢, ㉡   **10** 3개

11 예 직각삼각형에는 꼭짓점이 3개, 직각이 1개 있습니다. 따라서 ㉠은 3, ㉡은 1이므로 ㉠+㉡ =3+1=4입니다. ; 4

12 ②, ⑤

13 예 사각형 1개짜리: 4개, 사각형 2개짜리: 2개, 사각형 3개짜리: 1개입니다. 따라서 도형에서 찾을 수 있는 크고 작은 직사각형은 모두 4+2+1=7(개)입니다. ; 7개

14 24 cm

15 풀이 참조 ; 4

16 21÷3=7 ; 7자루

17 3×7=21 또는 7×3=21 ; 21÷7=3 또는 21÷3=7

18 ㉠

19 예 8과 곱해서 56이 되는 수는 7이므로 곱셈식으로 나타내면 8×7=56입니다. 따라서 56÷8의 몫은 7입니다.

20 9개

풀이

1

416	253	669
365	478	843

416+253=669,
365+478=843

2 (1) 358+635=993 ⊃ 517+474=991

(2) 515+192=707 ⊂ 307+481=788

3 □+354=630, □=630−354, □=276

4 가장 큰 수는 743이고 가장 작은 수는 358입니다.
➡ 743+358=1101

6 일의 자리 계산: 10+□−5=9, □=4
십의 자리 계산: 10+2−1−6=□, □=5
백의 자리 계산: 8−1−□=4, □=3

7 만들 수 있는 가장 큰 수는 641이고 가장 작은 수는 146입니다.
➡ 641−146=495

8 양쪽으로 끝없이 늘인 곧은 선이므로 직선입니다.

9

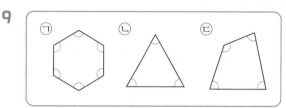

㉠ 6개, ㉡ 3개, ㉢ 4개

10

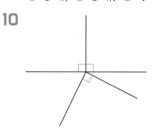

직각 삼각자의 직각 부분을 이용하여 직각을 찾아봅니다.

12 직사각형은 네 각이 모두 직각인 사각형입니다.

14 정사각형은 네 변의 길이가 모두 같으므로 네 변의 길이의 합은 6×4=24(cm)입니다.

15

한 접시에 만두를 4개씩 담으면 16개의 만두를 똑같이 나누어 담을 수 있습니다.

16 (한 명에게 줄 수 있는 연필 수)
=(전체 연필 수)÷(사람 수)
=21÷3=7(자루)

17 3개씩 7묶음 ➡ 3×7=21,
7개씩 3묶음 ➡ 7×3=21
곱셈식을 나눗셈식으로 바꾸면
21÷7=3 또는 21÷3=7입니다.

18 ㉠ 24÷3=8
㉡ 48÷8=6

20 (한 명이 가질 수 있는 도넛 수)
=(전체 도넛 수)÷(사람 수)
=63÷7=9(개)

정답과 풀이

1 13, 13, 39 ; 13, 3, 39
2 (1) ⓒ (2) ⓛ (3) ㉠   **3** 2
4 8, 144
5 279쪽
6 ㉠, ㉣, ⓛ, ⓒ
7 예 (수정이가 푼 문제 수)=24×3=72(문제)이고, (혜원이가 푼 문제 수)=43×2=86(문제)입니다. 따라서 혜원이가 86−72=14(문제) 더 풀었습니다. ; 혜원, 14문제
8 5, 4, 54   **9** 9, 670   **10** ⓛ
11 미연 ; 예 백두산의 높이는 약 2 km 750 m야.
12 무영
13 2시간 1분 55초
14 1시간 54분 30초
15 $\frac{4}{7}$, $\frac{3}{7}$
16 풀이 참조 ; 4분의 3
17 예 ・$\frac{3}{5}$은 $\frac{1}{5}$이 3개이므로 ㉠=3입니다.

・$\frac{6}{10}$은 $\frac{1}{10}$이 6개이므로 ⓛ=6입니다.

➜ 3+6=9 ; 9
18 (1) < (2) >
19 (1) 3 cm 9 mm, 3.9 cm
(2) 9 cm 4 mm, 9.4 cm
(3) 7 cm 3 mm, 7.3 cm
20 예 4.6<4.□에서 □는 6보다 큰 7, 8, 9입니다. 0.9>0.□에서 □는 9보다 작은 1, 2, 3, 4, 5, 6, 7, 8입니다. 따라서 □ 안에 공통으로 들어갈 수 있는 수는 7, 8입니다. ; 7, 8

풀이

1 13씩 3묶음이므로 13×3=39입니다.
2 (1) 11×6=66
(2) 33×3=99
(3) 24×2=48
㉠ 12×4=48
ⓛ 11×9=99
ⓒ 22×3=66

3 4×□에서 일의 자리 수가 8인 경우를 생각해 보면 4×2=8 또는 4×7=28입니다.
34×2=68(○),
34×7=238(×)
4 9×□=72이면 □=8입니다.
72×2=144입니다.
5 주희가 읽고 있는 동화책의 쪽수는 선아가 읽고 있는 동화책의 쪽수의 3배이므로
93×3=279(쪽)입니다.
6 ㉠ 60×4=240
ⓛ 51×4=204
ⓒ 63×3=189
㉣ 74×3=222
➜ 240>222>204>189
8 연필의 길이는 5 cm보다 4 mm 더 깁니다.
5 cm 4 mm=50 mm+4 mm=54 mm
10 ⓛ 9 km 5 m=9000 m+5 m=9005 m입니다.
11 백두산의 높이는 2 km 750 m로 나타내거나 2750 m로 나타냅니다.
12 5분 15초=5분+15초=300초+15초=315초
➜ 315초<328초이므로 무영이가 더 빠르게 달렸습니다.
13 1시간 25분 37초+36분 18초=1시간 61분 55초
                             =2시간 1분 55초
14 (영화 상영 시간)=(끝난 시각)−(시작한 시각)
=4시 25분 10초−2시 30분 40초
=1시간 54분 30초
15 색칠한 부분은 전체를 똑같이 7로 나눈 것 중의 4이므로 전체의 $\frac{4}{7}$이고, 색칠하지 않은 부분은 전체를 똑같이 7로 나눈 것 중의 3이므로 전체의 $\frac{3}{7}$입니다.
16 예

전체를 똑같이 4로 나눈 후 3만큼 색칠합니다.
18 (1) 분모가 같은 분수는 분자가 클수록 큰 수이므로
$\frac{3}{8}<\frac{7}{8}$
(2) 단위분수는 분모가 작을수록 큰 수이므로
$\frac{1}{5}>\frac{1}{7}$

3회 100점 예상문제

148~150쪽

1 1520 **2** 321명 **3** <

4 (예) 924−26□=659일 때 □=5입니다.
924−26□>659이려면 □는 5보다 작아야 하
므로 □ 안에 알맞은 수는 0, 1, 2, 3, 4입니다.
; 0, 1, 2, 3, 4

5 (예) 반직선 두 개로 그려야 하는데 굽은 선으로 그
렸습니다.

6 7개 **7** 사각형, 직사각형, 정사각형

8 63, 9, 7 ; 63, 7, 9 **9** 28 **10** ④

11 풀이 참조 **12** ㉢, ㉣

13 (예) (3일 동안 읽은 쪽수)
=(매일 읽은 쪽수)×3
=53×3=159(쪽) ; 159쪽

14 (1) cm (2) mm **15** ㉠ **16** 2시 50분

17 $\dfrac{3}{10}$

18 (예) 분모가 같으므로 분자를 비교합니다. □는 2
보다 크고 5보다 작아야 하므로 □ 안에 들어갈 수
있는 수는 3, 4입니다. ; 3, 4

19 ㉠ 5.8 cm ㉡ 3.5 cm

20 $\dfrac{3}{10}$, 0.4, 0.6, $\dfrac{8}{10}$, 1

풀이

1 656+864=1520

2 (농구장에 입장한 사람 수)
=(입장한 남자 수)+(입장한 여자 수)
=176+145=321(명)

3 235+199=434 < 750−285=465

6 △ : 4개, ◁ : 2개, ◩ : 1개
➔ 4+2+1=7(개)

7 주어진 도형은 각이 4개, 변이 4개 있으므로 사각형
입니다. 네 각이 모두 직각이므로 직사각형이고, 네
변의 길이가 같으므로 정사각형입니다.

8 하나의 곱셈식을 2개의 나눗셈식으로 바꿀 수 있습
니다.
■×▲=● 〈 ●÷■=▲
●÷▲=■

9 28÷4=7, 28÷7=4입니다. 따라서 28은 4로
도 나누어지고 7로도 나누어집니다.

10 6의 단 곱셈구구에서 십의 자리에 2가 나오는 수를
생각합니다. 6×4=24이므로 □ 안에 공통으로
들어갈 수 있는 수는 4입니다.

11 일의 자리부터 계산한 것입니다.

		3	4
×			2
			8
	6	0	
	6	8	

12 ㉠ 70×2=140
㉡ 35×5=175
㉢ 63×5=315
㉣ 47×4=188
따라서 곱이 180보다 큰 것은 ㉢, ㉣입니다.

15 ㉠ 5분 10초=300초+10초=310초
㉡ 200초=60초+60초+60초+20초
=3분+20초=3분 20초
㉢ 45 mm=40 mm+5 mm
=4 cm+5 mm
=4 cm 5 mm
㉣ 2 km 200 m=2 km+200 m
=2000 m+200 m
=2200 m

16 3시 20분−30분=2시 50분
따라서 늦어도 2시 50분에 출발해야 합니다.

17

노란색		
		파란색

도화지 전체를 10칸으로 나누
어 노란색과 파란색을 색칠한
부분을 표시하면 색칠하지 않은
부분은 3칸이 됩니다.
따라서 색칠하지 않은 부분은 10칸 중 3칸이므로
$\dfrac{3}{10}$입니다.

19 1 mm=0.1 cm입니다.
(가로)=5 cm 8 mm=5 cm+0.8 cm=5.8 cm
(세로)=3 cm 5 mm=3 cm+0.5 cm=3.5 cm

20 $\dfrac{8}{10}$=0.8, $\dfrac{3}{10}$=0.3이므로
$\dfrac{3}{10}$<0.4<0.6<$\dfrac{8}{10}$<1

1 풀이 참조 : 예 십의 자리에서 받아올림한 수를 백의 자리 계산에 더하지 않았습니다.

2 488

3 1053명

4 ⓒ

5 6개

6 예 도형의 안쪽에는 직각이 3개, 바깥쪽에는 직각이 2개 있습니다. ➔ 3+2=5(개) ; 5개

7 16개

8 3, 5, 7

9 9자루   **10** ①

11 96, 129, 51

12 >

13 예 어떤 수를 □라 하면 □−8=13에서
□=13+8, □=21입니다. 따라서 바르게 계산하면 21×8=168입니다. ; 168

14 ⓒ, ⓔ

15 <

16 2시간 50분

17 ⓒ (○) ⓔ (○)

18 ⑤

19 예 10 mm=1 cm이므로 빨간색 테이프의 길이는 155 mm=15 cm 5 mm입니다. 따라서 분홍색 테이프가 더 깁니다. ; 분홍색 테이프

20 0.3, 0.5

풀이

1
```
  1 1
  4 5 8
+ 6 5 4
─────────
1 1 1 2
```

2
ⓐ	
ⓑ	ⓒ

ⓒ=ⓐ−ⓑ이므로 647−159=488입니다.

3 347명이 내렸으므로 923−347=576(명)
477명이 탔으므로 576+477=1053(명)

4 선분은 두 점을 곧게 이은 선이므로 ⓒ입니다.
ⓐ 반직선 ⓑ 선분 ⓒ 직선

5 각 1개짜리: 3개(각 ㄴㄱㄷ, 각 ㄷㄱㄹ, 각 ㄹㄱㅁ)
각 2개짜리: 2개(각 ㄴㄱㄹ, 각 ㄷㄱㅁ)
각 3개짜리: 1개(각 ㄴㄱㅁ)
➔ 3+2+1=6(개)

6

7 ▢ : 6개, ▢▢ : 4개, ⊟ : 2개,
▢▢▢ : 2개, ▢▢▢▢ : 1개, ⊞ : 1개
➔ 6+4+2+2+1+1=16(개)

8 5의 단 곱셈구구를 이용하여 구합니다.
5×3=15 ➔ 15÷5=3
5×5=25 ➔ 25÷5=5
5×7=35 ➔ 35÷5=7

9 연필 한 타는 12자루이므로
연필은 모두 12×3=36(자루) 있습니다. 한 사람에게 줄 수 있는 연필의 수는 36÷4=9(자루)입니다.

10 ① 54÷6=⑨
② 18÷②=9
③ 24÷4=⑥
④ 30÷⑥=5
⑤ 49÷7=⑦

11 32×3=96, 43×3=129, 17×3=51

12 51×5=255 ⟩ 74×3=222

14 1 km=1000 m이므로
6 km 200 m=6200 m

15 8분 25초=505초 ⟨ 513초

16 (걸린 시간)=(도착 시각)−(출발 시각)
=12시 10분−9시 20분
=11시 70분−9시 20분=2시간 50분

17 전체를 똑같이 3으로 나눈 것이 아니므로 색칠한 부분의 크기를 분수로 나타낼 수 없습니다.

18 단위분수는 분모가 작을수록 큰 수이므로 □는 7보다 작아야 합니다. 따라서 □ 안에 들어갈 수 없는 수는 8입니다.

20 0.1이 7개인 수는 0.7이므로 0.1보다 크고 0.7보다 작은 소수는 0.3과 0.5입니다.

1 831

2 ⓔ 어제 운동장을 2바퀴 돌았으므로
344+344=688(m)입니다. 따라서 어제와 오늘
운동장을 688+344=1032(m) 돌았습니다.
; 1032 m

3 150 4 ㉠

5 각 ㄱㅁㄹ(또는 각 ㄹㅁㄱ),
각 ㄴㅁㄷ(또는 각 ㄷㅁㄴ)

6 풀이 참조 7 8개 8 6, 5, 30 ; 5, 6, 30

9 ⓔ (나누어 먹을 자두 수)=35-7=28(개),
(한 사람이 먹을 수 있는 자두 수)=(나누어 먹을 자
두 수)÷(사람 수)=28÷4=7(개), 따라서 한 사람
이 7개씩 먹을 수 있습니다. ; 7개

10 150 11 (1) ㉡ (2) ㉠ (3) ㉢

12 ⓔ (소의 다리 수)=42×4=168(개)이고, (닭의
다리 수)=30×2=60(개)입니다. 따라서 소와 닭
의 다리는 모두 168+60=228(개)입니다.
; 228개

13 7, 8, 9 14 ㉢ 15 4시 10분 30초

16 3시간 10분 17 $\frac{4}{6}$

18 ⓔ 분모가 같은 분수는 분자가 클수록 더 큰 수이
므로 $\frac{2}{6}<\frac{5}{6}$입니다. 따라서 소하네 집에서 더 가까
운 곳은 병원입니다. ; 병원

19 12.6 cm 20 <

풀이

1 364+467=831

3 일의 자리는 3에서 4를 뺄 수 없으므로 십의 자리에
서 받아내림하고 십의 자리에는 5를 썼습니다. 십의
자리는 5에서 7을 뺄 수 없으므로 백의 자리에서 받
아내림하여 15를 썼습니다. 따라서 15는 150을 나
타냅니다.

4 ㉠ 464+567=1031 ㉡ 536-178=358
   ㉢ 875+139=1014 ㉣ 321-123=198
   따라서 가장 큰 수는 ㉠입니다.

5 종이를 반듯하게 두 번 접었다 펼쳤을 때 생기는 각
을 직각이라고 합니다.

6 ⓔ

한 각이 직각인 삼각형을 그려 봅니다.

7 ⬜ : 6개, ⊞ : 2개 ➔ 6+2=8(개)

8 하나의 나눗셈식을 2개의 곱셈식으로 바꿀 수 있습
니다.
●÷■=▲ ⟨ ■×▲=●
           ▲×■=●

10 어떤 수를 ⬜라 하면 ⬜÷5=6에서
⬜=5×6, ⬜=30입니다.
바르게 계산하면 30×5=150입니다.

11 (1) 62×3=186
    (2) 40×7=280
    (3) 18×3=54

13 34×3=102이고 17×6=102이므로 ⬜ 안에
들어갈 수 있는 수는 6보다 큰 수인 7, 8, 9입니다.

14 ㉠ 3 km 200 m
    =3000 m+200 m
    =3200 m이므로
    ㉢ 5245 m가 가장 깁니다.

15 80분=1시간 20분이므로
2시 50분 30초+1시간 20분
=4시 10분 30초

16 (전체 공부 시간)
=(어제 공부한 시간)+(오늘 공부한 시간)
=1시간 40분+1시간 30분
=3시간 10분

17 (은교가 먹은 피자 조각 수)
=(전체 피자 조각 수)
  -(현아와 윤미에게 준 피자 조각 수)
=6-2=4(조각)
따라서 은교가 먹은 피자는 전체의 $\frac{4}{6}$입니다.

19 6 mm=0.6 cm이므로
12 cm와 0.6 cm만큼은 12.6 cm입니다.

20 0.1이 88개인 수는 8.8입니다.
0.1이 95개인 수는 9.5입니다.

정답과 풀이

1 1241   **2** ㄹ, ㄴ, ㄷ, ㄱ   **3** 277명

4 예 어떤 수를 □라 하면 □−356=529에서
□=529+356, □=885입니다. 따라서 바르게
계산하면 885+356=1241입니다.
; 1241

5 반직선 ㄱㄴ   **6** (1) ㄱ, ㄴ, ㄹ, ㅁ (2) 직각삼각형

7 ㄴ, ㄷ   **8** ④

9 예 상자에 담아서 팔 사과는 73−19=54(개)입
니다. 사과 54개를 6개씩 상자에 담아서 팔려면 상
자는 54÷6=9(개)가 필요합니다. ; 9개

10 6   **11** ㉢

12 풀이 참조 ; 예 4×3=12에서 받아올림한 1은
20×3=60에서 6과 더하여 십의 자리에 7을 써야
합니다.

13 43×6=258 ; 258   **14** 학교   **15** ③

16 4시간 10분   **17** $\frac{3}{7}$ **18** $\frac{1}{8}$, $\frac{1}{10}$

19 ㉡

20 예 8.6보다 작은 소수에 8.6은 포함되지 않으므
로 □는 6보다 작아야 합니다. 따라서 □ 안에 들어
갈 수 있는 수는 1, 2, 3, 4, 5입니다.
; 1, 2, 3, 4, 5

풀이

1 가장 큰 수는 746이고 가장 작은 수는 495입니다.
➡ 746+495=1241

2 ㉠ 662+447=1109
㉡ 900−235=665
㉢ 832+195=1027
㉣ 743−365=378

3 (더 탈 수 있는 사람 수)
　=(탈 수 있는 사람 수)−(탄 사람 수)
　=452−175=277(명)

5 반직선 ㄴㄱ으로 읽지 않도록 주의합니다.

6 (1) ㉠ 1개 ㉡ 1개 ㉣ 4개 ㉤ 2개
(2) 한 각이 직각인 삼각형을 직각삼각형이라고 합니
　다.

7 직사각형은 네 각이 모두 직각이고 마주 보는 변의
길이가 같습니다.

8 ① 21÷3=7   ② 49÷7=7
③ 42÷6=7   ④ 54÷6=9
⑤ 35÷5=7

10 4의 단 곱셈구구에서 십의 자리 숫자가 3인 곱은
4×8=32, 4×9=36이므로 몫이 가장 큰 경우
는 36÷4=9입니다.
따라서 □ 안에 알맞은 수는 6입니다.

11 ㉠ 70×3=210
㉡ 62×2=124
㉢ 53×5=265
㉣ 27×3=81입니다.
따라서 곱이 가장 큰 것은 ㉢입니다.

12

$$
\begin{array}{r}
{\scriptstyle 1} \\
2\,4 \\
\times \quad 3 \\
\hline
7\,2
\end{array}
$$

13 두 번 곱해지는 한 자리 수에 가장 큰 수를 쓰고, 그
다음 큰 수를 두 자리 수의 십의 자리, 나머지 수를
두 자리 수의 일의 자리에 씁니다.
➡ 43×6=258

14 1450 m=1 km 450 m이므로 집에서 더 가까운
곳은 학교입니다.

15 ① 1분=60초
② 360초=6분
③ 2분 50초=120초+50초=170초
④ 210초=180초+30초=3분 30초
⑤ 1분 40초=60초+40초=100초

16 (버스를 탄 시간)+(기차를 탄 시간)
　=2시간 40분+1시간 30분
　=4시간 10분

17 전체를 똑같이 7로 나눈 것 중의 3을 색칠한 것이므
로 $\frac{3}{7}$입니다.

18 15>10>8>6>2이므로
$\frac{1}{15}$ < $\frac{1}{14}$ < $\frac{1}{10}$ < $\frac{1}{8}$ < $\frac{1}{7}$ < $\frac{1}{6}$ < $\frac{1}{2}$ 입니다.
따라서 $\frac{1}{14}$보다 크고 $\frac{1}{7}$보다 작은 분수는 $\frac{1}{8}$, $\frac{1}{10}$
입니다.

19 ㉡ 4 cm=40 mm

수학

정답과 풀이